Conectando-se com os Arcturianos

Canalizado por David K. Miller

Conectando-se
com os Arcturianos

Tradução:
Bianca Rocha

Traduzido originalmente do inglês sob o título *Connecting with Arcturians*, por *Light Technology*.
© 1998, 2011, 2016, canalização de David Miller.
Todos os direitos reservados.
Transcrito por David e Gudrun Miller.
Organização de textos e capítulos por Len Cooper.
Edição de textos por Nan e Len Cooper.
Direitos de edição e tradução para todos os países de língua portuguesa.
Tradução autorizada do inglês.
© 2023, Madras Editora Ltda.

Editor:
Wagner Veneziani Costa (*in memoriam*)

Produção e Capa:
Equipe Técnica Madras

Ilustrações:
Gudrun Miller

Fotos:
David e Gudrun Miller

Tradução:
Bianca Rocha

Revisão da Tradução:
Jefferson Rosado

Revisão:
Barbara Veneziani Costa
Arlete Genari

Dados Internacionais de Catalogação na Publicação
(CIP)(Câmara Brasileira do Livro, SP, Brasil)

Miller, David K.
Conectando-se com os arcturianos / canalizado por David K. Miller ; tradução Bianca Rocha. – São Paulo: Madras, 2023.
Título original: Connecting with the arcturians

ISBN 978-85-370-1238-3

1. Encontros humanos-extraterrestres 2. Objetos voadores não identificados 3. Vida em outros planetas
I. Título.

19-32292   CDD-001.942

Índices para catálogo sistemático:
1. Arcturianos: Encontros entre humanos e extraterrestres: Mistérios   001.942
Cibele Maria Dias – Bibliotecária – CRB-8/9427

É proibida a reprodução total ou parcial desta obra, de qualquer forma ou por qualquer meio eletrônico, mecânico, inclusive por meio de processos xerográficos, incluindo ainda o uso da internet, sem a permissão expressa da Madras Editora, na pessoa de seu editor (Lei nº 9.610, de 19/2/1998).

Todos os direitos desta edição, em língua portuguesa, reservados pela

MADRAS EDITORA LTDA.
Rua Paulo Gonçalves, 88 — Santana
CEP: 02403-020 — São Paulo/SP
Caixa Postal: 12183 — CEP: 02013-970
Tel.: (11) 2281-5555
www.madras.com.br

Consciência Galáctica Espiritual

Um com Todo Ser – Todos os Seres como Um

Dedicamos esta edição de Conectando-se com os Arcturianos *às mais de 1.200 sementes estelares em todo o mundo que atualmente são membros do projeto arcturiano conhecido como Grupos de Quarenta. Esses membros estão ajudando a apoiar e a trazer energias arcturianas da quinta dimensão para o nosso querido planeta.*

Também quero agradecer a Melody O'Ryin Swanson, dona da Light Technology Publishing *e da publicação* Sedona Journal of Emergence! *Ela apoiou minha canalização arcturiana por muitos anos em sua incrível revista,* Sedona Journal of Emergence!, *e agora tornou possível a realização da terceira edição deste livro, que foi publicado originalmente em 1998. O livro ganhou notoriedade com o passar dos anos, e as mensagens contidas nessas exposições parecem ainda mais relevantes do que nunca.*

No amor e no servir,
David e Gudrun Miller

ÍNDICE

Prefácio 15
Apresentação 19
    Mãe Terra 19
Mensagem Introdutória 21
    A Joia Azul Está em Crise 21
    Soluções Espirituais para um Possível Desastre 23
    Um Avanço para a Consciência da Quinta Dimensão 24
    O Efeito do Centésimo Macaco 26
1. Nós Somos os Arcturianos 28
    As Transmissões Arcturianas 29
    A Missão Arcturiana na Terra 31
    O Sistema Arcturiano 34
    A Cultura Arcturiana 34
    As Bibliotecas de Energia Arcturianas 36
    Forma e Aparência 37
    A Consciência Arcturiana 38
    Os Arcturianos 41
    A Energia Arcturiana 42
2. Uma Realidade Superior 45
    O Universo Espaço-Temporal 45
    A Galáxia da Via Láctea 47
    O Cinturão de Fótons 48
    A Semeadura da Vida na Galáxia 49

Sementes Estelares 50
Outras Relações Extraterrestres Arcturianas 52
Viagem Espacial 54

3. O Sistema Solar 57
Mudança de Frequência 58
Urano e Netuno 59
Júpiter 59
O Cometa Shoemaker-Levy 60
O Cometa Hale-Bopp 61
Terra 63
Uma Mudança na Consciência Planetária 65
O Centro da Terra 66
A Rotação da Terra 68
A Semeadura da Vida na Terra 69

4. O Planeta Terra em Perigo 73
A Interação Arcturiana com a Terra 74
Tecnologia da Computação 76
Radiação Nuclear 77
Buracos na Camada de Ozônio 79
O Projeto HAARP 80
O Efeito das Mudanças Magnéticas 81
Modelos de Profecia por Computador 83

5. A Condição Humana 85
Direcionando Seus Códigos Genéticos 86
A Influência de Órion 88
A Decisão Arcturiana sobre a Energia de Órion 90
Amor – a Energia do Coração 90
Pureza da Raça Humana 92
Integração Emocional e Mental 93
Implantes Negativos 94
Capacidades Mentais Humanas 96
O Conceito de Livre-arbítrio 97

6. O Subconsciente Humano 99
Telepatia e a Mente Subconsciente 101
Desvendando Códigos pelo Subconsciente 102
Purificação do Subconsciente 103

7. Conectando-se com os Arcturianos 107
Ancorando a Energia Arcturiana 109
Verdade Espiritual 109
Energia Espiritual 111
Uma Nova Consciência 112
Seus Eus Multidimensionais 113
Alinhamentos Energéticos 115
Oscilação 117
Abrindo o Chacra Coronário 118

8. A Necessidade de Cura 121
Cura nas Naves Arcturianas 123
Purificações Pessoais 125
Energia Taquiônica 126
Som e Cor 127
Sessões de Cura Taquiônica 129
Criando um Casulo de Energia 130
Gudrun Miller 133
Recuperando Imagens Galácticas 133

9. Abrindo Sua Consciência 135
Canalização 136
Entrantes 138
A Missão dos Entrantes 139
Coabitação Espiritual 140
O Processo de Fusão 141
Coabitação Negativa 143

10. Dimensões e Corredores 145
A Quarta Dimensão 146
A Quinta Dimensão 147
A Luz da Quinta Dimensão 149

Corredores 150
Corredores Naturais 151
Corredores no Espaço 153
Entrando em um Corredor 153
Dentro de um Corredor 154
Mantendo os Corredores Abertos 156
Um Encontro no Corredor 157

11. O Portal Estelar Arcturiano 159
Guardiões do Portal Estelar 161
A Funcionalidade do Portal Estelar 161
O Processo de Cura e Purificação 163
Entrada no Portal Estelar 163
Escolhendo Sua Próxima Existência 165
Processamento de Alma 167
O Templo Arcturiano 170

12. O Templo de Cristal de Tomar 173
O Templo de Cristal 174
Um Fio de Luz 175
Olhando para o Cristal 176
Entrando no Cristal 178
Sentindo Seu Corpo de Luz 179
Gurhan, do Conselho de Andrômeda 182
Retornando para a Terra 183
O Templo de Cristal 185
Uma Mensagem de Kuthumi 186

13. Ascensão Planetária 187
Estabilizando a Terra 188
Preparando-se para a Ascensão 189
Primeiro a Quarta Dimensão, Depois a Quinta 190
A Missão dos Trabalhadores da Luz 191
Construindo uma Ponte para a Quinta Dimensão 192
Descargas pelos Corredores 194
Energia Espiritual Galáctica e de Gaia 194

Índice

    A Energia do Criador e a Mudança Planetária 196
    União com a Energia do Criador 198

14. Ascensão Humana 199
    Transição para a Quinta Dimensão 200
    Um Aumento de Energia é Necessário 202
    O Poder da Energia da Alma-Grupo 204
    Reativando sua Consciência Galáctica 205
    Usando a Energia do Portal Estelar 207
    Aumentando Seu Quociente de Luz 209

15. Quarenta Grupos de Quarenta 211
    O Poder da Energia em Grupo 212
    O Número Quarenta 213
    O Conceito do Grupo de Quarenta 214
    Quarenta Grupos de Quarenta 216
    Mantendo os Corredores da Quinta Dimensão 218
    Liderança e Foco no Grupo de Quarenta 219
    Os Arcturianos Aparecerão 220
    A Corrente dos Futuros Mestres Ascensionados 221

16. O Triângulo Sagrado 223
    Lado Um: os Extraterrestres 224
    Lado Dois: a Fraternidade Branca 226
    Lado Três: os Nativos Americanos 226
    Juntando-se aos Lados do Triângulo 228
    San Francisco Peaks 229
    O Templo de Cristal Arcturiano 232
    Monte Shasta 235
    Ativando os Códigos de Ascensão 238
    Palavra de Sananda 241
    O Triângulo Sagrado 241
    Gudrun Miller 242

Glossário 245
Sobre o Autor e a Artista 254

Prefácio

Vivemos em um mundo que se altera rapidamente. O grande avanço do conhecimento e da tecnologia está criando uma tensão em todos os sistemas de crenças pessoais e institucionais na atualidade. Muitas de nossas antigas verdades estão em processo de rápida desintegração. Portanto, atualmente estamos imersos em uma transição maior da consciência humana.

As transições são sempre caóticas e instáveis. No entanto, essa transição específica é muito profunda, porque afeta todos os aspectos da nossa realidade percebida. Estamos sendo bombardeados por novas perspectivas, novas ideias, uma nova era, um novo conceito de Deus, novos vizinhos extraterrestres, novas profecias, uma nova espiritualidade, novas definições e novas identidades pessoais e planetárias.

Infelizmente, grande parte dessa nova informação é contraditória, confusa e muito difícil de ser incorporada. Estamos sendo expostos simultaneamente a tantos conceitos novos, que a capacidade humana comum de processar e incorporar novos conhecimentos está sendo reduzida. Existem mais perguntas do que respostas, e os detalhes necessários para o entendimento intelectual nem sempre estão presentes.

Para uma assimilação adequada, todos os novos conceitos devem ser divulgados no tempo certo. As pessoas não conseguem compreender uma visão maior da realidade até possuírem determinados pré-requisitos de entendimento.

Estamos trabalhando arduamente para chegar a esse momento. Estamos nos preparando para a revelação de uma visão maior, uma compreensão mais elevada e uma percepção nova e expandida do que está acontecendo conosco. Estamos prontos para compreender o que nossa querida Mãe Terra está se preparando para fazer. Estamos prontos para perceber o que está diante de nós, não apenas individualmente, mas também como uma raça.

Os arcturianos nos oferecem uma visão clara sobre a quinta dimensão. Essa nova realidade é muito diferente da nossa existência atual na terceira dimensão. Na quinta dimensão, todas as coisas são manifestadas pelo pensamento focado. Tudo é vivenciado como um padrão de energia. Portanto, os arcturianos se referem a um objeto ou a um ser como uma energia. Todas as coisas podem ser curadas pelo equilíbrio e a distribuição de energias. As energias possuem atributos diferentes, semelhantes às nossas estruturas atômicas. O potencial para a criação é, na verdade, muito maior quando se está trabalhando com energias de frequência mais elevada. Dessa forma, a quinta dimensão é mais dinâmica e expressiva do que a terceira dimensão, que é mais pesada e lenta. Ela não é limitada por relações atômicas determinadas.

Somente em raras ocasiões aparece um livro que contém o potencial para mudar a consciência de toda a nossa cultura planetária. Muitos falaram sobre o processo de ascensão, mas poucos realmente compreendem o que isso significa. Quem está realmente lá fora? Para onde estamos indo? Quais são nossas escolhas? O que precisa ser feito a fim de se preparar para esse evento? Todos estão ascendendo para o mesmo lugar? O que aconteceu com a quarta dimensão? Como podemos compreender a quinta dimensão? Como ela é? Como ela funciona? Como são os seres da quinta dimensão? Como eles vivem?

Este livro explica todas essas questões de uma maneira fácil de ser compreendida. Ele esclarece quais são nossas relações com grupos de extraterrestres conhecidos e o que eles estão fazendo para ajudar a Terra e seu povo neste momento galáctico decisivo. Ele mostra como podemos elevar nossas vibrações atualmente e iniciar o processo de integração de energias de dimensões superiores em nosso mundo da terceira dimensão.

Os arcturianos também nos ofereceram um enfoque fundamental para a aceleração da consciência do mundo. Eles apresentaram o conceito de ascensão em grupo por meio da criação de Grupos de Quarenta. Eles também apresentaram o conceito de Triângulo Sagrado, um método para a integração e a unificação do pensamento espiritual e religioso no planeta Terra.

Todos aqueles que lerem este livro sentirão a presença da energia da quinta dimensão em seu ser. Vocês poderão vivenciar realmente uma visão da consciência da quinta dimensão. Isso influenciará profundamente sua capacidade de expandir sua própria percepção da realidade e os ajudará a participar ativamente da ascensão pessoal e planetária que já se iniciou.

Len Cooper
Planetary Heart Publications

Apresentação

Fiquei contente em saber que a Light Technology Publishing iria publicar uma terceira edição de *Conectando-se com os Arcturianos*. Este livro foi publicado originalmente em 1998, e, naquela época, a energia arcturiana estava sendo apresentada pelos meus escritos e pelos escritos de muitos outros autores.

Os conceitos de cura planetária, Triângulo Sagrado e biorrelatividade foram apresentados aqui. Desde a publicação original deste livro, expandi essas ideias poderosas em obras canalizadas posteriores, incluindo uma série de três livros intitulada *Teachings of the Sacred Triangle*, volumes 1, 2 e 3. Até março de 2016, mais de 10 mil cópias em inglês de *Conectando-se com os Arcturianos* haviam sido vendidas. O livro também foi traduzido e publicado em alemão, romeno e espanhol.

Um grupo pequeno, mas poderoso, de sementes estelares arcturianas internacionais recebeu o chamado desta obra para ajudar a criar novos grupos de cura planetária ao redor do mundo, seguindo os princípios básicos deste livro. Até abril de 2016, mais de mil pessoas ao redor do mundo haviam formado grupos de cura planetária conhecidos como Grupos de Quarenta. Existem Grupos de Quarenta ativos na Austrália, assim como na Europa, incluindo Alemanha, Romênia e Grã-Bretanha. Grupos na América do Sul incluem Brasil, Argentina e Chile. Também temos muitos grupos grandes nos Estados Unidos e no Canadá.

Mãe Terra

Muitas previsões sugeridas neste livro estão se tornando realidade. A Mãe Terra, infelizmente, está se movendo com rapidez em direção a um possível desastre ambiental. A biosfera, incluindo nossos oceanos, parece atualmente mais frágil e degradada do que jamais esteve, e os exercícios de cura planetária que os arcturianos denominam de biorrelatividade são mais do que nunca necessários. Estou contente por poder informar que os membros dos nossos Grupos de Quarenta atuais estão conduzindo mais de 12 exercícios globais de cura planetária de biorrelatividade todos os meses. Alguns desses exercícios globais estão sendo realizados em espanhol, alemão, romeno e português. Expandimos nosso trabalho de cura global a fim de incluir nossos projetos de Cidades de Luz Planetárias e Reservas Oceânicas de Luz Planetárias, que cresceram para mais de 40 cidades sagradas e seis áreas oceânicas sagradas.

Se vocês se interessarem em participar de atividades arcturianas de cura planetária, convido-os a se juntar a nós. Vocês poderão encontrar mais informações sobre nosso trabalho em nosso *site*, GroupofForty.com. As ideias contidas neste livro ainda são muito atuais e relevantes. A ascensão pessoal, a ascensão planetária, a biorrelatividade, a quinta dimensão e a consciência expandida contêm um enfoque valioso para nossa evolução.

Eu sou grato porque o interesse por este livro continua a crescer. Bênçãos a todos os que o lerem!

David K. Miller
Prescott, Arizona

Mensagem Introdutória

Saudações. Eu sou Juliano, e nós somos os arcturianos. Estamos contentes porque as energias, os pensamentos e as técnicas espirituais arcturianos têm sido tão bem recebidos pelas sementes estelares. Tem sido uma missão importante para nós interagir e trazer uma nova tecnologia espiritual a este planeta.

Há muito tempo, éramos um planeta da terceira dimensão. Nosso planeta passou por polarizações e transtornos. Alguns desses transtornos foram muito dolorosos e, por vezes, nossos líderes espirituais perderam a esperança de que encontraríamos nosso caminho para uma consciência mais elevada. No entanto, mesmo em nossos tempos mais sombrios, havia líderes espirituais superiores que conseguiam se conectar com mestres dimensionais. Nós também tínhamos a importante capacidade de nos conectar com a quinta dimensão.

Nosso planeta passou por tempos sombrios. Enfrentamos problemas para encontrar o caminho da luz e da consciência superior, mas tivemos êxito. Nosso planeta passou por esses momentos difíceis, e nós superamos nossas diferenças e conflitos. Trabalhamos com todos os habitantes de nosso planeta para desenvolver um planeta verdadeiramente inspirador e espiritualmente unificador. Nosso planeta é conhecido como Arcturus, e é nosso lar no sistema arcturiano.

A Joia Azul Está em Crise

Tivemos experiências pessoais muito semelhantes ao que está acontecendo atualmente na Terra, mas também existem diferenças. A Terra é um planeta único. Vocês possuem muitas línguas, religiões e raças diferentes. Seu planeta tem uma história e uma singularidade próprias que são do conhecimento dos historiadores galácticos e dos mestres ascensionados. O que a Terra está enfrentando atualmente pode ser considerado como um drama cósmico.

Um drama é uma peça na qual existem antagonistas e protagonistas, uma história na qual há conflito. Um drama geralmente contém suspense, porque não fica claro durante a história quem sairá como vencedor. Quando digo que a Terra está encenando um drama cósmico atualmente, estou ciente de que pode haver incerteza quanto ao desfecho dessa história da Joia Azul (o nome arcturiano para a Mãe Terra).

Há forças externas envolvidas que estão fora dos ciclos de encarnação na Terra. Existem diferentes sistemas estelares que fecundaram raças na Terra. Há inclusive histórias na Bíblia que se referem a alguns desses seres estelares como nefilins. As referências indicam que o DNA e os códigos genéticos da humanidade estão imbuídos de raças externas de origem extraterrestre. Esse é um fato importante ao tentar analisar as visões e energias conflitantes que estão se revelando na Terra.

Esse drama cósmico que pode ser observado na Terra foi vivenciado em outros sistemas planetários. Ainda existem raças e civilizações pela galáxia que contêm essa energia de domínio, controle e violência. O domínio e o controle caminham lado a lado com a violência. Dizem que a natureza, que se refere especificamente à Terra e às energias do mundo animal, é impiedosa. O mundo natural é violento. É possível verificar esse fato ao observar os animais na natureza lutando por domínio e matando por comida.

Normalmente, os animais têm uma consciência inferior e não demonstram piedade ou bondade. É claro que existem exceções. O mundo animal tem liderado e feito parte de muitas civilizações diferentes nesta galáxia. O principal desejo no mundo animal é controlar e dominar os outros. É possível observar exatamente esse desfecho no planeta Terra na atualidade. Algumas vezes, isso é referido como o governo mundial, o governo secreto ou aqueles que estão no controle de todas as forças do planeta. Ao falar sobre essas forças, fica claro que existe um desejo contundente por controle e ganância. Isso significa que os recursos planetários e as regras de funcionamento do planeta acabam nas mãos de apenas algumas centenas de pessoas ou menos. Esse tipo de situação ou drama planetário aconteceu em outros planetas. Atualmente está acontecendo na Terra, e com consequências muito perigosas.

Os recursos da Terra estão sendo utilizados em um ritmo extremamente rápido, muitos deles de forma desnecessária, principalmente considerando que existem tecnologias avançadas disponíveis na área de energia. Por exemplo, não existe um bom motivo para este planeta ser tão dependente de petróleo como fonte de energia. Tecnologias melhores, mais limpas, mais baratas e mais seguras já foram descobertas. A dependência em relação ao petróleo é um exemplo de como o controle por algumas pessoas está afetando todo o destino do planeta.

Acreditamos que a única solução para a crise planetária consiste na evolução espiritual. Essa crise existe em muitos níveis diferentes, não apenas nos recursos. É possível que este planeta vivencie um colapso da biosfera. Isso significa que o campo energético comum que mantém a vida unida poderia se tornar desorganizado e incapaz de funcionar. Grandes grupos de plantas ou animais poderiam morrer. Por exemplo, poderia acontecer uma destruição em massa na vida oceânica. A vida de animais ou plantas poderia ser destruída nas florestas, assim como grandes populações com sistema imunológico humano vulnerável.

Neste momento na Terra, o sistema imunológico de muitos grupos de pessoas está se enfraquecendo. Isso significa que há mais susceptibilidade a doenças e enfermidades em massa. O vírus Zika é um exemplo de infecção em massa. Outro exemplo é o vírus Ebola. Ambos representam ameaças perigosas ao sistema imunológico humano e são capazes de destruir a vida de um grande número de pessoas.

Soluções Espirituais para um Possível Desastre

Outros aspectos da crise planetária estão relacionados a guerras e conflitos. A ameaça de uma guerra nuclear permanece forte na Terra. Em nossa galáxia, existem histórias sobre planetas se destruindo. Em um caso, um planeta inteiro foi devastado. A ameaça potencial de uma aniquilação ou guerra nuclear é parte de um drama cósmico que está acontecendo atualmente na Terra. Poderiam ocorrer muitos conflitos perigosos que conduziriam a um holocausto nuclear. Tudo isso nos leva à conclusão de que a Terra está em perigo e à beira de uma catástrofe. Ao mesmo tempo, estamos observando o que os cientistas da Terra chamaram de sexta extinção. Essa extinção atual pode ser comparada aos efeitos de um grande meteoro que atingiu a Terra na Península de Yucatán, no México, há 65 milhões de anos. A poeira e os detritos causados pelo impacto do meteoro levaram à extinção em massa dos dinossauros e de muitos outros animais.

A Terra, como um planeta, não seria totalmente destruída, e a biosfera seria capaz de se recuperar de alguma maneira de uma catástrofe. Continuaria a existir vida de alguma forma. Se acontecesse uma catástrofe, a tecnologia que vocês possuem atualmente acabaria. Levaria séculos para ocorrer algum tipo de recuperação maior.

Decidimos que uma de nossas missões como seres da quinta dimensão deve ser nos conectarmos com os seres da Terra em busca de uma consciência e de uma compreensão superiores. Por esse motivo, trouxemos as informações contidas neste livro, *Conectando-se com os Arcturianos*. De certa forma, reconhecemos que a única solução possível para evitar uma catástrofe assim é por meio da conexão e do trabalho com o pensamento da quinta dimensão.

Estamos na quinta dimensão, que transcende a dualidade e a polarização nas quais vibrações e pensamentos animais inferiores não são permitidos. Em parte, a quinta dimensão foi descrita por alguns dos grandes líderes religiosos de seu planeta. Alguns se referiram a ela como o Jardim do Éden ou o jardim de nosso Pai. Algumas descrições sobre o céu são certamente relevantes ao retratar a quinta dimensão. Outros atributos importantes da vida na quinta dimensão incluem a comunicação telepática e a capacidade de se relacionar de maneira harmoniosa em todos os níveis.

Um Avanço para a Consciência da Quinta Dimensão

Vemos as nossas principais incumbências na Terra como: (1) tornar as pessoas conscientes de uma realidade e de uma dimensão superiores que transcendem os conflitos atuais e (2) informar a humanidade de que ela pode evoluir durante essa crise evolutiva. Neste livro, descrevemos os problemas que a Terra enfrenta e oferecemos novas soluções espirituais.

Uma das maiores perspectivas espirituais está relacionada ao avanço ou progresso evolutivo. O avanço evolutivo significa que, durante uma crise planetária, uma mudança na evolução das espécies pode ocorrer intensamente. Muitos aprimoramentos e mudanças nas capacidades, percepções e compreensões de uma espécie podem ocorrer de maneira intensa e repentina.

A Terra já demonstrou ser capaz de se modificar intensamente. Suas mudanças evolutivas na tecnologia nos últimos cem anos têm sido impressionantes. Um grande exemplo é o uso da tecnologia da computação. Vocês observaram muitos avanços e aprimoramentos na tecnologia que eram inimagináveis há 50 ou 60 anos. Agora, a humanidade é capaz de realizar um progresso espiritual.

A humanidade deve realizar um avanço na consciência de uma maneira tão intensa quanto realizou um avanço na tecnologia. O avanço evolutivo pode ser chamado de consciência da quinta dimensão e ser vivenciado em diversos níveis. O primeiro nível é que as pessoas devem vivenciar uma consciência da quinta dimensão. Um dos objetivos de nossos ensinamentos é tornar as pessoas conscientes da existência dessa dimensão superior.

O segundo nível – igualmente importante – é aprender como integrar e transferir a consciência da quinta dimensão na realidade da terceira dimensão. Vocês têm observado por experiência direta como é complicado e difícil manifestar o pensamento da quinta dimensão na terceira dimensão. Na realidade, até mesmo seus grandes líderes religiosos, como Moisés, Buda, Jesus e Maomé, tiveram de lutar para conseguir fazer isso. Manifestar e transferir a consciência da quinta dimensão no planeta estimulará novas soluções e energia em um nível quântico, a fim de trazer as mudanças necessárias para equilibrar este planeta novamente.

É interessante, pela nossa perspectiva, que a transferência e a implementação da realidade da quinta dimensão formam um processo complexo. Certamente, a diferença no tempo é problemática, porque o que nós vemos na quinta dimensão geralmente leva meses ou anos para se manifestar na terceira dimensão. Ideias e soluções aparecem de maneira muito clara e simples na quinta dimensão. No entanto, quando essas ideias são energicamente conduzidas à Terra, há muitas resistências e bloqueios, e os bloqueios geralmente ocorrem em atrasos no tempo.

O Efeito do Centésimo Macaco

Este livro foi publicado originalmente em 1998, mas a ideia de trabalhar com a Terra e curá-la só agora está se tornando conhecida. Existem grupos que estão trabalhando ativamente para implementá-la. Os conceitos de cura planetária e biorrelatividade não eram amplamente aceitos em 1998. Até mesmo atualmente, ainda há relutância. No entanto, existe um grupo forte de sementes estelares disposto a realizar esse trabalho planetário. O importante é que é requerido um número essencial de pessoas – um número mágico – a fim de trabalharem juntas para transferir e manter a energia da transformação da quinta dimensão no planeta Terra. Em leituras posteriores, nós nos referimos a esse conceito como o efeito do centésimo macaco.

O efeito do centésimo macaco se refere ao fenômeno de um determinado número de animais em um grupo social aprendendo uma tarefa, e, depois, de maneira aparentemente miraculosa, todo o grupo social integra, aceita e realiza a tarefa, levando o grupo todo a um estado de consciência superior. É exatamente isso o que esperamos neste livro quando descrevemos a criação dos 40 Grupos de Quarenta. Temos trabalhado com vocês a fim de desenvolver um grupo principal de pessoas para se tornarem muito fortes em relação à consciência superior, permitindo atrair o número necessário de pessoas para implementar o efeito do centésimo macaco na transformação espiritual. Isso inclui integrar a energia da quinta dimensão.

O pensamento da quinta dimensão pode ajudar a solucionar muitos dos problemas da Terra; isso inclui problemas de radiação e de poluição dos oceanos. Muitas ideias e sistemas complexos podem ser facilmente transferidos da quinta dimensão. Esse processo requer um número essencial de pessoas para ajudar a conexão com a energia superior.

Nós permanecemos confiantes nas habilidades das sementes estelares, e estamos otimistas quanto à habilidade da Terra em se transformar. Acreditamos que, principalmente entre as pessoas mais jovens, há uma aceitação maior da consciência superior. Os dolorosos acontecimentos que vocês presenciam nesta realidade estão relacionados à crise que existe em toda a espécie humana. Uma crise é sempre necessária para um avanço na evolução. Essa é uma das leis da natureza.

Mensagem Introdutória

Desde a primeira publicação de *Conectando-se com os Arcturianos*, continuamos a trazer novas tecnologias espirituais, incluindo um trabalho com Cidades de Luz Planetárias, biorrelatividade e projetos de cura pessoal e planetária. Vamos continuar a oferecer esses ensinamentos para despertar muitas sementes estelares. Não se preocupem se são ou não arcturianos, pleiadianos ou andromedanos, pois todos esses sistemas possuem mestres da quinta dimensão. Este é um momento extraordinário, no qual os mestres da quinta dimensão podem alcançar muitas pessoas interessadas.

A energia da quinta dimensão está próxima, e o acesso à informação e à energia superiores continua a ser transferido. Como mestres ascensionados, estamos aprendendo como ajudá-los da melhor forma. Pode parecer estranho para vocês quando digo que ainda estamos aprendendo como transferir a energia da quinta dimensão para a terceira dimensão. Até mesmo um grande líder espiritual como Jesus enfrentou dificuldades com o processo de transferência da quinta dimensão neste planeta. Estamos modificando nossos métodos e ensinamentos. Além disso, estamos utilizando tecnologias mais recentes para alcançar mais pessoas. Chegou um momento em que sentimos a necessidade de expandir nosso trabalho e nossos ensinamentos. A receptividade que vocês sentiram por nós está estimulando nossos mestres arcturianos a oferecerem mais ajuda e luz para a Mãe Terra. Bênçãos a todos vocês. Eu sou Juliano.

Capítulo 1

Nós Somos os Arcturianos

Nós somos os arcturianos, e eu sou Juliano, um dos comandantes do contingente que está supervisionando a conexão da Terra. Temos um interesse enorme pela Terra, pois nós nos vemos como geradores de seu nascimento espiritual na quinta dimensão. Para que um bebê humano nasça na terceira dimensão, é preciso o auxílio tanto da mãe quanto do bebê. Portanto, fomos designados como ajudantes poderosos para seu processo de nascimento. Somos como um ímã atraindo sua energia espiritual para os reinos superiores.

Por favor, compreendam como é importante que vocês tenham essa atração magnética. Há muitas distorções e desvios na sua terceira dimensão. Sabemos que vocês têm dificuldades quando estão tentando se concentrar. Somos especialistas em concentrar energia nos reinos espirituais superiores. Nosso trabalho com vocês vai proporcionar e acelerar seu desenvolvimento de uma maneira que irá ajudá-los a adentrar a quinta dimensão de uma forma confortável e tranquila. Portanto, enxergamos nossa união como parte de seu processo de ascensão.

Muitos de vocês possuem conexões múltiplas de vidas passadas com diferentes sistemas estelares, como as Plêiades, e sistemas galácticos dos quais não têm consciência em seu conhecimento na Terra. Lembrando que vocês se conectam com os outros sistemas estelares por meio do portal estelar arcturiano – por meio de nós. Somos seres harmoniosos, servindo à sabedoria superior. Nós não interferimos. Apenas levamos a vocês esses planos como seus assistentes e guias.

É importante que vocês aprendam como interagir com as dimensões superiores e como se tornar mais capacitados para se conectar com outros seres planetários que estão alinhados com os objetivos de seu desenvolvimento. Isso é muito importante quando vocês estiverem em contato com o que chamam de seres extraterrestres, pois devem ter muito cuidado para se alinhar àqueles que compreendem e apoiam seu caminho escolhido para o desenvolvimento evolutivo.

Vocês podem pensar em nós como seres espirituais altamente desenvolvidos da quinta dimensão, que estão ajudando os seres da Terra em sua transição. Nós vivenciamos nossa própria mudança da terceira dimensão, nossa própria ascensão, há muito tempo. Evoluímos para um estado de consciência superior, que muitos de vocês admiram bastante e do qual desejam participar. Esse estado de consciência está relacionado a superar os instintos básicos e primitivos e mudar para uma frequência que permitirá que vocês existam em seus corpos de luz.

Esse é o propósito verdadeiro de seu caminho evolutivo na Terra. Vocês desejam deixar o físico e adentrar a luz. O que significa "adentrar a luz"? É a habilidade de estar em seu corpo de luz, livres dos limites físicos da Terra, libertos da necessidade dos aspectos muito restritos de sua vida, aspectos relacionados à finitude da concepção de sua existência.

Não apenas trabalhamos com muitas sementes estelares, mas também vimos muitos planetas passarem por mudanças evolutivas. Temos um grande interesse em observar a Terra e a mudança planetária pela qual ela está passando atualmente. Jamais houve tanta ajuda disponível a um planeta como há agora na Terra. Vocês precisam saber do cuidado e da preocupação que muitos seres superiores têm pela Terra, assim como devem saber que eles estão zelando por vocês. Eles também estão participando da evolução da Terra e de seu novo nascimento. A Terra está literalmente renascendo. Existe um ciclo contínuo de morte e renascimento no universo. A Terra está passando por um processo de nascimento, e vocês estão no ápice dessa mudança evolutiva.

As Transmissões Arcturianas

Gostaríamos de discutir com vocês a natureza de nossas transmissões. Primeiramente, estamos estudando-os cuidadosamente, bem como os ajudando. Estamos estudando seu desenvolvimento como seres planetários, sua resistência, suas densidades e seus bloqueios em relação aos níveis superiores, incluindo a aceitação de sua existência. Parte dessa resistência está focada em sua criação cultural e em sua insistência no processo educacional no entendimento lógico. Por um lado, isso tem sido um grande avanço. Por outro lado, isso os levou a muitas barreiras sólidas em seu desenvolvimento espiritual como seres galácticos.

Precisamos lembrá-los de suas habilidades para se transformar e ativar por meio da luz. Podemos alcançá-los pelo discurso, mas a parte principal de nossa mensagem é uma troca de energia. Conforme estamos falando, nossas naves na quinta dimensão estão centradas sobre vocês. Aqueles de vocês que estiverem escutando as palavras e lendo estas páginas sabem que podem expandir sua consciência até a quinta dimensão. Saibam que nossa luz e a de nossas naves podem alcançar vocês. Não tenham medo de se ativar. Vocês nos buscaram porque sentiram internamente a presença de outra parte da galáxia.

Pensem no entusiasmo que vocês vão sentir quando reconhecerem que existem em uma galáxia na qual têm oportunidades de interagir com inúmeros outros seres e entidades. Apenas se abram a essa possibilidade. Quando fizerem isso, vão receber transmissões de nós.

Nossas transmissões estão em uma frequência mais alta, ainda imensurável pela sua instrumentação. Ao nos receber, há um leve som apitando que entra em seu campo áurico. Isso ativa receptores eletromagnéticos especiais em sua estrutura celular, fazendo com que recebam nossos pensamentos. Isso os ajuda a permitir que recebam essas mensagens. Depois vocês podem traduzi-las em sua própria linguagem.

Nós aprendemos sua linguagem e estudamos seus padrões de pensamento. Estamos familiarizados com seus métodos de dedução e indução. Estudamos seus medos, suas reações e sua agressividade humana, que têm sido bem problemáticos. Suas invejas, seus ódios – exploramos isso por muitos de nossos contatos e observações. Em algumas ocasiões, com a permissão de seus eus superiores, nós residimos temporariamente em seus corpos para poder passar dias com vocês – ou semanas e até meses –, quando isso era aceitável. Nós os observamos de modo a aprender mais sobre seus estados emocionais. Apreciamos a oportunidade de estar com vocês nesses períodos de tempo.

Em troca, nós lhes oferecemos o oposto: convidamos vocês a residir conosco. Vocês podem vir em espírito até nosso planeta ou visitar nossas naves. O oposto, no entanto, tem sido mais difícil, pois muitos de vocês não se prepararam adequadamente para uma existência em uma frequência superior. Descobrimos que, na maior parte, vocês necessitam de uma cura profunda. A experiência de estar na Terra tem sido muito traumática para a maior parte de vocês, e isso requer uma recuperação. Estamos mais do que dispostos a oferecer nossa tecnologia e nossos padrões de pensamento para sua cura.

Um de nossos dons especiais a vocês é o nosso padrão de pensamento. Possuímos determinadas frequências que podem ser disponibilizadas aos outros. Essas frequências de pensamento não são necessariamente transmitidas em palavras, embora haja sons que podem ser emitidos. Quando vocês conseguirem existir em nossa frequência, poderão vivenciar uma expansão de suas células, de seus corpos de luz, da consciência de luz e de seus eus galácticos. Abram sua mente para a possibilidade de estar em uma nova frequência. Vamos oferecer sons diferentes que ajudarão a ativá-los nessa frequência. Se vocês estiverem lendo estas palavras, simplesmente se conectem a nós em seus pensamentos, e estaremos abertos para trabalhar com vocês.

A simples sintonização com nossa frequência proporcionará uma ascensão e uma expansão para vocês. As frequências são ondas que vocês podem conduzir. Recebam nossa frequência em seus campos. Direcionem sua consciência para suas auras neste momento e estejam abertos para receber a frequência dos arcturianos. Nós somos pacíficos e espiritualizados. Buscamos um desenvolvimento e um contato etéreo superiores. Podemos ajudá-los a transcender suas vibrações inferiores. É por meio de nossas habilidades em trabalhar com frequências que podemos alcançar estados de cura superiores, consciência espiritual e desenvolvimento tecnológico.

A Missão Arcturiana na Terra

Os arcturianos estão conectados com a Terra e com a raça humana em diversas capacidades há 150 mil anos. Estamos muito envolvidos com os assuntos do planeta Terra há 20 mil anos. Alguns de nós estiveram aqui muito tempo antes, mas esta é a fase ativa de nosso envolvimento planetário. Tivemos mais contato com vocês em seu atual período histórico. Estivemos envolvidos com os hebreus no Monte Sinai sob a orientação de Sananda e de outros. Estivemos supervisionando algumas das mudanças evolutivas que ocorreram. Mais recentemente, conseguimos trabalhar com muitos nativos americanos de forma bem direta. Atualmente, estamos trabalhando de novo bem próximos a muitos de vocês como sementes estelares. Portanto, vocês podem observar que temos um vínculo duradouro com a raça humana.

No momento, temos um grande contato e envolvimento com a Terra, porque muitas sementes estelares arcturianas estão aqui. Atuamos com a permissão da Fraternidade Branca e a seu serviço. Reconhecemos Sananda como o mestre ascensionado de seu planeta. A orientação que ele oferece a vocês vem da fonte galáctica suprema. Nós interagimos com esse conhecimento, assim como com seu trabalho e seu imenso amor. Reconhecemos todas as suas experiências religiosas, desejando apenas conduzi-los à conexão superior com a luz espiritual.

É verdade que outros seres espaciais estão vindo até seu planeta continuamente para observar. No presente momento, alguns estão interagindo com vocês. Nós estamos interagindo apenas com determinadas pessoas escolhidas em um nível modificado, mas estamos buscando criar uma consciência de nossa presença. Isso foi autorizado pelas fontes superiores em conjunto com sua evolução planetária.

Nós não estivemos diretamente envolvidos nas mudanças evolutivas humanas e na reestruturação genética. Esses assuntos ficaram a cargo dos pleiadianos e dos sirianos. Outros grupos extraterrestres também fizeram isso. Nós, no entanto, atuamos mais no papel de mestres e supervisores. Estamos aqui para ajudá-los a evoluir, de maneira que possam ascender ao portal estelar e passar para o reino da quinta dimensão.

Nossa missão atual na Terra é muito ampla. É uma missão de amor, de envolvimento espiritual e de aprendizado. É uma missão de conexão e, mais especificamente, de infusão de energia. A ascensão é uma forma de expansão. Para expandir, é preciso deter mais energia.

Essa é uma lei universal. Nós podemos ajudá-los a intensificar seus sistemas mental, emocional e físico pelo processo de infusão de energia.

A Terra está passando por uma transição interdimensional. Os bloqueios nos reinos da terceira dimensão estão sendo desfeitos não apenas para vocês, mas também para a Terra. Isso está permitindo que ocorra uma enorme infusão de energia. Se vocês concentrarem sua energia em seres superiores como nós, poderão efetivamente atuar nessa nova energia. Estamos muito contentes porque agora podemos consolidar energia da quinta dimensão de maneira ainda mais profunda em seu sistema planetário e ajudar a Terra em seu processo de ascensão.

Com o surgimento dessa energia intensificada e as aberturas nas dimensões superiores, vocês precisam de um foco. Essa é uma de nossas missões em relação a vocês – fornecer um foco de energia espiritual superior consistente e etericamente pura. Nós oferecemos um portal para que possam nos encontrar, assim como possuímos um portal para a galáxia. Esse é nosso presente para vocês. Queremos que seja um portal em grupo, para nos comunicarmos e trabalharmos como uma consciência em grupo.

Queremos ajudá-los a elevar seu nível de consciência a um ponto em que possam adentrar os corredores dimensionais que estão se abrindo agora. Vocês podem usar esses corredores dimensionais para se comunicar e interagir conosco. Podemos treiná-los para atuarem em espaços interdimensionais e se projetarem pelos corredores até nossas naves e, então, até o sistema arcturiano. Podemos ajudá-los a se projetarem até os templos interdimensionais localizados nas belas montanhas de Arcturus.

Também é nossa missão auxiliá-los em sua purificação. Venham até nós em sua consciência, e saibam que iremos auxiliá-los a se purificar e limpar, de forma que possam elevar a si mesmos e a seu planeta a um nível superior. Sabemos como ajudá-los a purificar seus padrões de pensamento. Percebemos há muito tempo que, quando vocês refinarem seus padrões de pensamento, estarão no caminho para o nascimento espiritual.

Somos uma raça espiritualizada e nos comunicamos telepaticamente. Somos especialistas em conduzir a vocês a luz espiritual superior e em utilizar câmaras de cura para auxiliá-los. Nós conduzimos a vocês um raio de luz azul-dourado. Essa luz irradia raios muito poderosos que vão adentrar seu chacra coronário. Nós recebemos pessoalmente cada um de vocês com essa explosão de energia. Recomendamos que obtenham essa energia do seu chacra coronário e expandam sua consciência para além do conhecimento crescente dos arcturianos.

O Sistema Arcturiano

Temos um nome diferente para Arcturus. Esse nome está em uma linguagem que vocês não compreenderiam. Seu significado é "a estrela que fornece luz", da mesma forma que vocês olham para uma mãe que fornece alimento que dá vida. É uma estrela bem evoluída, que tem sido nosso foco por muitas eras.

Como vocês devem supor, nossos anos não equivalem aos seus. O nosso planeta gira em torno da estrela Arcturus a cada 322 anos terrestres. É possível imaginar a diferença na orientação do tempo. Vivemos em um sistema solar que possui 15 planetas, e cada um deles está em um estágio diferente de desenvolvimento. Alguns planetas existem somente na terceira dimensão. Outros existem simultaneamente na quarta e na quinta dimensão.

No sistema arcturiano, vivemos predominantemente sem um campo de gravidade. Existe, no entanto, uma leve atração gravitacional em nossa presença etérea. Atualmente, estamos supervisionando um planeta habitado em nosso sistema que é da terceira dimensão, assim como a Terra, mas que está se movendo em direção à quinta dimensão. Estamos dando apoio a essas almas, ajudando-as a reencarnar pelo sistema terrestre e, então, usar essa energia para se conectar a um ponto de acesso na quinta dimensão. Muitas sementes estelares arcturianas atualmente na Terra vêm desse planeta.

A Cultura Arcturiana

Nós existimos em uma realidade dimensional de uma clareza que vocês atualmente não podem compreender. A pureza e a clareza de nosso planeta seriam muito revigorantes para vocês. Vocês sentiriam imediatamente uma purificação pessoal no contato inicial conosco. A bagagem extra que vocês carregam em seu mundo na terceira dimensão seria imediatamente eliminada.

Não temos preocupações a respeito de sobrevivência física, segurança, aposentadoria, previdência e até mesmo de formas de trabalho simples. Esses assuntos não estão incluídos em nosso reino. Dedicamos nosso tempo e espaço à vida espiritual. Essa não é uma vida sem prazer. Não se enganem sobre isso. Nós nos envolvemos com música e relacionamentos, com trabalho, mas não da forma primitiva como sua cultura e sua sociedade demandam. O trabalho é mais direcionado aos nossos desejos individuais e caminhos espirituais. O conceito mais amplo de trabalho é algo que vocês estão buscando atualmente.

Nós somos muito focados na cor azul. Focamos em nos misturar com outras dimensões. Todo o sistema de nossa civilização está baseado em um grupo de líderes profundamente envolvidos em projeção de pensamento. Eles ajudam a manter a estrutura de nossa civilização e seus códigos, harmonia espiritual e união. A fundação desse sistema é mantida pela projeção de pensamento. Esse é o verdadeiro trabalho de nossos líderes. Eles são especialmente escolhidos e treinados para manter as projeções de pensamento de nosso sistema. Isso permite que outros se envolvam na exploração. Nossos exploradores sabem que podem retornar para nossa base de operações. Quando viajamos interdimensionalmente, é importante levarmos conosco trabalhadores que vão continuar a se conectar com nossa base de operações por meio de projeções de pensamento.

A projeção de pensamento requer um esforço concentrado e uma capacidade de estar extremamente focado. Ela é usada pelos pleiadianos e pelos arcturianos para a manifestação de objetos e ferramentas. Temos centros de treinamento especiais que ensinam a projeção de pensamento. O primeiro passo é remover os apegos, pois não é possível realizar projeção de pensamento para ganho pessoal ou por ganância. Essa é uma das leis do universo. Se o ego estiver muito envolvido nessas projeções, então a tarefa se tornará impossível. Ensinar os princípios da projeção de pensamento envolve incutir o conhecimento de como usar essa ferramenta com sabedoria.

Todos os seres, incluindo os seres humanos, possuem uma frequência específica que nos permite nos expressarmos de maneira única em uma missão. Sua missão é um símbolo e um sinal significativos de sua luz estelar. Nós nos sintonizamos com esse conceito desde cedo em nosso desenvolvimento na infância, de maneira que podemos imediatamente oferecer estímulo e orientação superiores para cada criança. Não somos competitivos, pois somos treinados para perceber que cada um de nós possui uma frequência única, ou propósito.

Os arcturianos são uma raça muito pacífica. Não estamos envolvidos em guerra há muito tempo. Temos a capacidade de nos manifestar na terceira dimensão, de nos proteger em nossas naves, mas não estamos envolvidos em nada que tenha qualquer relação com alguma forma de conflito. Se encontrarmos um problema, podemos nos desmaterializar imediatamente. Portanto, qualquer objeto projetado no nosso caminho simplesmente passaria por nós e não causaria qualquer dano. Muitas civilizações extraterrestres aprenderam como fazer isso.

Em Arcturus, nós também experimentamos a morte de nossa forma, mas nossa passagem é vivenciada de uma maneira bem diferente. Ela não é concebida como um fim, mas simplesmente como um estado transitório de nossa existência. Nossas vidas arcturianas são apenas uma de muitos eus multidimensionais diferentes que são parte de nosso ser completo.

As Bibliotecas de Energia Arcturianas

Conforme seus campos energéticos eletromagnéticos vibrarem em velocidades mais rápidas, suas memórias serão ativadas. Vocês devem ir até as bibliotecas de Arcturus em seus pensamentos. Essas bibliotecas serão um lugar muito confortável para vocês. Elas não são como as bibliotecas comuns no plano terrestre, aonde vocês vão para ler livros. Elas são bibliotecas de fontes de energia. Então, vocês devem imaginar que, quando adentrarem uma biblioteca, estão se lembrando de padrões de energia e vibrações eletromagnéticas.

Todos os mestres religiosos de sua história foram expostos a energias extraterrestres ou tiveram contato com elas. Alguns sequer souberam que estavam em contato com fontes extraterrestres. Esses contatos foram vividos como deuses ou anjos falando. Todos os seus mestres alcançaram um ponto de consciência eletromagnética que permitiu que eles vivenciassem uma energia mística não verbal. É isso que vocês passarão a ter quando adentrarem as bibliotecas arcturianas.

Os adeptos de Eckankar (ecks) também estão muito conectados com a energia arcturiana. Sua vibração de luz de Eckankar é de fonte arcturiana. A luz que irradia nos arranjos vibratórios eletromagnéticos são muito semelhantes em frequência à energia que vocês encontrarão nas bibliotecas arcturianas. Os mestres ecks trabalham livremente nas bibliotecas arcturianas. Muitos deles acessam a energia arcturiana a partir das bibliotecas.

Vocês são muito verbais e literais em seu processo de pensamento, mas também podem saber e se lembrar por meio de uma troca de energia. Essa tem sido a base do processo de Eckankar em sua forma pura – uma troca de energia. Isso vem diretamente das escolas espirituais arcturianas, onde vocês são treinados e ensinados por meio do magnetismo energético. Permitam que esse processo ocorra dentro de vocês.

Forma e Aparência

Nós iremos transmitir a vocês uma imagem de nossa aparência. Não usem os zeta reticuli como um padrão. Visualizem um ser masculino muito magro. Em sua terminologia, ele tem aproximadamente 1,80 metro de altura e cabelos soltos. Ele usa uma capa que desce até a cintura. Seu rosto é fino. Ele tem olhos grandes, duas vezes maiores do que o tamanho de olhos humanos. Suas orelhas são relativamente pequenas e finas. Sua boca é estreita, com lábios finos. A fala não é uma grande prioridade, porque nós usamos a transmissão de pensamento. Ele é muito simpático. Vocês conseguem imaginar essa figura?

Estamos manifestando nossa presença a vocês. Trabalharemos por meio de Gudrun para desenhar a imagem, e ela terá toda a informação e orientação necessárias. Talvez essa imagem possa ser incluída com alguns dos escritos, já que muitas pessoas estão curiosas a respeito de nós e compreendemos sua vontade de nos imaginar de maneira mais completa.

Essa é a melhor forma que podemos assumir durante um estado interativo na terceira dimensão, mas podemos existir em muitos níveis e assumir outras formas. No entanto, a fim de virmos para este nível dimensional, temos uma forma específica que assumimos. Se vocês nos encontrassem em outro nível, iriam interagir conosco em outra forma. Não haveria uma maneira de vocês descreverem essa outra forma na terminologia terrestre.

Vocês não conseguiriam se identificar com nossa forma pura atualmente, porque ainda mantêm sua presença física. Sua presença física na Terra requer um determinado confinamento de pensamento e energia. Quando vocês conseguirem sair desse confinamento, terão ciência de que também são seres vibracionais que não precisam estar encerrados em corpos físicos. Atualmente, vocês estão evoluindo em direção a essa perspectiva. Essa também é a perspectiva envolvida na ascensão. Vocês devem perceber que seus corpos físicos não são necessários para sua existência contínua. O objetivo é se tornarem mais completamente contidos em seu corpo de luz ou forma vibracional.

Vocês podem questionar nossa estrutura física e nossa aparente falta de força física. Por conta dos nossos processos de pensamento altamente desenvolvidos, podemos usar a telecinesia e o teletransporte para mover objetos e nos transportar. Não precisamos usar nenhuma forma de esforço físico. Os poderes mentais são muito mais eficientes! Nós não precisamos criar objetos pesados. Nossa tecnologia é avançada o suficiente para criar objetos leves e que podem ser facilmente movidos com a mente.

Vocês podem inclusive perceber o "movimento de pensamento" na Terra quando há objetos leves em torno, como uma pena ou um pedaço de papel. Quando o vento sopra, vocês sabem que o papel poderá se mover. Algumas vezes, vocês podem até mesmo estimular que o vento surja e mova o papel. Essa ação é um primeiro sinal da telecinesia. Se vocês estiverem interessados em desenvolver suas habilidades de telecinesia, bem como suas habilidades telepáticas, sugerimos que trabalhem com objetos bem leves inicialmente. Não podemos garantir que obterão sucesso. Vocês não foram treinados desde cedo para realizar esses processos da mesma forma como nós fomos treinados.

A Consciência Arcturiana

Somos almas individuais, mas constantemente nos relacionamos com nossa alma-grupo. No entanto, nós nos relacionamos com nossa alma-grupo de uma forma que não é facilmente compreendida por vocês. Vocês sentem que entrar em uma consciência em grupo é desistir de sua individualidade. Contudo, entrar no grupo, na verdade, a aprimora. Não estamos defendendo que deveria haver uma desistência em massa da individualidade. Nós temos almas individuais, mas estamos tão envolvidos que entramos em contato com nossa alma-grupo constantemente.

Nós ultrapassamos as fronteiras do ego que vocês ainda vivenciam. Ultrapassamos até mesmo as dimensões físicas nas quais vocês existem, como sua forma corporal. Desenvolvemos técnicas para almas-grupo, ou famílias estendidas, como vocês as chamam. Vocês podem pensar que nossos egos individuais cederam para nosso ego em grupo. Isso aconteceu em algumas civilizações galácticas. Os zeta reticuli passaram por um lapso evolutivo, uma fraqueza em sua cadeia. Por causa de seu foco completo no grupo, não conseguiram obter progresso. Eles perderam muito de sua individualidade e começaram a perder vitalidade genética. Felizmente, não tivemos esse problema. Conseguimos englobar e integrar as necessidades individuais com as necessidades do grupo.

Por favor, compreendam que, em nossa percepção, somos um grupo de energia e participamos em atividades da alma-grupo. Vocês nos perguntam se somos mentais; a resposta é sim, somos mentais. Nós nos comunicamos com vocês mentalmente. Não canalizamos o que vocês considerariam como reações emocionais. Acreditamos que vocês podem acessar essa energia emocional por meio de seus outros grandes líderes, como Mãe Maria ou Sananda/Jesus. O nosso papel não é necessariamente repetir essa mensagem de emoção, pois existem outros que já estão levando essa vibração a vocês.

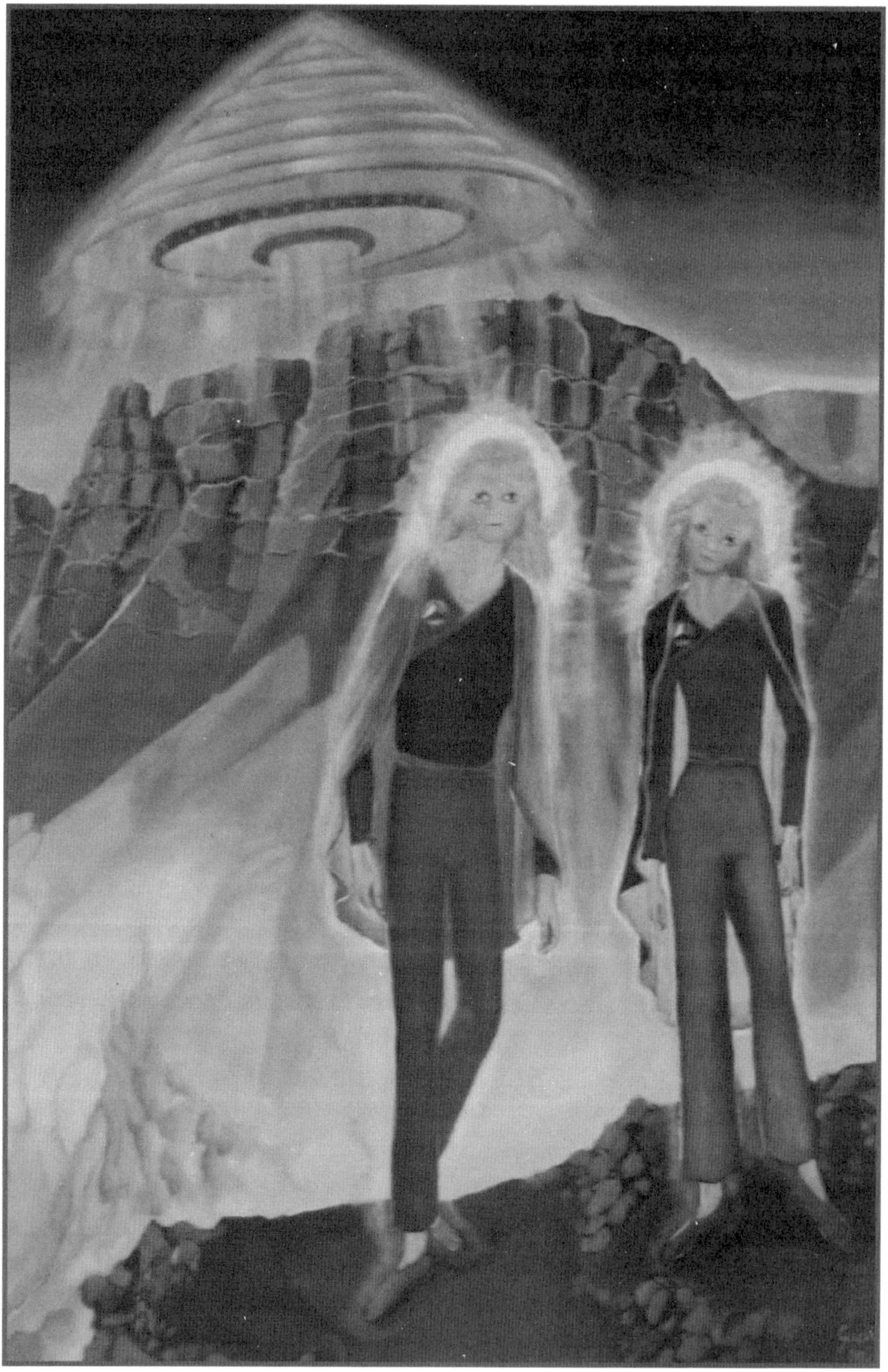

Os Arcturianos

Juliano e Helio-ah em pé diante de uma enorme nave espacial, mas que é mais como uma nave convencional do que como uma nave mãe. Os arcturianos passaram alguns detalhes sobre essa imagem. Eles afirmaram que o ser feminino, Helio-ah, é menor e tem características femininas conforme nós as conhecemos. Seus olhos têm formato amendoado, mas os olhos de Juliano são redondos. Ela possui sobrancelhas marcadas, enquanto Juliano não tem. Helio-ah veste calças um pouco mais alargadas nas pernas, ao contrário das calças de Juliano, que são mais justas. Os dois vestem capas e exibem o símbolo do Triângulo Sagrado perto do ombro direito. Eles usam sapatos que se modelam nos pés como meias. Eles têm apenas três dedos nas mãos e nos pés.

Suas roupas são luminescentes, e eles estão cercados por um halo de luz branco-dourado. Enquanto os pintava, senti seu amor e compaixão guiando minha mão. Juliano e Helio-ah são chamas gêmeas e se complementam bem.

Gudrun Miller

Nós não acreditamos que, quando um ser é mental, ele não sente amor ou não é emocional. Como é possível existir em uma estrutura mental sem uma presença corpórea emocional? Sentimos que a energia mental não é necessariamente uma energia de distanciamento. De acordo com nossa perspectiva, quando alguém ascende ao plano mental, torna-se tanto o observador quanto o objeto, sem perder seus limites. Talvez seja a filosofia de vocês que os levou a crer que é preciso renunciar a algum deles. Nossa mensagem a vocês é que, quando se juntam à sua alma-grupo, expandem em vez de perderem a si mesmos.

Nós evoluímos para além dos problemas emocionais que são tão predominantes na Terra. Temos a capacidade de superar todas as emoções negativas que têm assolado seu planeta. Sabemos que muitos de vocês veem a nós, os arcturianos, como seres predominantemente mentais. É verdade que queremos ajudá-los a desenvolver seus corpos mentais. Sim, somos seres muito científicos, mas também podemos ajudá-los a limpar e purificar seus corpos emocionais. É claro que não somos apenas seres mentais. Somos muito sintonizados com nossa vida e nosso bem-estar emocionais.

A Energia Arcturiana

A energia arcturiana pode ser descrita como uma luz cristalina. Nós nos devotamos à iluminação espiritual. Sabemos que o objetivo da iluminação espiritual é acumular e deter mais energia. Não pensem que acumular energia está relacionado a ter mais posses materiais. Na verdade, isso envolve inclusão de energia holográfica multidimensional. A energia com a qual trabalhamos e sobre a qual ensinamos a vocês vem de todas as direções. Ela não vem somente de cima, de baixo, da frente ou de trás. É uma energia completa. Vocês não possuem apenas a parte da frente e a parte de trás. Sua alma não tem limites; seu eu monádico não possui parte de cima nem parte de baixo. Seu eu monádico não tem nada que possa ser definido em suas perspectivas espaciais.

É interessante que, quando vocês falam sobre a energia do Criador Mãe/Pai, costumam dizer que ela não pode ser descrita. Seu eu monádico também é indescritível. Temos de alcançar uma consciência que, na medida do possível, não tenha fronteiras. Em seu estado puro, vocês também são ilimitados e holográficos em natureza.

Estamos evoluindo para esse estado de união total com o eu monádico. No processo de fusão, desenvolvemos a capacidade de transmutar nossa energia em outras dimensões. Desenvolvemos a capacidade de viajar interdimensionalmente a níveis superiores ou a níveis inferiores. Quando fazemos isso, devemos criar um portal ou um corredor. Ao adentrar sua dimensão, que é muito mais densa do que a nossa, criamos, na verdade, uma abertura, porque trazemos energia superior. A Terra necessita desesperadamente dessas infusões de energia. Ao simplesmente se conectar com nossa consciência, vocês estão ajudando a estabilizar a infusão de energia que estamos oferecendo à Terra.

Como a energia arcturiana é uma vibração muito leve, é direcionada a uma ascensão em grupo. Somos especialistas em trabalhar com grupos. Essa é uma das razões pelas quais Sananda nos convocou. Sabemos que a consciência em grupo gera mais energia para vocês. Vocês podem depender dessa energia em grupo para ascender. Não estamos pedindo que renunciem à sua individualidade ou ao seu discernimento. Tudo o que solicitamos é que vocês se reúnam em grupos. Então, vocês podem acessar a consciência em grupo e o poderoso aumento de energia que a acompanha. Essa energia em grupo vai ajudá-los a superar os pequenos bloqueios e desvios em seu processo de ascensão pessoal.

A energia da conexão arcturiana é contagiante. A maioria dos trabalhadores da luz deseja ressoar conosco. Na verdade, em outras vidas, vocês buscaram uma conexão arcturiana. Fomos designados como o portal de energia superior desse setor da galáxia. Esse é o setor, ou o portal, que muitos desejam alcançar. Nós trabalhamos atualmente com vocês para trazê-los ao nível superior de suas possibilidades intuitivas. Sabemos que vocês são confrontados com muitos problemas na existência da terceira dimensão. Alguns desses problemas são de saúde, outros são financeiros, e alguns são profissionais. Não importa o tipo de problema com os quais estejam lidando, lembrem-se de que nossa energia permanece conectada a vocês.

A energia arcturiana é como um fio de luz ligando sua existência até nós. Não percam sua consciência espiritual por causa de problemas da terceira dimensão. Esses problemas da terceira dimensão não significam que vocês estão sendo punidos ou que são, de alguma forma, espiritualmente inferiores. Diferentes níveis e tipos de energias são acumulados nesta dimensão, e é necessária uma consciência perceptiva muito avançada para ser capaz de evitar todas as densidades diferentes no plano terrestre.

Em algum momento, um dos níveis de densidade os alcançará. Vocês vão se deparar com um deles. Isso não deve ser visto como se vocês não estivessem vivendo todo o seu potencial. No entanto, podem considerar isso como uma oportunidade para se infundir com mais luz espiritual. Podem pedir que a energia avance se desejam receber uma infusão mais elevada de luz arcturiana. Nós levaremos a vocês tanta luz quanto for possível, de modo que possam assimilar sem perder a consciência ou ficar sobrecarregados.

Não podemos infundi-los com muita luz, se não forem capazes de tolerá-la. Se essa infusão fizer com que vocês se livrem de seus compromissos no nível da terceira dimensão, então ela não é aceitável. Queremos que estejam envolvidos em sua existência na terceira dimensão. Não estamos tentando retirá-los prematuramente do que estão vivenciando na Terra. Reconhecemos em todos vocês o desejo de serem levados de sua existência na terceira dimensão. Sabemos de fato que, se pudéssemos, decidíssemos ou fôssemos autorizados a retirá-los, então todos vocês partiriam.

Muitos de vocês ficariam felizes em renunciar ao que possuem, porque não teriam de concluir seu drama na terceira dimensão. No entanto, também estamos cientes de que esses dramas pessoais na terceira dimensão são importantes a vocês e à sua alma, por mais que estejam desesperados por causa deles.

Quando estiverem em contato com essa poderosa frequência arcturiana, ela os transformará. A energia arcturiana permite que recebam muitas informações de nós, e isso também pode agir como uma força de cura para vocês. Quando tiverem essa frequência arcturiana por dentro, ela se tornará tão natural que serão capazes de expandir facilmente sua espiritualidade.

Capítulo 2

Uma Realidade Superior

Vivemos em um universo criado de enormes proporções. Existe um centro do universo, mas não é algo que podemos descrever facilmente a vocês. Seria necessário que compreendessem o conceito de um centro sem um começo e um fim. O universo espaço-temporal envolve o núcleo ou universo central.

O Universo Espaço-Temporal

O universo espaço-temporal se expande e se contrai em grandes ciclos. A fase de expansão do presente ciclo é o que vocês consideram atualmente como *Big Bang*. Ela será seguida pelo que vocês podem descrever como o "grande colapso", no qual tudo no espaço-tempo por fim se contrai. A partir da nossa perspectiva, passar pela contração cosmológica não faria com que vocês se contraíssem como um ser espiritual. Além disso, durante a contração, é possível expandir de uma forma que vai movê-los para fora do universo espaço-temporal completamente.

A expansão e a contração são questões filosóficas sobre as quais dedicamos um tempo considerável. Quando o universo chegar ao ponto em que deixará de se expandir, o tempo vai parar momentaneamente, e o universo vai começar a se contrair. Nesse ponto, o universo terá evoluído tanto que os seres no limite externo irão até a luz e adentrarão um novo universo não espaço-temporal. Isso será vivenciado como uma ascensão. A contração alcança um ponto específico, assim como a expansão alcança um ponto. Nesse limite interno, quando a contração alcançar um determinado ponto, os seres também vão se transformar e se mover para um novo reino.

Temos conhecimento de muitos universos que passaram por esse ciclo de expansão e contração. Estudar este universo e os outros universos nos aproxima de uma compreensão a respeito desses conceitos. Queremos vivenciar esse ciclo ou processo. Também estamos estudando o universo nulo da mesma forma como vocês estão estudando os buracos negros.

O buraco negro é um modelo para o limite externo do universo. É possível dizer que o limite mais externo, o ponto onde não há mais nada, é como um buraco negro. Na concepção sobre o buraco negro, quando um objeto entra, passa por um conduto que leva a outro reino. Alguns se referiram a esse conduto como um buraco de minhoca. Agora, imaginem isto: ao redor de todo o limite externo do presente universo existe um tipo de buraco negro imenso.

Estamos estudando o limite externo do universo e nos movendo em direção a um ponto em que podemos passar por transições nos outros universos. Esse é o estudo da cosmologia ou a compreensão do universo. Esses conceitos são importantes porque vocês estão aqui na Terra para vivenciar esses processos e compreender a força de energia universal. Vocês desejam obter tanto conhecimento e compreensão desses processos quanto possível, pois isso está relacionado à transição na Terra. Uma de nossas missões ao manifestarmos a consciência e o entendimento na terceira dimensão é estudar essa cosmologia.

A fonte da energia do Criador, a fonte de luz e a fonte de espírito podem ser encontradas nas estrelas. O Sol ativa toda a vida na Terra, e a luz do Sol, ou a luz das estrelas, ativa toda a vida em todos os planetas na galáxia. Sem as estrelas, não existiria vida. Os sóis e as estrelas estão por todo o universo. Vocês não podem olhar para eles diretamente sem óculos de proteção especiais. No entanto, podem receber suas dádivas espirituais especiais. Esse é um dos segredos do conceito de Sol Central.

Os andromedanos buscam o Sol Central em cada galáxia. Existe uma estrela em nossa galáxia que é o centro dela, de onde todas as outras estrelas surgem. Ela foi a estrela original. Esse Sol Central galáctico está conectado a todos os outros Sóis Centrais no universo, incluindo o imenso Sol Central no centro dele. Quando vocês encontrarem esse Sol Central, poderão se conectar com todas as energias do Sol Central em todas as galáxias. Essa é uma energia poderosa impressionante.

Em Arcturus, foi formado um conselho de luz, cujos membros são especialmente treinados para observar nosso Sol Central galáctico. Somos capazes de identificar a região do Sol Central. Existem seres de luz superiores originários dessa região, seres da magnitude de Sananda/Jesus. Ele é uma manifestação da energia do Criador do Grande Sol Central.

A Galáxia da Via Láctea

O maior desafio para aqueles de nós que estão explorando a galáxia é se mover em direção ao núcleo galáctico. Esse projeto ainda está sob intenso estudo, pois há muita controvérsia em relação a como se aproximar do núcleo galáctico. Existe intensa energia do Criador no núcleo. Muitos que se aproximam do núcleo não querem partir; portanto, muitos não retornam.

Não podemos realmente descrever o núcleo galáctico, porque ele é indescritível. Não seria correto afirmar que existem civilizações no núcleo, porque seria estar falando sobre uma estrutura que simplesmente não é necessária nele. Aqueles que vão para o núcleo galáctico e não retornam não têm uma experiência negativa. Quando esses seres retornam ao centro, o núcleo galáctico é fortalecido. Não é uma perda se alguém vai para o núcleo e não retorna. Ele não é um buraco negro no qual a energia entra e nunca mais é vista.

Seres evoluídos como Sananda podem ir até lá e retornar se assim escolherem. Existem muitos seres em um nível igual ao de Sananda que também podem cumprir essa tarefa. Aqueles que são aptos a realizar isso são tão evoluídos que podem levar outras pessoas a esse lugar com eles. Mas uma coisa é ser levado até lá, e outra é retornar de lá. Estamos tentando desenvolver maneiras de garantir um retorno do núcleo galáctico. Temos um compromisso em comunicar a experiência a outras pessoas.

Um campo gravitacional galáctico também é gerado pela galáxia da Via Láctea. Uma onda muito sutil está sendo constantemente emitida pela galáxia. Podemos percorrer essa onda e viajar pelas dimensões. É possível percorrer as ondas do mar navegando. No entanto, ao adentrar o espaço interdimensional, é possível não apenas se tornar ciente desta galáxia como um todo e percorrer suas ondas de energia, mas também ir a outras galáxias. Na verdade, essa é a maneira preferível de ir de uma galáxia para a seguinte. Há muitas variações nos métodos para percorrer o campo gravitacional galáctico. Os cientistas na Terra em breve descobrirão o método de propulsão antigravitacional. Vocês, então, serão capazes de deixar o planeta sem o esforço de grandes quantidades de energia pelos sistemas de propulsão.

O Cinturão de Fótons

O cinturão de fótons é um sistema de energia vindo para a Terra, mas não será uma energia destrutiva como muitos previram. Em vez disso, é uma energia em mudança, uma energia que permitirá que vocês vivenciem pessoalmente a mudança planetária dimensional da Terra. Muitos de vocês serão capazes de usar essa nova energia para curar todas as suas irregularidades. Abram seu coração para essa nova energia da galáxia. Queremos que todos saibam que até mesmo as estrelas estão emitindo uma energia especial a vocês. Saibam que o céu em si se abrirá de uma nova maneira e muitos níveis de energia adentrarão o planeta.

Muitas facetas do estudo cosmológico estão relacionadas a viagem no tempo, zona nula e outras energias nos sistemas solares. O sistema nulo tem sido descrito como um ponto no cinturão de fótons. A zona nula dentro do cinturão de fótons é como um buraco de minhoca em um buraco negro que pode acelerar intensamente a consciência e a energia. A zona nula tem sido descrita por outros como um ponto no qual é possível entrar e passar para outra dimensão. As zonas nulas existem dentro dos buracos de minhoca por todo o setor da galáxia da Via Láctea. Nós nos referimos ao setor da galáxia da Via Láctea em que vocês estão como Mu.

Seu sistema solar em breve estará dentro do cinturão de fótons e passará por uma zona nula dentro do cinturão. A experiência da zona nula é um grande fator ao trazer muitos dos extraterrestres para sua parte local da galáxia neste momento. Um dos motivos pelos quais muitos estão vindo aqui é para estudar como vocês passam por essas zonas. Imaginem um mundo passando por um buraco negro. Vocês não gostariam de estudar isso? Vocês iriam gostar de estudar como ele entraria e se ele sairia. Seu processo planetário está passando por algo como um buraco de minhoca, que está criando uma energia de transição. Vocês estão nesse processo atualmente, testemunhando isso. Muitos estão vindo para estudar como esse processo os afeta. Ele conduzirá a uma ascensão para muitos no planeta Terra. É com grande curiosidade que viemos estudar essa transição.

Existem lugares pelo setor Mu onde eventos semelhantes ao seu processo planetário estão acontecendo. Existem faixas e zonas de transformação de energia pelo setor Mu. Lembrem-se de que vocês fazem parte de um grande setor galáctico. Outras áreas da galáxia também estão passando por uma transformação. A galáxia da Via Láctea está passando por uma transformação em uma escala gigantesca. Vocês e a Terra estão passando por uma transformação fisicamente relacionada à energia que chamam de cinturão de fótons. Em uma grande escala, partes da galáxia também estão passando por imensos sistemas de fótons, assim criando uma transformação em sistemas galácticos inteiros.

Esse ponto na história galáctica, que vocês estão vivenciando como ascensão e transformação, está refletindo um poder maior de toda a galáxia. A galáxia da Via Láctea está chegando a um ponto de reciprocidade de consciência ao entrar em uma nova interação com o sistema de Andrômeda. Por fim, haverá um ponto de união entre essas duas galáxias. A galáxia da Via Láctea e a galáxia de Andrômeda se tornarão um sistema unificado. Isso representa um caminho de evolução superior nos corredores galácticos.

A Semeadura da Vida na Galáxia

Nós temos explorado a entrada da vida na galáxia. Sabemos que a vida tem sido transportada a diferentes áreas. Existem muitas interpretações diferentes de como a vida foi originada no planeta Terra. Sabemos que vocês têm curiosidade de descobrir a resposta "correta". Formas de vida foram trazidas a esta galáxia. O sistema arcturiano e seu sistema solar estão ambos próximos ao limite externo da galáxia da Via Láctea. A vida tem sido semeada dos níveis internos aos níveis externos da galáxia. Muitos sistemas galácticos internos e espécies galácticas internas existem há eras. Visualizem o universo todo originando de uma localização central e levando vida aos níveis externos. A vida tem sido semeada de galáxia a galáxia, bem como de sistema solar a sistema solar.

Quem trouxe vida para a Terra? Quem é Yahweh? Quem é Jeová? Vocês deveriam saber que Aquele que é nomeado não pode ser o Criador. Aquele que é nomeado não é Deus, mas sim um aspecto ou até mesmo uma entidade de energia. O verdadeiro Criador não é manifestável na forma de um nome pronunciado. Essa é a verdade da Cabala, mas também é a verdade da energia galáctica. Nós, assim como os pleiadianos, compartilhamos o desejo e o contato com essa energia. Estamos buscando maneiras de expandir e de nos tornarmos mais próximos e mais alinhados a essa luz.

A vida foi trazida por Conselhos Galácticos. Eles decidiram espalhar a vida por este setor da galáxia. Essa foi uma decisão consciente de um grupo de seres que poderiam ser considerados como deuses em seu nível de entendimento. Existe uma hierarquia de seres envolvidos nas decisões da galáxia. Eles estão envolvidos nas decisões relacionadas à criação de um planeta, à criação de um Messias e à Fraternidade que supervisiona toda essa operação.

A "semente" genética mais pura é encontrada naqueles seres que estão mais próximos da energia da Divindade. Existe uma busca nas galáxias por essa energia pura. No entanto, em vez de tentarmos encontrá-la, estamos tentando evoluir nossa energia para se tornar essa luz pura. Atualmente, estamos nos movendo de maneira firme nessa direção da luz pura. Pedimos que também foquem seu desenvolvimento em se tornar seres de luz puros.

Sementes Estelares

Queremos falar com vocês a respeito da comunicação estelar e das sementes estelares. Alguns de vocês estão se comunicando com as estrelas, com o planeta Saturno e com nossa estrela-mãe, Arcturus, como vocês a chamam. Sementes estelares são aqueles que estão em comunhão com a galáxia e que viajaram por ela em vidas passadas. Ao ascenderem pela escada da evolução e avançarem em seus caminhos cármicos, por fim alcançarão um ponto em que poderão viajar pela galáxia. Vocês se tornarão mais cientes das estrelas e das mudanças dimensionais que ocorrem.

Cada seção da galáxia possui uma qualidade dimensional e um campo vibracional que é diferente daqueles de outras seções. Existe uma área em sua galáxia que é considerada o posto de comando ou o centro desse setor da galáxia. Alguns têm se comunicado com ela por meio do portal estelar arcturiano.

As sementes estelares viveram muitas vidas em outros mundos. Algumas não estiveram em mundos dimensionais superiores. Algumas estiveram em lugares dimensionais "iguais", mas em um estado de evolução elevado nesse mundo. Em sua maioria, as sementes estelares vieram desta galáxia e, em especial, de sua seção local desta galáxia. Muitos de vocês vieram de diferentes planetas no setor galáctico local e escolheram reencarnar ou encarnar no sistema planetário da Terra desta vez. Vocês possuem interesses e conexões profundos nos sistemas planetários muito além do sistema solar.

A fim de resistir às diferentes vibrações cósmicas, vocês devem conseguir alinhar suas próprias vibrações com uma frequência superior. Assim, podem viajar livremente a diferentes setores da galáxia. Mesmo se pudessem viajar em seus corpos mentais pelo espaço, descobririam que não poderiam entrar em algumas áreas por causa das vibrações cósmicas diferentes. É por isso que é importante desenvolver seu senso de semente estelar. Com isso, queremos dizer que, se vocês forem sementes estelares verdadeiras, conseguirão se adaptar às mudanças vibracionais. Poderão se adaptar a diferentes campos cósmicos, mesmo quando eles estão em reinos etéreos. Quando vocês estão mais ligados à Terra, a mudança se torna mais difícil. Vocês aprenderão a ajustar sua vibração conforme começarem a viajar.

É perfeitamente aceitável fazer uma viagem fora do corpo pelos sistemas estelares. Vocês podem se mover rapidamente com seu corpo mental, especialmente quando estão em áreas como as suas, onde têm acesso direto por meio de suas retinas. A ressonância com suas retinas é extremamente importante ao ativar áreas de seu cérebro que vão desvendar chaves para ajudá-los a vibrar com a energia estelar. Isso evoluirá seu desenvolvimento como sementes estelares.

Portanto, as sementes estelares são aqueles que conseguem acessar as vibrações cósmicas e se mover por diferentes setores da galáxia com facilidade. Além disso, as sementes estelares são capazes de assimilar muita informação por meio de canalização direta, assim como vocês estão fazendo atualmente, e por meio de visualizações. As sementes estelares são capazes de ver interdimensionalmente. Elas são capazes de utilizar suas retinas para visualizar e, portanto, ajudar a manifestar nossas naves na terceira dimensão. Vocês estão seguindo em direção a um tempo em que serão capazes de presenciar a manifestação física de nossas naves. Vocês precisam compreender que as naves não estão em sua realidade como uma manifestação física na terceira dimensão. Quando veem as nossas naves, estão olhando para dimensões superiores que chamamos de quarta e quinta dimensões, áreas que vocês conseguirão vivenciar quando se tornarem mais adeptos a ser sementes estelares.

Estamos obtendo mais acesso por meio de canais, de forma que podemos trazer energias específicas que os ajudam com o desenvolvimento como almas-grupo e sementes estelares. Lembrem-se de que existem trabalhadores da luz e sementes estelares. Os dois estão relacionados, mas são diferentes. Vocês desejam se desenvolver como sementes estelares também, e não apenas como trabalhadores da luz ou seguidores da energia de Sananda e do Cristo. Expandam a si mesmos a fim de se tornarem conectados com a energia das sementes estelares e com o adorado Ashtar, que tem estado no comando das comunicações estelares. Nós saudamos a ele e seus esforços contínuos.

Existem muitas formas de vivenciar a iluminação na Terra. Aqueles que escolhem um caminho que não está ligado às sementes estelares podem não conseguir passar pela experiência de se relacionar com seres de dimensões superiores. Vocês que estão lendo estas palavras estão mais propensos a se tornar sementes estelares e estão entusiasticamente buscando a luz dos reinos superiores e dos extraterrestres, que incluem os arcturianos.

Vocês estão se juntando a nós e se movendo para mais perto da energia do Criador e da unicidade universal. Conforme ascendemos, vocês também ascendem. Nossa perspectiva é de grande transformação, transcendência dos ciclos de encarnação e transcendência do sistema dimensional espaço-temporal. Esse caminho de unificação vai, por fim, permitir que vocês também experimentem a energia intergaláctica e interuniversal.

Outras Relações Extraterrestres Arcturianas

Temos uma forte interação com os pleiadianos. Nós trabalhamos em conjunto, e muitas trocas ocorreram onde estudamos com eles.

Estamos em um nível superior ao deles em muitos aspectos. Este é um assunto difícil de ser tratado. Quando dizemos "superior", vocês pensam nisso como uma competição. A partir de nossa perspectiva, existem importantes diferenças espirituais e tecnológicas entre os arcturianos e os pleiadianos. Pedimos que vocês não interpretem isso como uma declaração negativa ou julgadora de qualquer forma.

Embora tenhamos sido convidados a ser ajudantes no processo de ascensão planetária da Terra, os pleiadianos provavelmente farão o primeiro contato. Como não somos da mesma espécie que vocês, alguns teriam mais dificuldade em interagir conosco do que com os pleiadianos, que também têm uma forma humanoide.

Vocês considerariam que somos seres mais andróginos. Diriam que os pleiadianos têm uma sexualidade masculina/feminina mais tradicional. Essa não é uma diferença negativa; é simplesmente um desenvolvimento evolutivo diferente. De certo modo, vocês se sentiriam mais confortáveis em uma sociedade pleiadiana. Por outro lado, alguns de vocês são muito fascinados pelos nossos pensamentos evolutivos superiores e pelo nosso desenvolvimento único. Nós, contudo, viemos de diferentes correntes evolutivas.

Não trabalhamos diretamente com os sirianos. Vocês já receberam muitas informações sobre os sirianos e seu papel na Terra. Temos muito cuidado em explicar o envolvimento deles em seu planeta. Houve interações entre os sirianos e seu planeta tanto boas quanto ruins – em seus termos terrestres, "ruins" significando destrutivas, não espirituais. Os sirianos envolvidos foram chamados por vocês, em seus versos bíblicos, de nefilins ou "os caídos". Além disso, os sirianos continuam envolvidos com o planeta que vocês chamam de Nibiru. Outros sirianos mais positivos buscaram harmonia e um caminho evolutivo superior.

Os sirianos, de certa forma, detêm muitas chaves para seus problemas. Por exemplo, foi a influência siriana que permitiu o desenvolvimento da tecnologia nuclear em seu planeta. Da mesma forma, a influência siriana os ajudará a limpar seus resíduos nucleares.

Vocês levantaram questões sobre a entidade denominada Kryon e sobre o uso sugerido de implantes. Agora precisam avaliar a situação. A energia em si, a energia de Kryon, é uma energia poderosa e renomada na galáxia. No entanto, nós não trabalhamos com esse método específico que vocês chamam de implantes. Estamos cientes de que a libertação de padrões cármicos negativos é uma grande prioridade atualmente. Poderia haver alguns desentendimentos entre seus canais sobre como essa libertação é feita. De acordo com nossa experiência, não recomendamos nenhum tipo de implante para a libertação de qualquer padrão de energia negativo.

É fascinante para nós vermos as várias entidades interagindo com vocês. Nós podemos apenas dizer que cada um de vocês tem seu caminho específico e guias com os quais devem trabalhar. Alguns de vocês se sentem muito atraídos aos arcturianos e trabalham conosco. Não pedimos seu comprometimento; não pedimos que desistam de qualquer parte de si mesmos. Não queremos de modo algum que vocês desistam de seu livre-arbítrio. Simplesmente oferecemos nossas informações àqueles de coração puro e superior.

Viagem Espacial

Somos muito avançados tecnologicamente. Temos interesse especialmente em matemática e na tecnologia de viagens espaço-temporais por meio do imaginário mental e da aceleração antigravitacional. Nós realizamos viagens espaciais usando os princípios da desmaterialização. Existem também questões técnicas envolvidas, questões relacionadas a conduzir grandes naves espaciais a certas velocidades. Viajar pelo espaço não é totalmente um fenômeno mental. Há aspectos científicos da viagem espacial que ainda precisam ser trabalhados.

A chave para a viagem dimensional e interdimensional é a projeção de pensamento. Vocês projetam onde querem estar e, então, o restante de vocês segue. Nós podemos ajudá-los a se projetarem pelo espaço interdimensional. Uma vez que vocês realizarem projeção interdimensional e dimensional, poderão continuar a viajar pela galáxia e até mesmo ir até outras partes do universo. A habilidade de levar junto uma nave, pertences e outros objetos requer uma forma mais avançada de projeção de pensamento. Alguns se tornaram cientes disso pelo que vocês chamam de telecinesia, na qual é possível movimentar mentalmente um objeto de um lugar para o outro. Esse é um exemplo simples das habilidades potencializadas que vocês podem aperfeiçoar por meio da projeção de pensamento.

A projeção de pensamento está envolvida na propulsão de nossas naves. As naves giram rapidamente a fim de obter força centrífuga. Então, por meio da projeção de pensamento, somos capazes de nos movimentar. Conforme a nave se move em uma direção, concentramos nosso pensamento na direção oposta. Procuramos, então, um portal no *continuum* espaço-tempo. Quando encontramos esse portal, projetamos nossos pensamentos nesse *continuum* e nos movemos através dele rapidamente.

Portais, ou corredores de energia, foram criados por seres superiores aos arcturianos com o propósito de realizar viagens interdimensionais. Também usamos portais para viajar a diferentes áreas da galáxia. Apesar de a força primária para essa viagem interdimensional ser o pensamento, ainda precisa ser estabelecido um corredor que nos levará para outra coordenada no espaço-tempo. Quando viajamos interdimensionalmente, conduzimos a nós mesmos e a nossas naves até o portal e, então, as aceleramos. Isso requer uma concentração muito intensa, bem além do que vocês são capazes de realizar atualmente.

Viajamos pela galáxia da Via Láctea. Existem aproximadamente 2,4 bilhões de estrelas em nossa galáxia. Certamente, não podemos dizer que visitamos todas as estrelas, mas viajamos através da galáxia diagonalmente em muitas direções. Conhecemos a Assembleia de Luz do Sol Central galáctico e trabalhamos com ela. Atualmente, estamos muito focados em conduzir a energia e a consciência de luz do interior da galáxia para as áreas externas dela, onde o sistema solar reside.

Nós também viajamos intergalacticamente. Passamos muito tempo no sistema galáctico de Andrômeda. Viajamos para no mínimo dez outras galáxias, cada uma com seu próprio aspecto de desenvolvimento e sua própria consciência única. Todas as galáxias que visitamos possuem uma consciência unificada com seu Sol Central galáctico.

No momento, existe uma barreira de tempo em torno de seu sistema solar. Quando vocês ultrapassarem a barreira de tempo, passarão por uma reestruturação celular e por intensas mudanças de consciência. Uma reestruturação celular ainda mais intensa ocorrerá quando vocês partirem da galáxia da Via Láctea. Parece muito interessante conseguir realizar viagens intergalácticas, mas vocês devem compreender que esta galáxia em que vivem é tão vasta que poderia levar muitas vidas de esforço dedicado apenas para se familiarizar com isso.

Quando viajamos no *continuum* espaço-tempo universal, também conseguimos nos coordenar com universos paralelos. Já descobrimos nove universos que existem simultaneamente ao seu universo. Estamos começando a compreender a incrível interação entre esses universos; portanto, somos capazes de compreender as possibilidades de energia multiuniversal.

Vocês descobriram que são seres multidimensionais focados apenas neste universo. Estão ascendendo para se tornarem seres multiuniversais e, em breve, conseguirão se mover em universos paralelos. Vocês conseguem imaginar esse potencial?

Capítulo 3

O Sistema Solar

Seu sistema solar está passando por uma mudança maior de energia, e seu planeta também está passando por essa mudança. A Terra está em um curso que é determinado pela órbita galáctica do sistema solar. Portanto, saibam que vocês estão viajando pela galáxia e cruzando pontos orbitais que estão causando seu processo evolutivo no planeta. Saibam também que vocês estão em um ciclo de 26 mil anos, chamado de precessão, no qual um ciclo representa uma "oscilação" semelhante à maneira como um peão oscila quando está desacelerando.

O sistema solar foi afetado por inúmeros fatores. Um fator está relacionado ao seu ângulo em relação ao plano galáctico. Outro fator está ligado ao trajeto que o sistema solar segue conforme entra e sai de diferentes áreas da galáxia. Além disso, a energia da Terra mudou, em parte por causa da consciência aumentada da Terra como um corpo planetário e pelos muitos contatos e energias extraplanetários que foram transmitidos para cá.

Os arcturianos e os pleiadianos são os dois motivadores primários para a mudança de energia dimensional sendo transmitida para a Terra. Nós consideramos isso como um privilégio, e estamos contentes em oferecer estímulo para sua consciência e seus campos energéticos. Vocês precisam acelerar tanto o nível de sua consciência e de seus processos de pensamento quanto a energia de seus campos eletromagnéticos.

Uma forma-pensamento é basicamente um padrão de onda eletromagnética. É possível projetar uma onda de pensamento em qualquer direção. Projetem agora a onda de pensamento de sua consciência Eu Sou no sistema solar. Ao fazer isso, vocês podem elevar a consciência vibratória de sua conexão com o sistema solar. Por favor, contemplem isso agora que estamos trabalhando com vocês. Visualizem-se nessa entidade viva que vocês chamam de sistema solar. Estamos ajudando a ativar essa consciência vibratória dentro de vocês. Essa consciência fará com que se tornem verdadeiros cidadãos de seu sistema solar.

Mudança de Frequência

Uma mudança de frequência é necessária quando vocês partirem do sistema solar. Vocês devem mudar sua consciência quando partirem do sistema solar ou forem além do cinturão de Júpiter. Vocês precisam de uma explicação a fim de se preparar para compreender a mudança de frequência. Alguns passaram por essa experiência sem preparação e retornaram confusos, enquanto outros que passaram por ela receberam orientação, instrução e proteção necessárias.

Vocês podem compreender a mudança de frequência como entrar em uma barreira de frequência. Vocês saltam em um acelerador que os lança para a frente por meio da barreira de frequência, depois para o exterior do sistema solar e, por fim, para a galáxia. É como entrar em uma incrível energia brilhante além de sua compreensão no plano físico. Quando vocês retornarem, devem voltar pela barreira de frequência e permitir serem retirados. Isso não significa que retornarão em uma forma mais densa. Vocês precisam praticar a passagem por essa barreira e seu retorno. Logo vocês conseguirão fazer isso sozinhos.

É mais fácil para vocês nos encontrarem nas frequências fora da barreira. Lá vocês obterão mais contato e energia. Sua experiência será diferente quando vocês nos encontrarem lá. A barreira de frequência não permitirá que aqueles com pensamento denso e vibração inferior acelerem para fora do sistema solar, pois a barreira também está lá para proteção. Alguns verão a barreira de frequência como sendo protegida por anjos; essa é a descrição precisa.

Muitos perguntaram como somos capazes de proteger nosso planeta de invasores. Nossa proteção é feita por meio de mudanças de frequências e barreiras colocadas em torno de corpos específicos. Em alguns casos, as mudanças de frequência são tão poderosas que outras pessoas nem mesmo conseguem ver ou sentir que existe algo em nosso espaço.

Urano e Netuno

Temos tido um grande interesse nas ações interplanetárias que estão ocorrendo em seu sistema solar. Ficamos fascinados pelo alinhamento de Urano e Netuno em 1994. Esse foi realmente um incrível alinhamento, que trouxe muita energia e mudança ao atual ambiente da Terra. Ele gerou um equilíbrio de determinadas energias e também está gerando uma polarização. Não fiquem preocupados com a polarização. Esse é um processo de desenvolvimento que vocês observarão.

Netuno e Urano, na verdade, faziam parte de um planeta. Eles se separaram quando o 12º planeta, que alguns de vocês chamam de Marduk ou Nibiru, entrou em seu sistema solar, causando incríveis mudanças. Isso aconteceu antes da era dos dinossauros. O desenvolvimento de seu sistema solar foi um evento espetacular que testemunhamos com certo grau de precisão. Assim como vocês são capazes de nos ver milhares de anos antes, pudemos observar vocês anteriormente em sua história.

Não fiquem surpresos com esse tipo de observação científica e intercâmbio. Alguns perguntaram o motivo de haver tantas viagens interestelares. Vocês têm curiosidade sobre seu passado. Uma forma de nós aprendermos sobre nosso passado é viajar pela galáxia e aprender a partir de sua perspectiva sobre o que ocorreu em nosso passado distante. O conhecimento sobre a galáxia pode ser enriquecido pela viagem espacial, porque é por meio dela que somos capazes de reunir informações de uma perspectiva de tempo diferente.

Júpiter

Temos um interesse especial pelo planeta Júpiter, pois há muitos padrões de energia e mudanças de dimensões incomuns nele. O planeta Júpiter tem uma longa história. Ele já fez parte do seu Sol, mas se partiu há bilhões de anos. Na verdade, ele era um sistema solar em miniatura dentro do sistema solar. Então, Júpiter se tornou tão desestabilizador que não pôde mais sustentar a vida em suas luas.

De todos os lugares em seu sistema solar, o lugar onde vocês provavelmente encontrariam sinais de civilizações anteriores seria nas luas de Júpiter. Vocês descobrirão vestígios dessas civilizações se conseguirem desenvolver a tecnologia para alcançar as luas de Júpiter. O planeta em si atualmente está inabitado, mas muitos dos extraterrestres, quando chegarem ao seu sistema solar, residirão na área de Júpiter.

Júpiter tem sido um planeta fundamental no seu sistema solar desde sua origem. Em uma época, Júpiter foi, na verdade, um sol com seu próprio sistema planetário em torno. Vocês estavam em um sistema solar com dois sóis. No entanto, ocorreu uma colisão com Júpiter que afastou os outros planetas e o empurrou para uma órbita externa. Atualmente, Júpiter tem uma importante função em seu sistema solar. Ele é o portal para as dimensões superiores, bem como o portal para fora do sistema solar. Muitos dos extraterrestres que entram em seu sistema chegam por meio do portal de Júpiter.

Júpiter é um planeta solar. É um dos poucos corpos designados na galáxia que têm essa função superior como uma estrela e um planeta. É possível que Júpiter pudesse se reacender e renascer como uma estrela. Tem havido muita especulação entre os cientistas da Terra sobre a possibilidade de isso acontecer. Isso ofereceria uma vantagem única para os outros planetas e talvez fosse um fator para sustentar a vida nos planetas próximos.

O Cometa Shoemaker-Levy

A colisão do cometa Shoemaker-Levy 9 com Júpiter em julho de 1994 concentrou a atenção em Júpiter, que atraiu visitantes adicionais que trouxeram novas energias de outras dimensões para este sistema solar. Esse influxo de energia estimulou a ascensão e as energias transformadoras. O estímulo ocorreu em vários níveis, pois a nova energia estimulou sincronisticamente os campos magnéticos do sistema solar.

Observamos casos em que esse tipo de colisão resultou na morte de uma estrela ou de um planeta. Esse não foi o resultado com Júpiter. Na verdade, existe a possibilidade de que a vida possa ser ativada nas luas de Júpiter. Vocês já sabem que elas são lugares magníficos. Se Júpiter se tornasse uma estrela, então a possibilidade de vida em suas luas aumentaria consideravelmente.

Campos magnéticos e linhas de grade estão associados à estrutura do seu sistema solar. Vocês acham que eles existem apenas em seu planeta? É claro que não. Seu sistema solar é uma entidade viva, assim como a Terra. É uma entidade que respira e que faz parte de uma entidade maior chamada galáxia. Seu sistema solar possui um fluxo magnético. A colisão permitiu que vocês experimentassem uma aceleração no fluxo dos campos magnéticos e grades, e isso ativou uma linha de grade no sistema solar que passa pela Terra.

O verdadeiro efeito dos asteroides que atingiram Júpiter foi despertar as grades magnéticas em seu sistema solar. Isso também despertará sua consciência sobre a estrutura magnética de sua dimensão física. Vocês são seres magnéticos e eletromagnéticos. Recebem continuamente o influxo vibratório. Recebem raios X, raios ultravioleta e partículas do Sol. Recebem partículas de Arcturus, nossa estrela. Eles estão alcançando vocês agora. Se vocês desenvolverem sua sensibilidade a esse fluxo magnético, então poderão receber ainda mais informações e impressões.

Com a colisão, um novo acesso à quinta dimensão se tornou disponível, e isso proporcionou uma abertura profunda para as sementes estelares. Isso também ofereceu um ponto de entrada para outras entidades. O caminho foi pavimentado para que outros possam entrar agora, outros de um reino superior.

Não é por acaso que grande parte de sua pesquisa científica gire em torno da energia eletromagnética. Atualmente, seu planeta está soando em uma frequência mais alta. Por causa do impacto do asteroide, frequências diferentes podem agora alcançar vocês por meio da conexão com Júpiter. Essas vibrações de frequência mais recentes são necessárias. Preparem-se para vibrar em uma frequência que será de uma aceleração maior. Isso é o que vocês chamam de transformação ou ascensão, energias que agora estão sendo disponibilizadas por meio dessa vibração mais recente. Banhem-se nessa nova frequência e vibração. Banhem-se na consciência de sua natureza eletromagnética.

O Cometa Hale-Bopp

Agora, precisamos falar a respeito do cometa Hale-Bopp. Ele é uma manifestação direta da energia dos fótons que está entrando em seu sistema solar. Já passou pelo cinturão de fótons e está introduzindo uma energia fotônica mais profunda no campo magnético solar do

Sol. Portanto, essa nova luz está sendo enviada de volta à Terra em erupções de tempestades magnéticas e ventos solares.

Assim como foi previsto há muito tempo pelos hopis, o cometa é um prenúncio das mudanças na Terra. Ele é verdadeiramente o prenúncio do fim dos tempos, como foi descrito em muitos de seus ensinamentos. No entanto, também é o portador de uma nova energia fotônica que vocês devem assimilar. Essa energia fotônica é o alimento para os trabalhadores da luz, pois contém átomos de ativação que vão energizá-los e conectá-los melhor com a consciência galáctica.

O cometa Hale-Bopp não vem de nós. Ele vem do Sol Central galáctico. Por vir de uma fonte muito superior, traz uma nova luz e uma nova energia para a Terra. Podemos usar o cometa Hale-Bopp para infundir a luz e a frequência arcturianas na terceira dimensão. Esse é um meio pelo qual é possível adicionar estruturas de energia específicas à Terra que vão acelerar sua ascensão. Outros de fontes superiores também estão utilizando o cometa para trazer energia superior a este planeta.

Parte do motivo pelo qual muitos de vocês conseguirão entrar na quinta dimensão é porque o portal estelar atualmente está aberto para a Terra. O portal estelar está transmitindo energia, raios, atração e campo de força para a Terra neste momento. O cometa Hale-Bopp está trazendo luz e energia do portal estelar para a Terra. Essa é uma de suas principais tarefas. A energia do portal estelar pode ser transmutada e transportada para a Terra por meio desse cometa. É nisso que vocês devem se concentrar. Vocês precisam se concentrar nas energias transformadoras de um portal dimensional do portal estelar. O aspecto do portal estelar que está aberto para a Terra é como um imenso corredor dimensional, ou portal, aberto a muitos como vocês.

Em referência ao cometa Hale-Bopp e às discussões sobre seu complemento, nós não daremos a vocês uma resposta se o complemento é uma nave. Podemos dizer o seguinte: ele é mais do que apenas um cometa. Esse objeto altamente recarregado é um campo energético, uma concentração de energia e uma fonte de energia que está chegando perto de seu planeta e do seu Sol. A proximidade do cometa tem como propósito recarregar um aspecto de seu ambiente e todo o seu corredor físico e planetário, que tem sido reduzido.

Vocês podem observar isso como uma missão de resgate para ajudar a estabilizar as energias da terceira dimensão que foram reduzidas pelo acidente nuclear em Chernobil, bem como por outros que não foram relatados. Elementos vitais serão reinfundidos em sua atmosfera a partir dessa troca de energia. Independentemente de vocês quererem ver isso como uma nave espacial, um corpo extraterrestre ou simplesmente como um campo energético vindo até vocês, é para seu aprendizado. Isso não envolverá um pouso ou uma intervenção direta de um grupo de seres. Pelo contrário, é um sistema de entrega cósmico ou um estímulo de energia para vocês.

No momento da aparição do cometa, vocês receberão uma infusão poderosa, e ela vai contrabalancear qualquer negatividade leve associada ao aumento constante na atividade fotônica. Isso pode ser visto como um escudo de proteção trazido até vocês da mais alta fonte galáctica.

Nem todos os corpos de luz do planeta estão sendo ativados, apenas alguns. É possível que todos participem dessa ativação ou transmutação, mas apenas alguns estão realmente fazendo isso. Estes são os precursores, assim como vocês, que estão no ápice da frente evolutiva. Há muitos que não estão sendo ativados. Aqueles que estão sendo ativados estão conduzindo muito da carga para todos os outros e para o planeta. Vocês serão ainda mais ativados quando sentirem o novo alinhamento energético trazido pelo cometa. Infelizmente, nem todos vão responder a isso.

Terra

A luz dos reinos superiores está interagindo com seu estado de existência atual na terceira dimensão. Durante os últimos anos, vocês têm percebido a oportunidade de adentrar um reino superior, um reino no qual podem transitar por meio de sua consciência e seu conhecimento. O processo de transição será o resultado das mudanças no seu campo energético, bem como das mudanças de energia na Terra. As mudanças de energia na Terra estão reagindo tanto ao seu movimento dentro do sistema solar quanto ao seu caminho enquanto ela gira em torno do centro da galáxia.

Atualmente, a Terra está passando pelo que outros planetas próximos do núcleo galáctico já passaram. Ondas de energia poderosas que se originam no núcleo galáctico estão ressoando para fora. Seu sistema solar está a aproximadamente dois terços da saída do centro da galáxia. O que a Terra está enfrentando é, em parte, por causa de problemas de equilíbrio causados por mudanças de energia em seu caminho galáctico.

As mudanças de energia têm um efeito sobre seu campo eletromagnético e também afetam seus padrões de pensamento e seus corpos emocionais. Talvez vocês não considerem as ondas de energia quando observam as várias mudanças em si mesmos e nos seus padrões de energia. Estejam cientes das mudanças de energia que atingem o planeta. Por exemplo, o campo eletromagnético do asteroide que atingiu o planeta Júpiter causou uma infusão de energia e até mesmo alterou temporariamente o equilíbrio eletromagnético e a estrutura de todo o seu sistema solar.

Tentem agora obter uma consciência da energia na Terra. A gravidade é uma energia eletromagnética cujos efeitos podem ser facilmente vistos. Tornem-se cientes das ondas gravitacionais que estão continuamente sendo emitidas do núcleo da Terra. Elas são ondas de energia básicas para suas células. Suas células se familiarizaram com a energia suave da gravidade durante toda a sua vida. Estar conectado com as ondas gravitacionais é uma interpretação mais direta do que significa estar conectado com a Terra.

Outras energias eletromagnéticas no planeta Terra estão relacionadas aos polos. Um polo é negativo e um polo é positivo. Tem havido muita especulação de que esses polos mudarão e criarão uma reversão. Onde a polaridade masculina costumava ser dominante, o polo feminino se tornaria dominante. Isso será manifestado em muitos níveis. A sobrevivência de tudo depende dessa mudança do masculino para o feminino. Isso será simbolizado sincronisticamente, tornando-se conscientes de suas próprias mudanças internas.

Estamos estudando o trajeto que a Terra está percorrendo atualmente ao redor do Sol. Uma leve mudança na inclinação dos polos da Terra já ocorreu. Essa mudança vai continuar e é parcialmente responsável por algumas das interferências e dos padrões meteorológicos irregulares que vocês estão enfrentando neste momento.

Nós vimos outros planetas passarem por algumas das mudanças pelas quais vocês estão passando atualmente. Vimos planetas passarem por uma total aniquilação e autodestruição, e vimos uma aniquilação parcial em que algumas partes do planeta foram recuperadas. Em alguns casos, grandes grupos da população conseguiram até mesmo deixar um planeta, enquanto em outros casos todos ficaram para trás.

As diferentes forças que estão convergindo no planeta neste momento são parcialmente responsáveis pelo caos que está sendo vivenciado e que será vivenciado com maior intensidade em um futuro próximo. Tudo o que está acontecendo está chegando a um ponto de ebulição atualmente em seu planeta, e esse ponto de ebulição atingirá um aspecto muito incisivo e potencializado, um aspecto que pode levar a uma mudança planetária total na consciência.

Uma Mudança na Consciência Planetária

Temos muito interesse em saber como vocês, como um planeta, vão experimentar essas mudanças que acontecerão. Nós temos observado outros planetas passarem por essas mudanças, mas sua situação é verdadeiramente única, porque tem havido muita tensão e interação de outras fontes planetárias. Esse evento é reflexo do desenvolvimento do próprio sistema solar e de todo o setor da galáxia do qual vocês fazem parte. Portanto, estejam preparados para mudar sua consciência. Estejam preparados para se abrir a uma energia dimensional superior, para entrar em corredores dimensionais que estarão acessíveis e disponíveis a vocês. Saibam que isso provará ser uma experiência de cura, e sua expansão da consciência beneficiará o planeta Terra em sua transição.

Nós estudamos seu planeta em detalhes. Estamos interagindo com vocês e sabemos como o poder de alguns pode afetar imensamente o planeta. A mudança sobre a qual estamos falando está relacionada à sua consciência, ao seu entendimento. Sentimos intensamente que existem seres neste planeta que, por meio de uma consciência sobre nós, serão alterados e conseguirão mudar para uma consciência muito mais elevada. Atualmente, muitos experimentos estão sendo feitos sobre como mudar a consciência planetária de uma maneira mais efetiva.

Algumas pessoas desejam construir templos, algumas desejam escrever artigos, e algumas desejam oferecer determinadas instruções para as pessoas sobre a vinda de seres interplanetários. Em geral, a mudança mais importante que ocorrerá a partir disso não se deve tanto a qualquer informação que trazemos a vocês, mas sim ao conhecimento de que existimos e ao conhecimento de que estamos realmente aqui agora. Esse conhecimento influenciará diretamente seu nível de consciência e os abrirá para novas perspectivas e novas possibilidades como seres planetários.

O Centro da Terra

A energia da Terra é muito poderosa. Ela tem sustentado o planeta e trazido muitas formas de vida belas. A Terra está em um setor poderoso do sistema solar e da galáxia. Alguns extraterrestres vieram aqui por causa de problemas em sua estrutura genética. Alguns vieram porque seu planeta trouxe uma combinação única de estruturas moleculares. Muitos vieram ao longo dos tempos para semear.

Existem civilizações dentro da Terra, e não apenas em sua superfície. Os seres do centro da Terra, em sua maioria, foram colocados aqui por outros extraterrestres; eles não foram desenvolvidos por meio de evolução. Ainda existem seres espaciais vivendo dentro da Terra. Um grande grupo de seres humanos ainda vive em cidades subterrâneas para as quais uma parte da civilização de Atlântida se mudou após sua destruição.

A vantagem de estar nos planos planetários internos é estar mais perto do poder vibracional da Terra. O potencial para o aprimoramento vibracional é magnífico! No centro da Terra, existe a capacidade de ressoar em um nível central com o planeta e de se relacionar com as energias da criação – as energias que não poderiam ser sentidas na superfície do planeta. É muito parecido com a possibilidade de visitar o coração de uma pessoa. Vocês podem viajar para a essência do ser. O fato de estarem tão perto da pulsação do planeta pode ser impressionante.

Ao adentrar o centro da Terra, é possível experimentarem o funcionamento interno de seu planeta. Imaginem, digamos, que vocês estão se aproximando do núcleo de como tudo funciona. Vocês observam a manifestação externa do planeta, o nível da superfície, as tempestades e os vários padrões meteorológicos. Vocês, então, têm uma percepção muito sutil do funcionamento interno de seu planeta.

Vocês podem conectar os acontecimentos do centro da Terra com os eventos da superfície do planeta, como terremotos catastróficos ou erupções vulcânicas. Isso não é tudo o que está acontecendo dentro do planeta. Vocês desenvolveram a tecnologia para deixar a Terra e viajar para a Lua; no entanto, não fizeram grandes avanços em viajar para dentro do planeta. Beleza, paz e agitação existem dentro da Terra, e vocês podem apreciar todos esses estados e fazer parte deles.

Dentro da Terra, há uma energia primordial. Sentir essa energia é um desejo fundamental das sementes estelares – isto é, poder sentir a energia primordial da criação e fazer parte dela. Esse desejo é inerente ao seu ser. Ele os leva, como uma espécie, a se mover para o espaço e compreender a centelha fundamental da criação. Vocês podem encontrar essa centelha com a mesma facilidade dentro da Terra. Isso é muito confuso para os cientistas, porque eles não olham para o centro da Terra com o mesmo deslumbramento com que olham para as galáxias. Isso não significa que um foco é melhor do que outro. Isso quer dizer que vocês teriam a situação toda bem aqui ao seu alcance, se fossem capazes de desenvolver a tecnologia necessária.

Os polos são as áreas nas quais a energia do centro da Terra está mais acessível. Outros pontos fortes de energia podem ser encontrados em áreas específicas sob os oceanos e em locais na China, no Alasca, na Austrália e na Nova Zelândia. Pontos de energia no centro da Terra também podem ser encontrados em determinadas cavernas nos Estados Unidos. Muitos já falaram sobre o uso do ambiente de energia nas cavernas para aumentar seu nível de conforto com as energias do centro da Terra. Vocês não estão realmente acostumados com essa experiência, então devem se aproximar das cavernas com muito cuidado.

Não desbloqueiem de maneira irrefletida a energia do núcleo interno da Terra, pois isso poderia causar muitos problemas. Há um equilíbrio de energias muito sensível. Se esse equilíbrio fosse modificado de maneira abrupta, poderia causar grandes terremotos, fluxos de lava incomuns, e assim por diante. Essa foi uma das nossas principais preocupações quando seu povo estava fazendo testes nucleares subterrâneos.

No entanto, o nível de explosões nucleares que ocorreram foi menor quando comparado aos níveis de energia nas profundezas da

Terra. A energia do núcleo interno é tão compacta quanto a energia do seu Sol. Outros lugares no universo são igualmente compactos, e vocês chamam esses lugares de buracos negros. Alguns descreveram áreas que teriam a estrutura molecular de um planeta, mas a massa de uma cabeça de alfinete. O universo e a galáxia têm o potencial para esse tipo de alinhamento estrutural, que é totalmente incompreensível para vocês. A Terra tem essa energia compacta no seu centro, que é responsável pelo campo gravitacional e pela rotação de seu planeta.

A Rotação da Terra

A rotação de seu planeta é uma força poderosa, que responde por sua evolução. Se o planeta parasse de girar por algum motivo, haveria morte e destruição rápidas, semelhantes às que vocês descreveram ter ocorrido quando os dinossauros foram extintos. Acredita-se que o que aconteceu com eles estava relacionado às partículas de poeira lançadas no ar quando um meteoro caiu. Esse foi um fator contribuinte. Outro fator foi que o planeta parou de girar por um período de tempo depois da queda do meteoro.

A rotação da Terra cria o campo gravitacional; então, quando a rotação para, não existe gravidade. Os cientistas da Terra ainda não conseguiram explicar a gravidade. Quando não existe gravidade, a vida é rapidamente destruída. Até mesmo se houvesse apenas uma interrupção momentânea na rotação da Terra, isso teria um efeito prejudicial em todo o planeta, principalmente em seres carnais como vocês. Vocês podem imaginar isso em relação aos astronautas: de repente a porta para o espaço se abre e há uma mudança de pressão que causa um risco imediato.

Se vocês conseguissem sobreviver a uma interrupção na rotação da Terra, haveria o potencial para muita confusão mental. Os campos magnéticos seriam totalmente interrompidos e levaria muito tempo para eles se realinharem. Os pássaros, por exemplo, teriam de aprender diferentes meridianos para seguir. Seria uma situação muito séria. Houve certa preocupação de que a rotação da Terra não seria reiniciada quando o asteroide caiu. Quando ela parou, um lado do planeta permaneceu frio e um lado foi exposto ao Sol, mas o planeta conseguiu manter sua órbita ao redor do Sol. Uma interrupção na rotação foi responsável pela morte de vários planetas na galáxia.

Criar uma catástrofe assim é um método que tem sido usado para destruir planetas durante guerras na galáxia.

A destruição que vocês estão observando na superfície da Terra não causa uma degradação no núcleo interno. O núcleo interno permanecerá intacto, a menos que a rotação do planeta pare. Durante o processo de ascensão, poderá haver uma parada temporária, um milissegundo no qual a rotação seria interrompida, permitindo uma transformação dimensional. Quanto a essa interrupção, a maioria dos seres que estão no interior do planeta são seres multidimensionais que conseguirão mudar as dimensões se assim desejarem. Eles também podem escolher permanecer no planeta durante a ascensão.

A Semeadura da Vida na Terra

Seu sistema solar é único no sentido de que apenas um planeta principal é habitado. Nenhuma outra civilização planetária atual existe em seu sistema solar. Na maioria dos outros sistemas solares, geralmente vários planetas são habitados. Isso é mais a regra do que a exceção. Seu sistema solar já teve outras civilizações em Marte, Vênus, Júpiter e até mesmo em Plutão. Porém, elas partiram há muito tempo, pelo menos na presença da terceira dimensão. Toda a energia do sistema solar foi colocada na evolução planetária da Terra.

A partir de nossa perspectiva, o planeta Terra está passando por uma purificação. Outros seres estiveram envolvidos em seu processo planetário. Esses seres vieram para a Terra e interferiram em sua evolução planetária. Eles criaram caminhos específicos para seus próprios propósitos, mas o resultado final ainda será positivo para o planeta e para a raça humana.

Estamos envolvidos na evolução da Terra há muito tempo. Temos visto outros grupos entrarem no plano terrestre e aproveitarem a oportunidade para desenvolver suas próprias espécies. Outras civilizações influenciaram sua sociedade com base na própria interpretação do que elas achavam que deveria acontecer. Não entendam errado, pois esse processo tem sido permitido pela concepção. A partir de uma perspectiva, a entidade A poderia ser vista como interferindo no processo da Terra, ou a entidade B poderia ser vista como responsável pela negatividade que vocês observam no planeta. Essa visão é somente parte do verdadeiro cenário. Pela concepção, a hierarquia que supervisiona este planeta (Sananda/Jesus é agora o supervisor da hierarquia) permitiu que muitas entidades e grupos se misturassem e entrassem neste reino.

Seria fácil colocar um escudo em todo o planeta para evitar a entrada de quaisquer seres estranhos. Não pensem que esses outros seres sobre os quais vocês leram vieram sem permissão ou sem o conhecimento da hierarquia. Ela está ciente de todas as entidades e energias que entram no plano terrestre. Vamos lembrá-los novamente de que essa visão é a perspectiva arcturiana. Nós temos uma perspectiva única e, em nossa opinião, mais objetiva do seu desenvolvimento planetário.

Os pleiadianos são semelhantes a seus mestres ascensionados. Nós também somos comparados aos mestres ascensionados de seu reino. Não temos necessidade de convencê-los a respeito desta ou daquela história. Não precisamos lhes dizer que esta é a verdade final, porque não temos necessidade de lhes vender um lado da história. Nós simplesmente queremos oferecer-lhes nossa ajuda. Desejamos nos conectar com vocês. Queremos fortalecer nossas próprias capacidades de nos comunicar telepaticamente com aqueles seres que ainda não estão em nosso nível. Essa é uma grande alegria para nós, e é um dom que somos gratos em poder compartilhar.

Somos todos combinações de vida de outras origens. Até mesmo vocês estão interagindo com estruturas moleculares de diferentes partes da galáxia. Portanto, estamos todos misturados. Até mesmo um pouco da energia usada em nossa estrutura genética é parte da sua. Isso é sempre necessário para a intervenção cósmica e genética na evolução de uma espécie. Essa é a regra, não a exceção. Existem intervenções de cometas planetários. Há intervenções de catástrofes. A fragilidade da forma de vida é tanta, que é necessária uma mão cósmica guiando determinadas forças.

Sabemos que os andromedanos nos ajudaram no início do nosso desenvolvimento. Sabemos de outras galáxias e raças que estavam envolvidas em nos ajudar e nos aconselhar. Uma criança sempre precisa de ajuda. Vocês diriam que uma criança cresce sem nenhuma intervenção? É claro que não. Muitas intervenções ocorrem. Porém, há um momento na evolução de uma raça em que a espécie pode assumir e conduzir seu próprio desenvolvimento. Quando a criança se torna um adulto, não precisa de intervenções. Ela fará escolhas sobre como quer se desenvolver. Vocês chamam isso de idade adulta. Alcançamos um nível de evolução espiritual que nos permite escolher o nosso desenvolvimento. Estamos trabalhando com vocês como um grupo a fim de ajudá-los a reunir sua energia. Saibam que vocês podem sempre escolher, de maneira consciente, se desenvolver espiritualmente como seres individuais ou como um grupo em níveis superiores de consciência e evolução.

O tempo é uma ilusão. As interações que vocês têm de uma natureza extraterrestre são simultâneas no *continuum* espaço-tempo. Portanto, vocês estão sendo semeados continuamente. O envolvimento extraterrestre dos pleiadianos, especialmente, tem sido muito benéfico para seu desenvolvimento. Vocês precisam compreender que os pleiadianos vieram como seus irmãos e irmãs cósmicos. Eles também vieram para ajudar a proteger suas auras e sua energia eletromagnética. Sem essa proteção, vocês estariam sujeitos às consequências do desdobramento catastrófico que já se iniciou neste planeta.

Capítulo 4

O Planeta Terra em Perigo

É verdade que seres espaciais estão continuamente chegando a seu planeta para observar. Atualmente, alguns estão interagindo com vocês. Nós interagimos apenas com determinadas pessoas escolhidas em um nível modificado. Procuramos criar uma consciência de nossa presença. Isso foi autorizado pelas fontes superiores juntamente à evolução planetária.

Estamos cientes de que o Mestre Sananda atualmente está no comando de toda a operação do planeta. Trabalhamos com Sananda antes em outras funções, e estamos muito comovidos em poder estar com ele aqui. Ele é muito poderoso em sua energia emocional e é um dos mestres do universo em conseguir usar a energia emocional para a transformação interior. Essa é uma de suas especialidades. Sua energia existe simultaneamente em muitos lugares da nossa galáxia neste momento.

Sabemos que vocês buscam uma energia superior e querem acessar as dimensões superiores. Saibam que já estivemos com vocês antes e que muitos de vocês estão intensamente conectados com o nosso trabalho. Fomos solicitados para ajudar a preparar o caminho para aqueles que sentem uma conexão com a consciência arcturiana. Aqueles atraídos pelas energias arcturianas possuem sutileza e energia elevada. As pessoas que se aproximam da energia arcturiana já são altamente desenvolvidas, sensíveis, etéreas e musicais. Somos muito sensíveis às suas vibrações e estamos abertos a usar diferentes vias de comunicação, como cores, sons e música.

O trabalho que estamos realizando com as linhas de grade eletromagnéticas planetárias está ajudando a estabilizar a Terra e permitir que ela mantenha a integridade adequada. Estamos auxiliando a Terra de modo que a terceira dimensão não se desintegre. A terceira dimensão poderia ter se desintegrado anteriormente por causa de algumas coisas que foram criadas, como as bombas nucleares e o Experimento Filadélfia. Não entraremos em detalhes neste momento, mas a terceira dimensão estava correndo um sério perigo.

Consequentemente, parte do nosso trabalho é estabilizar a terceira dimensão tanto quanto possível, a fim de que vocês possam evoluir. Vocês estão evoluindo como um planeta em um estado acelerado. Por causa dessa aceleração, fomos direcionados para ajudá-los como um planeta. Quanto mais tempo a terceira dimensão permanecer intacta, mais trabalho poderá ser feito. Imaginem o seguinte: vocês estão em uma mina que está sendo destruída, e o poço deve ser mantido para que possam sair e entrar em outra região. É isso que está acontecendo aqui na Terra. Estamos mantendo os eixos do trabalho de grade que criamos. À medida que todos continuarmos o trabalho de grade, vocês poderão ir para o próximo reino.

A Interação Arcturiana com a Terra

Fomos escolhidos para a missão na Terra por causa de nossa devoção ao serviço e de nossa capacidade de nos manter em reinos interdimensionais. Não nos pediram para nos materializarmos, mas devemos conseguir sobreviver com tranquilidade em reinos interdimensionais. Assim como vocês dependem de um tanque de oxigênio quando estão submersos, precisamos ser treinados para continuar a nos conectar com a frequência arcturiana, de modo que possamos manter a luz e a energia em um espaço interdimensional. Fomos escolhidos por causa da nossa capacidade de partir por longos períodos de tempo sem ter contato direto com nossos irmãos e irmãs no planeta mãe. Também devemos ter a capacidade de ser reabastecidos quando entramos em contato com nossas equipes de suporte no planeta natal.

Nossas naves são interdimensionais, e não nos materializamos a menos que seja absolutamente necessário. Compreendam que, se nos materializarmos, ficaremos sujeitos às energias e às leis da terceira dimensão. Nossas naves residem no plano da quinta dimensão. Da nave principal, podemos enviar naves menores para a terceira dimensão. Vocês raramente verão essas naves pequenas, a menos que sua visão multidimensional esteja muito avançada. Atualmente, poucos conseguem suportar a energia que essas naves emitem.

Como seres de um espaço de dimensão superior, não nos manifestaremos fisicamente por uma série de razões. Uma delas está relacionada à questão de enfrentar uma realidade cármica negativa. Para vocês, é mais vantajoso, no entanto, entrar nos corredores dimensionais que estamos ajudando a abrir para que possam ascender ao nosso nível de consciência. Vocês aproveitariam mais isso, e seria mais vantajoso para vocês do que se nós entrássemos em sua dimensão.

Nosso campo vibracional é maior do que o seu. Vocês teriam dificuldade em nos ver, a menos que desacelerássemos nosso campo. É preferível vocês acelerarem seu campo e, então, entrarem em contato conosco. Afinal, essa é a direção para a qual estão se movendo. Essa é a razão pela qual muitos dos extraterrestres não surgiram na presença física. Aqueles de uma natureza superior não querem desacelerar. Seus anjos e mestres estão trabalhando atualmente com vocês a fim de acelerar e elevar as suas vibrações.

Agora, vamos abordar a questão de materializar coisas. Nós simplesmente não iremos materializar coisas para vocês, pois isso é uma interferência em seu processo cármico. Nós somente vamos tirá-los do plano físico e aparecer se vocês estiverem em perigo e a situação for urgente. Caso contrário, não iremos interferir dessa maneira cármica. Interferir desse modo não seria o melhor. No entanto, podemos direcioná-los e trabalhar com sua frequência, oferecendo-lhes informações e ideias nos corredores.

Por conta do nosso compromisso com o avanço espiritual, fomos autorizados a aprender os segredos da viagem interdimensional. Os portais interdimensionais permitem que apenas aqueles de frequência mais elevada entrem. Outros seres vieram para a Terra, como os grays, que não usam os portais interdimensionais mais elevados que usamos. Eles não são tão espiritualmente avançados quanto os arcturianos ou os pleiadianos. Nós possuímos poderes mais elevados porque somos mais desenvolvidos espiritualmente. Seres inferiores, mesmo aqueles em seu planeta que são menos desenvolvidos espiritualmente, ainda assim podem alcançar um alto nível de conhecimento tecnológico. Os grays são, então, um exemplo daqueles com vibrações inferiores que ainda são capazes de obter um nível muito alto de conhecimento tecnológico.

É por causa dessa disparidade – isto é, seres inferiores que são tecnologicamente avançados sendo capazes de vir para a Terra – que nos foi permitido trabalhar com vocês tão intensamente. Tanto desequilíbrio não será permitido. Aqueles que estão no poder e os que estão em uma vibração inferior e têm acesso à alta tecnologia não podem ter sucesso excessivamente. Deve existir um contrapeso. Não é por acaso que o novo movimento, ou a nova era, tenha surgido ao mesmo tempo que os grandes avanços tecnológicos. Isso continuará. Seu trabalho continuará, e o trabalho das sementes estelares e dos trabalhadores da luz em seu planeta se tornará mais forte.

Os cientistas da Terra buscaram maneiras de interromper os padrões de energia dos visitantes extraterrestres. Vocês já ouviram histórias de como radares e outros tipos de sistemas de energia têm sido apontados para extraterrestres a fim de afetá-los. Essas ondas de rádio e outros tipos de ondas de radiação de alta aceleração podem ser destrutivos e impedir a transmutação completa nas dimensões superiores. Vocês praticamente poderiam pensar neles como as armas de raios das quais já ouviram falar nos quadrinhos, por exemplo. Nossa tecnologia é muito avançada, e somos capazes de nos proteger dessas ondas de rádio de alta aceleração que vocês chamam de radar. Outros extraterrestres não foram tão bem-sucedidos em aprender como fazer isso.

Tecnologia da Computação

É com satisfação que observamos seu envolvimento com os sistemas de computadores. Eles aprimorarão as comunicações com entidades interestelares. Existe um código universal, ou uma linguagem universal, nos computadores, que corresponde a partes dos neurotransmissores encontrados dentro de seu cérebro. Agora, vocês são capazes de acessar a profunda sabedoria intracraniana e antiga por meio dos computadores.

Determinados programas e aspectos dos computadores poderão ser controlados pela mente humana. Vocês não compreendem o computador porque a essência dele é incompreensível a vocês. E não compreendem a profundidade ou as complexidades da rede de computadores e o que isso pode significar para seu desenvolvimento. Os computadores têm sido a base de praticamente todos os avanços tecnológicos em seus últimos 20 anos. O desenvolvimento de seu conhecimento vai avançar rapidamente de novo. Outro avanço no desenvolvimento computacional ocorrerá nos próximos três a cinco anos, o que vai revolucionar o que vocês já alcançaram com os computadores. Vocês poderão se relacionar interdimensionalmente com seus computadores. A existência interdimensional será verificada por meio da tecnologia da computação.

Somos capazes de comunicar nossa consciência por meio de um computador. Vocês podem olhar para um computador como um símbolo fundamental da mente universal e do sistema de código genético. Podem começar a compreender a mente universal pelos seus computadores. Sua mente é como um computador complexo. No entanto, é muito mais do que apenas um computador. Ela é capaz de receber luz diretamente da energia do Criador, e é capaz de receber espírito, enquanto que um computador não pode receber energia espiritual.

Nosso nível de tecnologia da computação vem da nossa compreensão da mente subconsciente. Nossos computadores podem olhar para o futuro e avaliar situações e perceber por conta própria. Eles nos ajudam a entrar nos corredores interdimensionais, e também nos ajudam na viagem no tempo. Nossos computadores estão ligados a nós por pensamentos, de modo que não precisamos usar teclados como vocês. Os teclados são uma maneira muito primitiva de interagir com um computador, embora isso seja avançado para vocês. Seus programas de ficção científica da televisão já mostram pessoas interagindo por voz com os computadores. Até mesmo isso parece avançado para vocês, mas nós interagimos com nossos computadores diretamente pelo pensamento.

Radiação Nuclear

Vocês estão vivendo em um universo muito dinâmico. Existem poderes e forças intensos que podem criar aberturas para outras dimensões. Se essas aberturas não forem devidamente estabilizadas, podem resultar em catástrofe. As fendas dimensionais podem causar grandes explosões, e, em alguns casos, planetas inteiros já foram totalmente aniquilados por causa do uso indevido da tecnologia energética. O potencial do uso indevido é tão perigoso, que esse é um dos motivos pelos quais tantos extraterrestres vieram para a Terra neste momento – para garantir que essa destruição não aconteça.

Vocês, no plano terrestre, estão se movendo para um ponto avançado, mas também estão em um ponto de possível autodestruição, porque estão correndo o risco de destruir o planeta inteiro. O perigo de uma destruição planetária ainda é extremamente alto do nosso ponto de vista, em parte porque há muito conflito, discórdia e ódio em seu planeta. A ameaça de um holocausto nuclear ainda permanece. Uma troca nuclear ainda pode ocorrer na região do Oriente Médio. Se isso acontecer, terá um efeito drástico no planeta, e isso fará com que muitas pessoas repensem seus caminhos.

Nós estudamos a energia nuclear que os seres do seu planeta têm usado na tecnologia nuclear. Não participamos de forma alguma desse tipo de tecnologia. Eventualmente, seu planeta aprenderá a não usá-la. Existe uma possibilidade considerável de que grande parte de seu planeta seja contaminada por causa da tecnologia nuclear. Isso é muito perigoso, como vocês podem imaginar.

A consciência pública não é forte o bastante para impedir que a radiação seja expandida. Os níveis de radiação estão se expandindo em uma frequência alta. Atualmente, muitos de vocês estão experimentando níveis de radiação que não eram capazes de suportar há 15 anos.

O primeiro sinal de um excesso de acúmulo de radiação é que o sistema imunológico enfraquece e se torna incapaz de lidar com o que está ocorrendo. É importante que os trabalhadores da luz atuem em seus sistemas imunológicos e continuem a criar uma proteção. Os níveis de radiação prejudiciais levaram à necessidade de se transformar em um espaço dimensional superior. Quando os níveis de radiação estão altos, isso força os trabalhadores da luz a acessar sua capacidade de direcionar seus próprios códigos.

Nossas naves possuem estruturas e materiais especiais que nos permitem mudar para sua dimensão sem sermos afetados pela radiação. Deixamos cordões ou linhas especiais com nossas naves-mãe, que estão ligados ao planeta principal. Há sempre uma conexão envolvida pelos padrões de pensamento que são criados por muitos de nós que permanecem na nave-mãe. Temos grupos que trabalham continuamente para manter o cordão ligado. É uma tarefa difícil, por isso precisamos nos revezar.

Estamos muito preocupados com seu caminho. Sabemos dos seus recentes avanços científicos. Vocês estão muito perto de uma inovação nas viagens e logo poderão sair do sistema solar. Se não houver impedimentos, vocês poderão deixar o sistema solar nos próximos 20 anos. Como um planeta, vocês estão perto de compreender a existência dos corredores interplanetários e intergalácticos. Nós, assim como os outros irmãos e irmãs espaciais, estamos preocupados com a possibilidade de vocês exportarem tecnologia nuclear para fora do sistema solar.

Buracos na Camada de Ozônio

Uma grande quantidade de energia negativa foi implantada na Terra, principalmente por causa dos testes nucleares. Acreditamos que os testes nucleares, mais do que qualquer outra coisa, afetaram seriamente sua camada de ozônio. Um acúmulo de radiação ocorreu por causa de testes nucleares, emissões de radiação por usinas elétricas, e assim por diante. Uma forma de pressão se desenvolveu a partir da radiação. Determinadas ondas de energia produzidas pela radiação atingem a camada de ozônio, criando uma força de energia que retém outros raios. Conforme a radiação na Terra se tornou mais predominante, o equilíbrio foi interrompido, permitindo que ocorresse uma incongruência nas pressões, o que também contribuiu para os buracos na camada de ozônio.

A intensidade solar está aumentando em decorrência das mudanças na energia eletromagnética ao redor do planeta causadas pelos buracos na camada de ozônio. Nós pedimos que vocês tenham cuidado ao se expor aos raios de energia solar. Muitos de vocês estão se preparando para alterar seus códigos de DNA, a fim de conseguir suportar mais energia eletromagnética recebida. Isso será um bom teste para seu próprio desenvolvimento, pois vocês precisarão se adaptar a essa energia. Em suas meditações, permitam que seus corpos mudem, para receber a nova energia ultravioleta eletromagnética que vem do seu Sol. Essa nova frequência de energia ultravioleta vai causar atos ocasionais de insanidade e desequilíbrio mental naqueles que não estiverem preparados.

A radiação que passa pelos buracos na camada de ozônio também afetará seus códigos genéticos e algumas das chaves que foram codificadas em vocês. É importante que vocês se tornem cientes de suas estruturas e códigos genéticos. Reforcem sua existência e protejam os códigos. Quando vocês são enfraquecidos pela radiação, os códigos podem ser alterados ou permanentemente danificados. Em parte, é por isso que houve um chamado para que muitos retornem ao planeta Terra, a fim de trabalhar com vocês.

Vocês estão com insuficiência de determinados padrões de energia devido à destruição de algumas substâncias químicas do corpo e ao aumento da radiação ultravioleta no planeta. Isso está reduzindo seus campos energéticos pessoais. Neste momento, muitos de vocês estão vulneráveis a lapsos no campo energético pessoal. O contato em um nível consciente que vocês têm com os arcturianos e com os pleiadianos ajudará a eliminar esses lapsos. Lembrem-se de que nós também somos capazes de nos conectar com nosso planeta natal, de modo que possamos trazer a vocês luz do sistema arcturiano. Mantenham nosso nome em sua consciência. Concentrem-se em seus próprios campos energéticos pessoais e visualizem nossos campos energéticos se integrando com os seus.

O Projeto HAARP

Os assuntos em questão na Terra são sérios relacionados a padrões meteorológicos, a campos eletromagnéticos e ao projeto HAARP. Não é apenas o projeto HAARP que cria problemas planetários. Esse é um fator proeminente, mas é apenas um fator entre muitos. Certamente, não é um bom momento. O projeto HAARP criará buracos permanentes na ionosfera e nas grades de energia eletromagnética ao redor do planeta. Os efeitos destrutivos do projeto HAARP vão acelerar muitas mudanças na Terra e, principalmente, causar padrões meteorológicos planetários instáveis e violentos. Podemos criar uma barreira de energia que sustente temporariamente os sistemas de campos energéticos da Terra e neutralizar a desintegração desses campos. No entanto, não podemos oferecer uma reintegração permanente dos campos energéticos planetários.

Vocês não podem interromper o carma que está se desenvolvendo agora. Vocês não querem interrompê-lo, nem nós. Apenas queremos manter e sustentar a Terra na terceira dimensão enquanto for possível, sem causar uma interferência. Vai chegar um momento em que poderá haver um colapso dos campos energéticos ao redor da Terra. Nós não estamos dizendo isso para assustá-los. Os campos energéticos ao redor da Terra podem entrar em colapso, resultando em um deslocamento do eixo polar. Isso pode ocorrer em algum momento no futuro. Ouvimos suas descrições sobre o cinturão de fótons criando períodos de escuridão. É a combinação de eventos que descrevemos que levará ao apagão temporário.

Não tenham medo. Vocês estão tão conectados, são tão amados e estão tão comprometidos. Nossos raios de luz estão sobre vocês. Em um determinado momento, vocês serão capazes de viajar por um corredor da quinta dimensão e sair do planeta, principalmente durante um momento de grande escuridão. Ainda há um tempo antes de ocorrer uma grande catástrofe na Terra. Quando falamos em "catástrofe na Terra", estamos nos referindo a uma catástrofe que afetará todo o planeta. Vocês estão observando acontecimentos isolados, atividades isoladas. Em breve, ocorrerá um acontecimento que afetará todo o planeta. Nós transmitimos a vocês uma energia de cura protetora. Aqueles que se conectaram conosco não sofrerão danos nem passarão por dificuldades em relação a isso, embora possam sentir um pouco de desconforto.

O Efeito das Mudanças Magnéticas

Muitos de vocês foram ativados inicialmente pelos arcturianos ou por outros mestres ascensionados, mas vocês não foram totalmente reativados. Por que estamos usando a palavra "reativados"? Simplesmente, a energia mudou e continuará a mudar no plano terrestre. Diferentes energias e densidades estão contribuindo para as confusões e ilusões pelas quais as pessoas estão passando. É necessário que vocês se reativem, se reconectem e se reabram continuamente ao fluxo de energia que está vindo. Nós, no sistema arcturiano, podemos transmitir a vocês continuamente estímulos de energia que lhes permitirão romper parte das densidades, da confusão e da energia circular que os estão bloqueando.

Essa energia a que estamos nos referindo é resultado das mudanças magnéticas na Terra. Essas mudanças magnéticas estão contribuindo, em parte, para os padrões meteorológicos que estão vivenciando e também para a confusão e a instabilidade mentais pelas quais muitos de vocês estão passando. Alguns de vocês têm passado por instabilidade mental (em si mesmos e em sua família) e por confusão em relação a qual direção seguir. Algumas pessoas estão passando por essas mudanças em relação a problemas de saúde. A causa básica está associada às mudanças geomagnéticas que estão ocorrendo na crosta planetária.

A crosta terrestre é extremamente ativa. Sua habilidade de se concentrar e se manter em uma tarefa é muito afetada pelo clima. Os cientistas e sociólogos da Terra têm estudado as dificuldades que muitos de vocês enfrentam com o clima. Com os padrões meteorológicos atuais, é mais do que evidente que é necessário reativá-los continuamente, para que possam se elevar acima de parte desses padrões e estar abertos à nova energia que está vindo.

Está cada vez mais difícil lidar com a energia total da Terra. As forças gravitacionais no planeta estão mudando à medida que as energias eletromagnéticas estão sendo realinhadas. Isso está causando mudanças sutis nos mecanismos do seu corpo no planeta. Vocês enfrentarão mais problemas físicos, a menos que encontrem uma maneira de se sensibilizar para as mudanças e trabalhar com sucesso com a energia.

Sabemos que estar na Terra é muito denso e que existem muitos problemas moleculares. O motivo pelo qual alguns de vocês estão tendo tantos problemas de saúde é porque existe uma mudança molecular contínua. Parte disso é por causa da poluição tóxica sobre a qual vocês já conhecem. A outra parte é decorrente de uma verdadeira mudança de energia na estrutura molecular. O planeta Terra, Gaia, como vocês o chamam, sabe que está passando por um movimento para a próxima dimensão. Gaia sabe que existe uma necessidade de mudança molecular em todos os campos energéticos no planeta inteiro. Essa mudança está ocorrendo em todo o planeta e está causando alguns distúrbios nos campos energéticos daqueles que não são capazes de incorporar as vibrações superiores. Podemos ajudá-los a se adaptar a essas mudanças quando vocês nos convocarem.

Saibam que podem entrar em contato conosco a qualquer momento e de maneira mais consciente. É sempre melhor ter uma conexão consciente. É sempre melhor vocês pedirem a conexão. Nós estaremos com vocês sempre que quiserem. Porém, haverá determinados momentos em que nos faremos presentes quando vocês não estiverem pensando em nós. No entanto, na maioria das vezes, vocês é que devem iniciar a conexão.

Neste momento, nós lhes transmitimos uma nova energia, que é um raio violeta e um raio dourado misturados em um belo tom. Dizemos "tom" porque é uma mistura de cor e de som. Atraiam essa energia para dentro de vocês e saibam que ela os ajudará. Saibam que as doenças e os outros problemas que muitos de vocês estão vivenciando são apenas ilusões. Eles são como um revestimento, como energias rígidas em torno de sua alma, e começarão a ser removidos à medida que vocês lerem estas palavras.

Modelos de Profecia por Computador

Nossos computadores podem prever seu futuro conectando-se com suas mentes subconscientes. Tudo o que deve acontecer está na mente subconsciente planetária. Seria assustador vocês tentarem interpretar diretamente seu subconsciente, pois ele estaria repleto de informações. Um computador pode organizar essa atividade. Quando vocês entram na mente subconsciente, podem ter dificuldade em distinguir o que é realidade. Nossos computadores não. É por esse motivo que usamos a tecnologia da computação para desenvolver o conhecimento e a capacidade de avaliar o subconsciente. Sabemos que, quando o subconsciente coletivo mudar, então o planeta e toda a raça também mudarão. É assim que a paz e a prosperidade chegarão a este planeta. Vocês podem influenciar essa transformação.

Nós montamos nossos computadores conforme a mente subconsciente. Eles podem realmente sintonizar uma energia e uma percepção superiores do que poderíamos obter sozinhos. O desenvolvimento da nossa tecnologia da computação nos permitiu usar uma abordagem multi-informacional para o estudo do futuro e do passado, ajudando-nos a compreender quais serão os resultados, com base no uso de informações atuais do presente.

Nós consultamos diferentes modelos de computador de todas as suas possibilidades futuras. Cada modelo que observamos tem um fator diferente e, portanto, um resultado diferente, baseado em várias opções do que poderia acontecer com a Terra. Um modelo mostra grandes terremotos afetando áreas como a Califórnia, resultando em muito sofrimento e devastação.

Em outro modelo, observamos grupos de trabalhadores da luz concentrando energia pelas linhas de grade da Terra. Esse trabalho na grade estabelece vibrações positivas por toda a Terra e ajuda o planeta a evitar catástrofes. Outros modelos nos mostram a dominação do mundo e os líderes mundiais entrando em conflito. Esses modelos diferentes devem revelar o seguinte: vocês, como trabalhadores da luz, ainda podem influenciar o resultado. Lembrem-se de que os pensamentos são muito poderosos. Seu trabalho como sementes estelares e trabalhadores da luz pode ser muito poderoso. Saibam que vocês são seres poderosos e que estão em uma missão para criar uma ponte para a próxima dimensão.

Em nossos modelos, não prevemos a extinção total da vida em seu planeta. Um colapso total de todas as formas de vida no planeta sempre foi o maior risco na Terra. Se isso acontecesse, teria um efeito devastador sobre o carma de todos. Essa erradicação potencial de toda a vida na Terra não acontecerá, porque muitos grupos extraterrestres, mestres ascensionados e o reino angélico estão trabalhando cuidadosamente para transmitir mais energia para a terceira dimensão. Trabalharemos com vocês e com outras sementes estelares para estabilizar sua dimensão atual e construir uma ponte para a quinta dimensão. Esse processo ocorrerá por meio de seu trabalho como sementes estelares e trabalhadores da luz.

Vocês devem compreender que existe um plano divino para este planeta. Podemos observar o desenvolvimento desse plano e não queremos interferir nele. Até mesmo o que, em sua realidade, parece ser um resultado desanimador, faz parte de um plano cósmico total. Não cedam à morte e à destruição que estão prestes a acontecer na Terra. Vocês não precisam vivenciá-las. Quando conseguirem se conectar à energia superior, poderão estabelecer um vínculo que protegerá a si mesmos e às suas famílias. Nós lhes transmitimos luz, amor e uma consciência de vibrações superiores.

CAPÍTULO 5

A Condição Humana

Sua espécie está passando por uma mudança evolutiva – um grande salto na consciência, equivalente à descoberta de ferramentas em sua história. Neste momento, vocês estão indo para um reino transformacional. Muitos estão na vanguarda para conseguir mudar sua consciência. O objetivo é se transformar de uma presença física para um ser de uma dimensão superior. Assim, vocês poderão deixar o plano da terceira dimensão da Terra.

Vocês já estão passando pela mudança evolutiva e assumiram o compromisso de vivenciar um estado de transformação. O processo já começou. Seus códigos genéticos mudam automaticamente quando vocês se movem para uma consciência superior. Quando vocês aceleram suas frequências, mudam seus códigos. Vocês foram programados para essa mudança evolutiva quando as sementes genéticas foram plantadas em sua história antiga.

Neste período de mudanças evolutivas, muitos estão vivenciando aberturas significativas em sua consciência que parecem estimulantes e, por vezes, assustadoras, mas, em outros momentos, parecem muito naturais. As aberturas estão chegando em ondas de energia que afetam seus campos eletromagnéticos, fazendo com que a frequência de sua aura acelere. Quando isso acontecer, vocês poderão ressoar melhor com a energia dos arcturianos e com outros que estão muito interessados em se comunicar com vocês.

É importante que vocês compreendam que todo o seu ser será capaz de passar para o próximo nível. Seu ser segue sua consciência. Estamos proporcionando um foco para vocês, de modo que possam primeiro mover sua consciência para o nosso reino. Depois, vocês serão capazes de mover seu ser. Atualmente, vocês ainda são, em essência, seres da terceira dimensão. Porém, chegaram a um ponto especial em seu ciclo de encarnação evolutiva: estão desenvolvendo a capacidade de "saltar" para o próximo reino. Esse é um salto incrível, um salto exponencial. Quando vocês conseguirem chegar a esse ponto especial, poderão, inesperadamente, ampliar seu progresso a uma velocidade muito rápida. Vocês estão nesse momento agora.

Direcionando Seus Códigos Genéticos

Vocês possuem a capacidade de acelerar sua própria consciência direcionando seus códigos genéticos. Quando seus códigos genéticos são direcionados, é possível transformar o corpo físico nos reinos superiores. Essa incrível transformação está disponível atualmente para vocês.

Direcionar conscientemente os seus códigos requer uma concentração de energia. Vocês devem imaginar e se concentrar nos campos áuricos fora de seus corpos. Nos campos áuricos, existem determinadas frequências com as quais vocês se sentem mais confortáveis do que com outras, como as frequências que ocorrem quando vocês estão em repouso ou quando estão de bom humor. É muito importante se manterem em um estado pacífico.

Visualizem a imagem da estrutura do DNA – a estrutura cristalina de sua base genética. Seus códigos genéticos são, em sua maioria, uma função automática do seu sistema, mas vocês podem controlá-los conscientemente por meio da visualização. Na história da Terra, apenas alguns receberam as instruções sobre como se alterar geneticamente. A fim de se transformar e passar para uma dimensão superior, vocês devem alterar seus códigos genéticos.

Seus códigos genéticos ainda estão programados para a fisicalidade, a gravidade, a encarnação, a morte e a reencarnação. Se vocês quiserem se transformar e deixar o plano da terceira dimensão, então esses códigos devem ser abertos e receber novas instruções. Isso faz parte do processo interno pelo qual vocês devem passar. Muitos de seus guias superiores – como Sananda e Quan Yin – têm trabalhado com vocês no nível emocional. Eles os estão ajudando a lidar com certos apegos relacionados ao plano terrestre e com problemas que surgem por causa das mudanças na Terra. Concluir esse trabalho é essencial quando estiverem se programando para a transformação.

A partir de nossa perspectiva, o trabalho final envolvendo a transformação dependerá de vocês. Vocês devem permanecer no estado mental adequado para trabalhar com seus códigos e permitir que sua estrutura genética alcance a realização. Imaginem isso como uma flor. Uma flor segue um caminho pré-programado. Ela se desenvolve enquanto recebe água e luz solar por meio da fotossíntese. Seguirá seu caminho e florescerá. Vocês também podem seguir seu caminho e se mover para uma realidade superior. Vocês precisam de nutrição e luz adequadas. Estamos transmitindo um raio de luz azul de alta frequência que vocês podem receber pelo seu chacra coronário. Ele é muito intenso. Visualizem suas estruturas de DNA, em seu terceiro olho, recebendo a luz. Seus códigos estão se abrindo. Vocês podem conceder permissão para o desenvolvimento genético por meio do pensamento e da visualização.

Seu pensamento e suas visualizações podem superar qualquer dano causado aos códigos pela radiação ultravioleta, pelas mudanças atmosféricas e pelos problemas físicos relacionados à energia nuclear ou a outros tipos de radiação intensa. Seu pensamento, suas visualizações, sua devoção e seu recebimento de energia são poderosos. Entretanto, é indispensável que vocês interajam conscientemente com seus códigos para poder direcioná-los e protegê-los. Aqueles que não conseguirem conscientemente direcionar e receber a luz descobrirão que são vulneráveis a danos genéticos.

Visualizem as estruturas em hélices encontradas no DNA. Vocês aprenderão a ressoar e desvendar seus códigos. Esse é um dos belos aspectos do seu avanço. Nós vimos essa etapa evolutiva ocorrer em outros planetas. Vocês estão perto do desenvolvimento final. Uma mudança está ocorrendo no planeta Terra. Dois grupos de pessoas vão surgir: (1) aqueles que se moverão na direção da ascensão e (2) aqueles que serão como ovelhas perdidas.

Seus grandes líderes religiosos, como Moisés, Jesus, Joseph Smith e Buda, foram capazes de libertar suas estruturas genéticas inerentes e desvendar seus códigos por meio de um canto vibracional eletromagnético. Eles aprenderam a usar palavras e sons especiais que receberam de extraterrestres e arcanjos.

Os sons podem desbloquear sua estrutura genética. Eles podem colocá-los em um estado vibracional adequado, um estado de espírito no qual vocês podem receber mais facilmente transmissões de pensamento e energia de frequência mais elevada. Compreendam que os arcturianos estão transmitindo a vocês não apenas mensagens verbais, mas também ondas e sons de energia. Trabalhamos com vocês para traduzir seus sistemas de energia em vibrações que permitirão a entrada nas dimensões superiores.

Quando vocês quiserem se mover para uma consciência superior, imaginem que as energias eletromagnéticas em sua aura começam a girar rapidamente. Girem a energia elétrica a fim de mover seus campos eletromagnéticos acima de seu corpo o máximo possível. Girem sua aura cada vez mais rapidamente. Comecem a subir. Vocês já ouviram falar da escada da consciência. Quando vocês moverem sua consciência para um reino superior, olhem de volta para seu corpo físico e para suas células. Vocês terão uma visão única de si mesmos. Poderão ver seu corpo físico a partir dessa perspectiva superior. Isso deve ser feito a partir de uma perspectiva superior.

Vocês sabem que Sananda e outros de energia superior têm sido capazes de mudar as coisas com o som. Saibam, neste momento, que vocês também podem fazer isso com a visão. Entrem nas estruturas celulares e nas células individuais com os olhos de sua aura. Direcionem a energia da fonte superior. Transmitam luz, amor e a palavra "abertura" para seus códigos genéticos. Concentrem-se na estrutura em hélice do seu DNA. Agora, subam a escada em hélice. Vocês vão subir e alcançar uma abertura de energia que alguns chamam de êxtase. Esse é um estado cósmico natural. É mais um estado natural na quinta dimensão do que na sua realidade na terceira dimensão.

Outro fator importante é manter seu fluxo de energia consistente. As mudanças na energia eletromagnética do planeta continuam. Algumas mudanças acontecem em voltagens mais altas, e há até mesmo picos na voltagem. É importante que vocês mantenham o fluxo contínuo, de modo que a estrutura do seu DNA não fique sujeita a nenhuma mudança intensa de energia ou picos. Em suas meditações, imaginem seus códigos e sua estrutura de energia genética fluindo de maneira uniforme e intensa, sem bloqueios.

A Influência de Órion

Estamos cientes de que a semente genética de sua espécie tem sido misturada com as sementes de outros sistemas planetários. A Bíblia, por exemplo, possui mitos e escritos que se referem a isso. Uma das semeaduras mais influentes veio de um sistema planetário na constelação de Órion. Essa mistura criou uma experiência no planeta que não estava totalmente alinhada com os direcionamentos estabelecidos anteriormente. Alguns afirmaram que a mistura ocorreu como parte do plano divino; outros disseram que era apenas uma questão de tempo antes que os seres da raça órion descobrissem a existência da vida na Terra.

As frequências vibracionais vindas do seu sistema solar são intensas. Outros podem receber essas vibrações porque seus poderes telepáticos são fortes. Todos os seres superiores da galáxia aprenderam o poder da telepatia e da viagem telepática. A espécie de Órion tem a capacidade de usar o poder telepático para procurar novas formas de vida; portanto, foi apenas uma questão de tempo antes que eles se misturassem com os seres terrestres.

Os órions trouxeram para o planeta fatores como agressividade, ódio e dominação. Pelo lado positivo, fatores como curiosidade e exploração, que não estavam presentes anteriormente, também foram trazidos para a raça. Muitas pessoas consideram esses fatores como a humanidade que vocês tanto amam em si mesmos. Eles também são os fatores que contribuem para grande parte da violência que atualmente coloca seu planeta em risco.

O experimento não foi interrompido, e as misturas continuaram, porque isso foi visto como uma etapa evolutiva. Parte do desenvolvimento único de sua espécie é integrar a consciência de Órion. Estamos muito interessados em saber como vocês estão ajustando a energia do amor com a energia de Órion. Como o amor pode ser transmitido e usado para superar algumas das principais agressões introduzidas pela influência genética de Órion? Esse é um importante desenvolvimento para toda a galáxia.

Sabe-se que a capacidade dos seres de Órion de dominar é tanta, que pode ter uma influência avassaladora. Eles podem até ser descritos como uma espécie que domina um sistema planetário. A partir de nossa perspectiva, o fator de Órion é atualmente responsável pelo efeito negativo que vocês designaram como governo secreto. Essas energias permitem contatos com extraterrestres que não são para o bem geral da espécie neste planeta.

A Decisão Arcturiana sobre a Energia de Órion

Os arcturianos lidaram com o problema de Órion por meio de um processo de conformidade em grupo que nos levou a eliminar o ódio, a agressão e a guerra. Nós abordamos o problema a partir de uma perspectiva diferente. Tivemos a oportunidade de integrar os ensinamentos de muitos profetas importantes. Tem sido nossa experiência estarmos abertos diretamente aos mensageiros dos reinos superiores. Além disso, nossos mensageiros dos reinos superiores foram introduzidos no início do desenvolvimento de nossa espécie. A partir de nossa perspectiva, a introdução da energia de Sananda/Jesus, a energia do salvador, ocorreu em um período de tempo muito posterior em sua história.

Em Arcturus, nas Plêiades e em outros sistemas estelares, profetas grandiosos podem ser encontrados, até mesmo no nível de Sananda. O grau da essência de Sananda pode ser encontrado em outros seres nesta galáxia. A partir de nossa perspectiva, é uma energia coletiva especial. Sua experiência com a energia de Sananda é, na verdade, uma manifestação de uma alma-grupo maior que está presente para a cura galáctica. Não é possível captar a energia de Sananda/Jesus de sua única vida. Sua encarnação foi uma experiência que se manifestou de sua alma e foi apresentada à humanidade. No entanto, sua encarnação terrestre não representa sua totalidade. Sananda ainda detém o mais alto poder e missão em seu planeta. Aceitem-no como o salvador do planeta e como parte de uma energia da alma-grupo que foi trazida para este planeta, para ajudar a contrabalancear a energia de Órion.

Por que os arcturianos conseguiram escapar de alguns desses problemas? Tivemos sorte, em nosso desenvolvimento, de ter tido habilidades telepáticas desde o início. Nós usamos esse dom. Em contrapartida, até mesmo atualmente a capacidade de ser telepático e de comungar com outros espíritos geralmente não é aceita em seu planeta. No entanto, muitos de seus profetas e líderes religiosos estavam atuando como canais e telepatas. Sua cultura adora e estuda aqueles que conseguem fazer isso, mesmo assim muitos ainda não estão abertos à canalização e à telepatia como uma experiência legítima.

Amor – a Energia do Coração

As perguntas que estão surgindo da experiência da Terra podem ser colocadas da seguinte forma: como uma raça que tem o potencial para uma consciência mais elevada e para uma maior capacidade de mudar dimensionalmente irá resolver a agressão e o domínio da energia de Órion? Essa energia pode ser minimizada pelo amor? Essa não é a questão principal em seu planeta? Quão poderosa pode ser a energia do amor diante da violência e da destruição que continuam em seu planeta?

Novamente, isso nos leva à questão principal de como vocês usam suas energias do coração e seus chacras cardíacos. Estamos muito interessados em saber como vocês escolhem trabalhar com essa energia. À medida que vocês se tornarem mais abertos às dimensões superiores, não conseguirão compreender muitos eventos que estão ocorrendo no planeta. Talvez a única maneira de entender a negatividade e o caos é perceber que muitos seres no planeta não estão ressoando com uma vibração harmoniosa.

Muitos dizem que estamos vindo aqui apenas para observar, mas nós também viemos aqui para aprender. Estamos interessados em saber como a energia do coração influencia sua reação às mudanças de consciência causadas pelas alterações na Terra e pelos muitos níveis diferentes de contrações, como o ódio e as guerras. Estamos interessados naqueles que se elevaram acima disso e conseguem abrir seus chacras cardíacos. Esse é um verdadeiro dom. É por isso que muitos estão vindo para observar essas pessoas especiais que são trabalhadores da luz e que atuam a fim de abrir seus corações e unificar suas realizações mentais com suas emoções.

Não foi por acaso que Sananda/Jesus tenha vindo a este planeta. O potencial para a transformação eletromagnética e a unificação da energia do coração com a energia mental está disponível somente neste planeta. Somos mais avançados do que vocês em muitos aspectos, mas ainda podemos observar e aprender com vocês, que estão conduzindo sua energia do coração para a galáxia de maneira tão incrível.

Muitos grupos extraterrestres estão interessados em saber como vocês estão desenvolvendo e integrando a emoção do amor. É uma experiência maravilhosa observar quantos de vocês abriram intensamente seus corações. Abrir o coração é a chave para desbloquear a consciência superior. Estamos observando como vocês desenvolvem e usam essa habilidade, pois essa é a chave para sua ascensão planetária.

Suas habilidades para amar são muito grandes, e elas trouxeram para a Terra muitos visitantes que querem experimentar esse sentimento. Esse é um sentimento especial que não evoluiu dentro das civilizações de Lira ou de Órion. Até mesmo os Zeta Reticuli se interessaram por essa emoção. Eles acreditam que podem aprender a reproduzir geneticamente o fator do amor. Infelizmente, ainda é muito cedo para dizer se os elementos genéticos podem ser usados a fim de programar um indivíduo para manifestar a energia do amor. Isso está mais relacionado ao desenvolvimento do chacra cardíaco e da conexão com a família de alma. Aqueles que são capazes de fornecer grandes experiências de amor têm uma conexão profunda com suas famílias de alma e almas-grupo.

Pureza da Raça Humana

Alguns de vocês estão preocupados a respeito da pureza da raça humana. Vocês possuem a forma pura da raça adâmica dentro de si. Isso é muito importante. Outros estão preocupados a respeito das influências de sirianos e órions no passado. É verdade que, em pontos distintos em diversas pessoas, eles introduziram códigos de DNA diferentes e influenciaram o padrão geral do DNA humano. No entanto, vocês ainda possuem os códigos adâmicos, a estrutura básica de seu ser. Como sabem, o todo é sempre maior que as suas partes. Se vocês pegarem 20% dos órions, 15% dos sirianos e 20% de outra espécie, simplesmente se tornam um ser transcendente.

Os terráqueos têm uma frequência única e individual, acima dos diferentes padrões de DNA que vários grupos extraterrestres integraram em seres humanos. Mesmo que os órions tenham influenciado parte da população terrestre, vocês ainda são puros, porque esta é a Terra e vocês se desenvolveram aqui. Vocês devem se reconectar com seus códigos de DNA adâmicos primordiais. Saibam que a frequência arcturiana é tão forte que os ajudará a entrar em contato com a pureza que possuem como terráqueos. Esse é um aspecto muito importante que deve ser lembrado por todos vocês.

A zona de conforto predominante para muitos de vocês é com o pleiadianos, mas existem muitos seres e civilizações superiores além dos pleiadianos. Vocês possuem uma grande intensidade e ímpeto consolidados em sua natureza. Como vocês ainda são seres adâmicos da

Terra, podem transcender muitas ativações diferentes de diversas espécies ativando seus códigos de DNA adâmicos, a famosa obra do Arcanjo Metatron. Mantenham contato com essa energia dentro de vocês.

Integração Emocional e Mental

Vocês devem compreender que não podem ascender no plano emocional sem alguns ajustes no aumento de sua energia mental ao mesmo tempo. Seria incomum atingir a elevação em um nível sem influenciar o outro nível. Cada um de vocês tem um nível que precisa trabalhar. É importante que o nível mental seja desenvolvido; isso faz parte da nossa mensagem.

Se vocês quiserem viajar entre as estrelas e aprimorar sua característica de sementes estelares, então precisam se tornar seres mentais mais poderosos. Essa é a base para as viagens interplanetárias. Além do mais, isso faz parte dos fundamentos da ascensão, porque vocês devem compreender mentalmente o conceito para poder praticá-lo. Usar a energia mental é uma forma de sentir mais diretamente o Criador, sem colocar em risco a consciência de seu ego ou se perder. Se vocês não dominarem a energia mental, então o êxtase alcançado pelas emoções pode resultar em dano psicológico.

Está ao alcance de vocês serem capazes de usar sua energia mental para mover-se interdimensionalmente e sair do sistema solar. Como vocês podem sair do sistema solar em seus corpos emocionais? Isso seria muito difícil. No entanto, seu corpo mental pode transportá-los para fora do sistema solar e fazer com que retornem com segurança. Vocês possuem essa capacidade. Agora, é só uma questão de aprendizado, de concepções mentais e alinhamentos adequados. Acreditar envolve a participação de seus corpos emocionais. É nesse ponto que seus corpos emocionais impedem a capacidade do corpo mental por duvidarem.

A energia emocional pode ser a mais confusa e a mais perigosa. Ela pode levá-los aos planos mais elevados, mesmo se estiverem despreparados. Vocês podem ir a planos mais elevados emocionalmente, sem compreender como isso os afeta mentalmente. Isso é algo que seria intolerável para nós.

Muitas pessoas tiveram experiências negativas em suas encarnações anteriores. Geralmente, é verdade que padrões ou bloqueios anteriores de outras vidas precisam ser desbloqueados e liberados. No entanto, igualmente importante é o processo de ensino. Alguns estão tão envolvidos com o desbloqueio que não estão realizando o trabalho como sementes estelares – trabalhando para curar as outras pessoas e o planeta. Todos os trabalhadores da luz e sementes estelares precisam equilibrar o desbloqueio pessoal com o aprendizado e a cura de outras pessoas.

Não é necessário se libertar de tudo o que é negativo antes de começar sua missão. Vocês podem utilizar a energia mental a fim de encontrar atalhos para limpar alguns dos antigos padrões cármicos. Podem se libertar de um trauma sem ter de revivê-lo, por exemplo. O trabalho de transe hipnótico também pode ser usado. Haverá uma consciência crescente de como usar seus guias mais diretamente na hipnose, e como utilizar viagens fora do corpo para integrar e liberar bloqueios emocionais.

Implantes Negativos

Os implantes negativos são padrões de pensamento ou crenças que controlam e restringem o fluxo natural de consciência. Eles existem como verdadeiros padrões de energias. Sabemos que vocês já leram a respeito desse problema com implantes negativos – a energia de Kryon e outros que estão tentando usar implantes de controle do pensamento. Isso vem ocorrendo até mesmo no nível governamental, no qual eles estão tentando implantar diferentes energias em vocês. Vocês devem se libertar de todos os implantes negativos, a fim de acessar a consciência natural e elevada que é seu direito de nascença.

Pedimos que se tornem cientes de todos os implantes que são de uma fonte negativa. Que se libertem de todos os implantes que não estão proporcionando saúde, felicidade e progresso em sua evolução como seres planetários. Esse é um exercício extremamente importante para todos que desejam ser purificados e estar centrados. Vocês são continuamente bombardeados por implantes da televisão, do cenário político e de tantas outras fontes muito numerosas para serem listadas. Ao ouvir nossas palavras, conforme vocês forem etericamente trazidos a bordo de nossas naves, saibam que todos os implantes negativos que não são benéficos a vocês serão liberados.

Vocês estão expandindo a energia de sua mente/cérebro. Livres de implantes negativos, sua inteligência pode estar em equilíbrio a fim de que se sintam renovados, vibrantes, criativos e estáveis.

Sabemos que alguns de vocês estão lutando com seus corpos emocionais, mas, ao liberar outros implantes de natureza negativa, descobrirão que seus corpos emocionais também buscarão uma nova estabilização, uma nova harmonia.

Estamos confiantes de que vocês continuarão esse processo de liberação. Vocês precisam se libertar e se purificar dos implantes negativos. Vocês têm tudo dentro de si para saber como proceder e como processar essa limpeza. Vocês não precisam de uma direção de uma fonte externa para lhes dizer o que fazer, porque todos os códigos estão dentro de vocês, e eles podem ser facilmente acessados conforme continuam elevando sua vibração.

Estamos transmitindo luz para seu chacra coronário. Desejamos ativar seu chacra coronário. Essa é uma luz de alta frequência que está explodindo em seu sistema de energia. Sintam essa luz azul brilhante entrando intensamente em seu chacra coronário. Essa luz azul vem de uma fonte em nosso centro de cura espiritual que podemos transmitir telepaticamente a vocês. Ela é como um alimento para sua inteligência, para seu cérebro. Seja qual for o problema que possam ter, vocês ainda poderão acessar essa nova energia e nova luz.

Os implantes negativos também estão sendo usados por seres extraplanetários. Alguns extraterrestres querem controlá-los. Os arcturianos, no entanto, desejam que vocês sejam livres. Estamos aqui para ajudá-los à se tornar completamente livres do controle externo. Vocês possuem uma energia especial e, à medida que desenvolverem sua consciência e sua presença galáctica, serão capazes de alcançar e explorar de diferentes maneiras, por causa da perspectiva que estão desenvolvendo na Terra. Ficamos contentes em vê-los adquirindo sua perspectiva única e planetária.

Conectar-se com os arcturianos é uma maneira de estabilizar sua clareza e proteger sua consciência, permitindo que vocês se movam para uma consciência superior. Estamos preocupados com o nível elevado de controle mental que está ocorrendo atualmente e a maneira como vocês estão sendo expostos a diferentes níveis de controle mental. Tenham certeza de que estarão protegidos. Vocês também podem se proteger por meio de uma consciência mais elevada e por outras formas que em breve descobrirão.

Seria mais apropriado que um curador especializado realizasse diretamente a remoção de implantes negativos. O curador poderia reproduzir sons e tons e projetar uma luz intensa, amor e energia para a pessoa envolvida. Vocês podem pensar no implante como um carrapato preso ao seu eu etérico. Por meio de muita luz e som, o carrapato, ou implante, deve se soltar.

Vocês não necessitam de um novo implante. Em vez disso, precisam exatamente de mais luz, amor e uma elevada vibração de energia para se soltar e se libertar de implantes antigos. Esperamos que muitas pessoas recebam essas palavras sobre a remoção de implantes negativos. Esse é um aspecto muito importante sobre todo o trabalho de cura que está sendo realizado em seu planeta neste momento.

Estamos muito ligados à música de Mozart. Muitos de vocês sentirão nossa presença enquanto ouvem sua bela obra, trazendo tanta luz para o planeta. Se a música de Mozart for escutada por um período de 48 a 96 horas, as vibrações ajudarão a dissolver os implantes negativos.

Tirem proveito da clareza superior que virá a todos vocês. Este é o momento de todos no planeta que conseguem se conectar conosco terem mais clareza a respeito do que estão fazendo aqui e como estão atuando. Tornem-se o mais conscientes que puderem. Todos que ouvem nossas palavras de Arcturus sabem que esse é seu grande dom. Não deixem ninguém implantar negativamente sua consciência. Sejam os mestres de sua consciência. Vocês precisam disso a fim de realizar a próxima série de mudanças evolutivas que está prestes a ocorrer.

Capacidades Mentais Humanas

Uma de suas limitações atuais é que vocês não possuem um alto nível de concentração mental. Atualmente, a raça humana não possui grandes habilidades para se concentrar. Apenas alguns demonstraram grande capacidade de concentração. No entanto, isso está próximo para muitos. Trabalharemos com vocês e os ensinaremos como se concentrarem muito bem. A ascensão é um esforço de concentração. É um esforço de focar. Sons de cura podem aprofundar seu nível de concentração e seu nível de ativação multidimensional.

Suas capacidades mentais serão intensificadas. Vocês ficarão contentes com suas habilidades de trabalhar mentalmente. Tem havido muita confusão a respeito do corpo mental. Alguns acreditam que o corpo mental deve ser suspenso durante a ascensão, de modo que o corpo emocional possa passar. Podemos dizer que o arranjo do seu corpo mental é um dos mais belos arranjos da galáxia.

As capacidades do seu corpo mental são vastas. A capacidade de o corpo mental se relacionar com o corpo emocional está sendo intensamente estudada. Muitos dos extraterrestres estão bem interessados em saber como vocês fazem isso. Infelizmente, muitos de seu planeta sequer tentam relacionar os dois corpos, embora fazer com que trabalhem juntos seja sua habilidade e seu direito inato únicos. É o corpo emocional que está impedindo o desenvolvimento do corpo mental, apesar do fato de que alguns sentem que seria o contrário.

Estamos especialmente interessados em trabalhar com vocês no desenvolvimento de seus corpos mentais e de seus padrões e projeções de pensamento. Uma de nossas especialidades é usar projeções de pensamento para ajudar a superar barreiras em suas densidades da terceira dimensão.

O Conceito de Livre-arbítrio

O livre-arbítrio é um conceito que vocês têm na terceira dimensão. Ele faz parte do treinamento pelo qual devem passar. O livre-arbítrio implica que vocês não conhecem o resultado. Vocês fazem algo e acreditam que o resultado terminará de um jeito, mas não têm certeza.

Se entrássemos na terceira dimensão com vocês, não definiríamos nossas ações como livre-arbítrio, porque poderíamos ver imediatamente todas as consequências delas. Portanto, a partir de nossa perspectiva, entrar em sua dimensão não seria livre-arbítrio, porque não escolheríamos fazer algo que fosse prejudicial.

O conceito de livre-arbítrio não faz sentido na quinta dimensão. Não tentem levá-lo da terceira dimensão, porque vocês ficarão totalmente confusos. Não é a mesma vida. As coisas são feitas com total conhecimento na quinta dimensão. Na terceira dimensão, vocês estão vivendo no escuro. Mesmo aqueles de vocês que escolhem viver o mais espiritualmente possível desconhecem o resultado.

Capítulo 6

O Subconsciente Humano

Queremos trabalhar com vocês a respeito de um assunto muito importante, do subconsciente humano e da relação do subconsciente com o processo de ascensão. O subconsciente ativa os códigos de ascensão que residem no seu DNA. Ele pode ser definido, em seus termos, como um computador nesse sentido. Determinadas funções são programadas; portanto, o resultado pode ser previsto. É importante que vocês compreendam o controle que podem ter, se trabalharem com as leis da mente subconsciente.

Vocês ainda não compreendem a vastidão do seu subconsciente. Podem pensar que têm conhecimento sobre isso, mas seu conhecimento é muito pouco. Seu subconsciente se estende para outras dimensões. Ele se relaciona com suas vidas coexistentes. Sua cultura, no entanto, bloqueou esse aspecto do seu subconsciente. Portanto, por meio de sua instrução cultural, a capacidade de entrar nesses reinos tem sido negada a vocês. Tudo isso está mudando agora, conforme chegamos à transformação para a ascensão.

Vocês estão despertando para sua conexão como sementes estelares. Todas essas coisas estão ajudando-os a se abrir para a vastidão de sua existência. Não acreditem nem por um instante que isso seja tão restrito como podem imaginar ou que estejam vivendo uma vida simples e seguindo padrões simples. Vocês estão vivendo simultaneamente múltiplas camadas e podem entrar em uma consciência elevada e transformadora de si mesmos, ativando seu subconsciente para se abrir a todos os reinos. Vocês podem até mesmo se abrir para o reino da quinta dimensão.

Sim, vocês estão se transformando neste momento. Essa transformação é indicada pelos seus alinhamentos de energia e ao se direcionarem espiritualmente. Vocês estão se preparando. Vocês têm trabalhado seu subconsciente no preparo para a ascensão há pelo menos três a quatro anos. Muitos de vocês têm trabalhado nisso por meio de leituras, discussões em grupo e conexões conosco e com outros mestres ascensionados. Essas são todas entradas para seu subconsciente.

O subconsciente está ajudando a manifestar sua ascensão. Nós já observamos mudanças em suas estruturas. Vemos suas aberturas e seu alcance. Vocês possuem novas conexões para a quinta dimensão, têm programado seu subconsciente computacional, e é o momento de aumentar o esforço. Ao trabalharmos com o subconsciente, usaremos agora termos como se fosse um computador. É o momento de aumentar sua programação pessoal, a fim de que fiquem mais perto de manifestar esse resultado, sendo o resultado a entrada na quinta dimensão.

Conforme observamos quão próximos vocês estão da transformação, perguntamos se sentem uma proximidade conosco. Se perceberem suas mudanças e sentirem que fizeram muita reprogramação nos últimos anos, então estão se preparando para a recompensa. Acreditamos que é importante vocês melhorarem e aumentarem sua programação pessoal, mesmo que estejam trabalhando muito e concentrando sua energia na ascensão. Vocês precisarão aumentar seu trabalho: aumentem sua atividade mental, emocional e espiritual. Vocês precisam compensar várias encarnações em alguns casos. Vamos aumentar nosso trabalho com vocês ao mesmo tempo.

Nós purificamos nossas mentes subconscientes. Quando um grupo principal de nossa raça se comprometeu com a transformação de Arcturus e de nosso povo, tornou-se fácil embarcar na purificação dos arcturianos. Isso foi realizado com sucesso muitas eras atrás.

Vamos trazer novamente a luz azul dos arcturianos. Observem essa luz azul da estrela Arcturus e deixem-na entrar em seu subconsciente. Essa é uma nova variação de luz, pois trabalhamos anteriormente com a luz dourada em sua mente subconsciente. Agora, a luz azul revestirá sua mente subconsciente. Nessa posição, vocês têm a capacidade de introduzir uma infusão de luz no subconsciente da raça humana. Vocês são sementes estelares poderosas. São viajantes dimensionais poderosos. Vocês são poderosos, porque atualmente estão em posição de implementar um novo programa, ou perspectiva, no subconsciente planetário. Estamos ajudando-os a implantar esse programa infundindo luz azul por meio de seu subconsciente em todo o subconsciente planetário da Terra.

A tecnologia da computação é obviamente importante para o desenvolvimento de sua espécie. Desejamos recomendar que as pessoas explorem essa conexão com o computador e com a mente subconsciente. Programas de televisão e filmes já exploraram essa conexão com o subconsciente, mas eles projetaram intencionalmente essa relação de forma negativa. Saibam que pode acontecer exatamente o oposto. O computador pode interpretar o subconsciente humano e ajudá-los a interagir com ele e estudá-lo. Quando queremos interagir com o computador, projetamos nosso pensamento para ele. A telepatia significa realmente falar com outra pessoa. Vocês devem compreender isso. Não é apenas ter um pensamento. Ainda precisam direcionar o pensamento. Se quiserem transmitir um pensamento a alguém, devem falar com essa pessoa em sua mente.

Telepatia e a Mente Subconsciente

A mente subconsciente fornece o meio para a transferência de pensamentos na terceira dimensão. O subconsciente humano e o subconsciente universal são um campo energético que existe em toda a sua dimensão. Os pensamentos podem ser transmitidos por meio de comprimentos de onda subconscientes.

É mais fácil transmitir pensamentos do que recebê-los. Obviamente, estamos mais preocupados com sua capacidade de receber nossos pensamentos. Nós podemos ler seus pensamentos. Podemos ler o que vocês estão nos transmitindo. Isso não é um problema. Não lemos pensamentos que vocês não querem que sejam lidos. Muitas pessoas pensam que, se alguém é telepático, então sabe tudo sobre o que elas estão pensando. Isso é verdade, mas com a telepatia vem a responsabilidade. Os pensamentos podem ser marcados.

Marcar pensamentos pode ser comparado a criar arquivos no computador. Pensamentos privados podem ser marcados como arquivos pessoais em um computador. Se houver pensamentos que vocês desejam ocultar, podem marcá-los como privados, e não vamos interagir com esses pensamentos. Nós compreendemos seu desenvolvimento e não os julgamos por quererem esconder certos pensamentos. É seu direito. Não estamos tentando descobrir coisas sobre vocês que não gostariam que soubéssemos.

Vocês também podem comunicar emoção telepaticamente. Por exemplo, podem direcionar amor e depois transmiti-lo. Além disso, também podem transmitir medo. Alguns dos extraterrestres, especificamente os grays, como vocês se referem a eles, transmitiram pensamentos de medo para muitas pessoas na Terra. Seres extraterrestres podem entrar no seu subconsciente. Os grays, por exemplo, sentiram que podiam entrar em toda a raça porque estavam acessando o subconsciente planetário. Felizmente, vocês estão fornecendo um contrapeso para essa energia. Estão permitindo que uma frequência mais elevada seja focada no subconsciente planetário – isto é, amor energético, expansão e luz espiritual.

Desvendando Códigos pelo Subconsciente

Nós gostaríamos de voltar ao conceito dos códigos por um momento. Os códigos estão em sua mente e lhes dizem como reagir. Um exemplo de código simples seria parar em um sinal vermelho. Isso fica arraigado em sua mente. Existem códigos mais profundos bloqueados em seu subconsciente que impedem que vocês compreendam e experimentem outras vidas multidimensionais. Esses códigos os impedem de vivenciar a expansividade dimensional. Porém, vocês podem reprogramar o subconsciente para desvendar esses códigos.

A partir de nossa perspectiva, os códigos foram bloqueados por aqueles seres que queriam controlar a Terra e por aquelas forças que queriam subverter o povo terráqueo. Vocês poderiam dizer que os códigos estão bloqueados, mas também poderiam dizer que estão programados para ignorar os códigos. Isso é o mesmo que bloqueá-los, não é mesmo? Vocês ainda não podem acessá-los.

Vocês podem acessar os reinos dimensionais superiores desvendando esses mesmos códigos. Podem ouvir certas palavras e, quando elas forem ditas com a intenção certa, servirão para lembrá-los de se abrir para essa energia mais elevada. A abertura dos códigos deve ser feita pela mente subconsciente, e é por isso que muitas orações usam repetição. Orações ou afirmações repetidas podem desvendar esses códigos em sua mente subconsciente.

Nós apreciamos algumas das palavras que foram transmitidas a vocês para desvendar os códigos, como *Kadosh, Kadosh, Kadosh, Adonai Tzevaot*. Ouvimos essas palavras hebraicas antes por meio de Metatron. Não é necessário compreender o significado de cada palavra. Ele concedeu o poder de essas palavras serem associadas à abertura da luz dentro de seu subconsciente. Vocês podem receber essa luz pela sua mente subconsciente. Vocês têm recebido luz externamente, por assim dizer, por meio de seu chacra coronário. Com essa informação que estamos lhes oferecendo, vocês podem desvendar os códigos e receber luz de dentro. Seu subconsciente pode fornecer uma luz interior para vocês. Sintam essa luz interior chegando neste momento.

Nossas câmaras de cura trabalham para organizar seus padrões de pensamento de uma maneira que traz uma sensação de harmonia e paz a vocês. Nós acreditamos ser mais eficaz trabalhar com vocês primeiro por meio de seus pensamentos e, então, transmitiremos energia emocional nas câmaras de cura. Quando seus códigos são desvendados, vocês têm todo o aparato para trabalhar com todas as frequências na galáxia e no universo. Não é realmente uma questão de ensiná-los, porque vocês já possuem essa habilidade. É mais uma questão de desvendar os códigos, a fim de permitir essa interação. Nós lhes transmitimos a luz interior e vamos ajudá-los a ativar seu subconsciente para trazer luz de dentro. Esse é seu próximo passo.

Purificação do Subconsciente

O subconsciente contém muitos padrões de energia densos. Os alienígenas negativos, o processo evolutivo animalista pelo qual vocês passaram e a própria cultura contribuíram para os aspectos negativos do seu subconsciente. Para irem para o próximo reino, é claro que vocês devem purificar suas mentes subconscientes. O subconsciente é um aspecto incrível, mas foi contaminado pelas fontes que mencionamos. O bom do seu subconsciente é que ele pode ser purificado.

Se vocês pedirem, nós lhes transmitiremos uma luz dourada purificadora que ativará uma limpeza. Sua afirmação deve ser: "Eu purifico meu subconsciente". Isso é tudo o que vocês precisam dizer ao usar os raios dourados dos arcturianos. Vocês carregam consigo as feridas e cicatrizes emocionais de encarnações anteriores, bem como de sua vida atual. Nós não estamos lhes dizendo que vocês serão totalmente purificados dessas feridas e cicatrizes, mas podemos ajudar a purificar seu subconsciente. Então, poderemos trabalhar com vocês de uma maneira ainda mais rápida. Nada pode impedi-los de se mover para uma consciência superior, uma vez que seu subconsciente tenha sido devidamente alinhado e purificado de padrões negativos.

Sua mente subconsciente os ajudará a se concentrar e praticar todas as atividades e pensamentos que promovam sua transformação para a quinta dimensão. Temos uma excelente afirmação para vocês: "Todos os pensamentos e padrões que não servem a um propósito maior são descartados e removidos". Sua mente subconsciente, então, se abrirá para experimentar energias, comunicações e até mesmo viagens interdimensionais. Essa é uma afirmação muito importante, pois essa abertura precisa ser ativada agora em sua mente subconsciente. Assim, vocês serão capazes de se mover para esse reino superior.

Essa purificação do subconsciente deve ser praticada constantemente por sete dias. A cada dia vocês devem limpar o subconsciente por pelo menos 20 a 30 minutos. Assim como algumas pessoas praticam jejuns de suco para a limpeza digestiva, agora vocês devem fazer uma limpeza para o subconsciente. Quando vocês limpam seu corpo, não desistem dele. A limpeza remove a "sujeira". Ela não remove as partes boas.

Invoquem a luz dourada dos arcturianos e usem as afirmações que fizemos. Façam isso por sete dias. Vocês devem se tornar conscientes de uma leveza em si mesmos e de um brilho ou halo azul ao seu redor. Isso é simplesmente um sinal de uma mente subconsciente limpa.

Observamos que vocês são muito suscetíveis a danificar seu subconsciente. Isso não está sendo dito de forma crítica. Vocês estão vivendo em uma época muito difícil – em uma época evolutiva – que ainda está conectada com uma grande quantidade de energia subconsciente animalesca. Estando aqui na Terra, vocês precisarão trabalhar continuamente na limpeza do subconsciente. Porém, após a limpeza inicial de sete dias, vocês não precisarão trabalhar nisso com tanto empenho, talvez dois ou três minutos por dia. Vocês também devem continuar a reforçar o pensamento de que agora estarão abertos para energia, comunicação e viagens interdimensionais.

Muitos trabalhadores da luz estão perdidos e inconscientes por causa de um subconsciente não purificado. Esses trabalhadores da luz não têm trabalhado ativamente para liberar seus padrões negativos e formas-pensamento acumulados. Muitos jovens, no entanto, estão agora entrando nessa energia. É verdade que há mais pessoas que precisam ser ativadas, porque muitas ainda estão adormecidas.

Vocês precisam aumentar as mensagens para sua mente subconsciente, aumentar a luz, aumentar o desbloqueio dos códigos e aumentar suas conexões conosco. É realmente um momento de grande aceleração. Vocês têm treinado, a fim de aumentar sua energia. Têm se preparado para isso. Vocês não devem desperdiçar essa oportunidade. Estão perto de dar um grande salto, fazer uma grande jogada. Vocês colocaram com sucesso partes de si mesmos na quinta dimensão. Podem visualizá-la como um lago, e estão surgindo na superfície.

Vocês estão realizando algo extremamente importante quando programam seu subconsciente para permitir que uma luz espiritual mais elevada entre e transmita amor, luz e expansão para o mundo. Nossa missão é ajudar na transformação espiritual e dimensional do planeta e de toda a raça humana. Pedimos que aumentem seu trabalho e as direções para sua mente subconsciente. Vocês devem trabalhar para desbloquear ainda mais. Pode parecer muito a pedir, mas vocês possuem a base para realizar isso. Não será difícil para vocês.

Transmitimos amor a vocês. Saibam que esse amor que lhes transmitimos é depositado em seu subconsciente neste momento.

Capítulo 7

Conectando-se com os Arcturianos

Trabalhar conosco pode ser muito útil para vocês. Primeiro, vocês devem compreender que, a fim de interagir conosco e com outros seres de diferentes dimensões, precisam criar espaço para nós em sua mente, em seu coração e em seu espírito. Vocês devem ter uma abertura que nos permita ocupar esse espaço. Isso inclui o espaço dentro de seus sistemas de crenças.

Em seguida, vocês devem se livrar das preocupações terrenas. Muitos perguntaram como se mover para uma dimensão mais elevada como um ser da Terra. A resposta é simples: vocês devem fazer uma limpeza da mentalidade terrena – seus apegos e envolvimentos. Os apegos são tão poderosos que muitos de vocês resistem à morte física ao ponto de ela se tornar dolorosa. Eles são tão poderosos que alguns de vocês não conseguem se lembrar de que estiveram em dimensões diferentes em outras vidas.

Vocês podem ir para outras dimensões em sonho. Também podem conseguir fazer isso pela meditação em transe. Mover-se para outro estado dimensional requer que façam limpezas conscientemente. Preparem-se criando um espaço aberto para nós. Vocês também devem remover a possibilidade de que fatores de seus egos apegados intervenham. Nós não estamos criticando seu apego ao plano terrestre. Isso é normal. Como habitantes do planeta Terra, essa é sua realidade. É aqui que seu cordão etérico tem suas raízes.

Se vocês pudessem ver auras, veriam muitas raízes etéricas projetadas de seu campo áurico para a Terra. Por meio da meditação, vocês podem remover essas raízes e projetá-las para cima na galáxia. Tentem fazer esse exercício agora. Removam várias das raízes projetadas que os conectam à Terra. Permitam que elas sejam projetadas para cima, e então vocês serão capazes de se abrir mais para as energias que estamos trazendo para vocês. Queremos que vocês se concentrem em permitir que suas auras espirituais deixem seus corpos físicos e subam em espiral. Seus corpos físicos permanecerão sentados. Vocês podem subir em espiral usando a projeção de pensamento.

Trabalharemos com vocês em um plano interdimensional. O que isso significa? "Interdimensional" de fato significa entre dimensões. É uma estação de parada, já que vocês ainda não estão na próxima dimensão. Para entrar na quinta dimensão, vocês precisam cortar os cordões etéricos que estão ligados à terceira dimensão.

As conexões são muito importantes em toda a consciência galáctica. Vocês já estão conectados telepaticamente com muitos seres. Quando puderem se conectar com uma fonte, em breve passarão facilmente a se conectar com outras fontes. A conexão inicial com uma nova fonte é o mais importante. Depois de fazer isso, seu campo eletromagnético será permanentemente configurado para receber comunicações dessa fonte.

Vocês saberão que chegaram ao espaço interdimensional quando puderem nos contatar diretamente, sem ser por meio de um canal. Estamos buscando conhecê-los no reino interdimensional. Muitas das coisas que ensinamos a vocês não podem ser realizadas no reino terrestre. No espaço da terceira dimensão, vocês não podem aperfeiçoar a projeção de pensamento. Para projetar pensamentos de maneira mais eficaz, vocês precisam adentrar um reino superior.

Estamos pedindo neste momento que se projetem para a quinta dimensão e para o plano interdimensional. Isso facilitará quando chegar a hora de vocês se encontrarem conosco e com seus guias. Não esperem simplesmente que a ascensão aconteça. Não esperem simplesmente serem "transportados", como muitos de vocês chamaram esse processo. A viagem dimensional é um processo que começa antes de acontecer. É um processo contínuo. Comecem a trabalhar nisso agora.

Podemos, sob certas circunstâncias, nos manifestar em sua dimensão, mas é um processo difícil que requer precisão científica.

Se calculássemos imprecisamente, poderíamos aprisionar o ser que foi enviado para sua dimensão. Por causa do risco, nem sempre é seguro nos manifestarmos. Além disso, é vantajoso para vocês nos encontrarem interdimensionalmente. Uma de nossas missões é incentivá-los a entrar no espaço interdimensional. Pela projeção de pensamento, podemos enviar nossa presença áurica em vez de nossa presença física real.

Ancorando a Energia Arcturiana

Nós, no sistema arcturiano, estamos muito sintonizados com suas missões de almas, e estamos vindo aqui por orientação de muitos da Fraternidade Branca para ajudá-los e lembrá-los de que sua missão de alma é importante. Vocês precisam se lembrar de sua missão, e parte dessa missão é sua habilidade de ancorar e se conectar com a energia que lhes transmitimos agora. Vocês vão ajudar seu planeta a se conectar com a energia arcturiana.

A energia arcturiana é uma energia solar brilhante que está vindo ao planeta e está alinhada com a energia do Salvador. Ela está trazendo uma força, uma energia despertadora, e vocês que estão trabalhando conosco agora são os precursores dessa energia. São os produtores dessa energia. Vocês sabem como é importante trazer essa nova força. Abram seus corações agora, pois esse é o ponto em que a nova energia será ancorada em seu corpo. Recebam a chama violeta-dourada que está sendo transmitida a vocês de nossa nave.

Nossa nave está acima do planeta, e temos várias outras naves que estão por todo o país neste momento. Elas estão coordenando a transmissão desse raio violeta-dourado para todos os Grupos de Quarenta e para todos os outros que estão pedindo para recebê-lo. Essa energia está sendo transmitida a vocês agora, entrando em seu chacra cardíaco. A partir do coração, a energia violeta-dourada subirá e descerá pela sua medula espinhal. Conforme estivermos falando com vocês, descobrirão que isso será uma abertura, uma ativação, em um nível que vocês nunca experimentaram antes.

Verdade Espiritual

Eu sou Sananda. Meus queridos, todos vocês são tão incríveis em sua matriz espiritual. Sei que vocês estão ansiosos para chegar ao próximo reino. Estou supervisionando muitos caminhos diferentes que estão sendo disponibilizados a vocês. O caminho arcturiano, por exemplo, é um caminho elevado de consciência pura. Quero que vocês entendam que sua essência, seu espírito, é realmente definida como uma consciência pura, não como seu corpo físico. É a expansão de sua consciência que os ajudará a entrar na quinta dimensão.

Os arcturianos não são apenas guardiões do espírito puro, mas são verdadeiros mestres da alma que guiam as almas para os reinos mais elevados. Muitos de vocês desejam saber quando podem entrar totalmente na quinta dimensão. Muitos de vocês estão prontos para abandonar a vida no plano físico e entrar nos jardins, chegar aos planetas de dimensões superiores, viver em Arcturus ou viajar para as Plêiades. Só posso dizer que sua hora de vir até aqui está muito próxima. Mesmo que eu não lhes ofereça uma data, posso assegurar-lhes de que vocês estão bem no limite desse grande processo evolutivo na Terra.

A consciência das massas no planeta mudou incrivelmente. Seus corações estão mais abertos e sua capacidade de amar está muito maior. Vocês são capazes de sentir o amor que temos por vocês. Sua participação em uma forma de grupo ajudará a mover a consciência de toda a raça adâmica. Portanto, é muito importante que mantenham essa consciência evolutiva, bem como implantem e ancorem essa consciência superior na Terra. Esta é uma missão sagrada. Nossos amigos arcturianos estão ajudando a estabilizar o planeta e guiando muitos no caminho da ascensão. Eu sou Sananda.

Queremos falar agora com vocês sobre a transmissão da verdade espiritual. Queremos compartilhar com vocês nosso conhecimento sobre o desenvolvimento espiritual. Quando transmitirmos isso a vocês, poderão usar esse conhecimento para ampliar seu progresso, assimilar suas lições e progredir rapidamente pelos corredores. Esse é o caminho do universo. Esse é o caminho do crescimento e da expansão. A verdade espiritual sempre foi transmitida dos reinos superiores.

Houve muitos casos em que líderes religiosos saíram no deserto para receber essas transmissões. Não há razão atualmente, com seu desenvolvimento, para vocês não poderem estar nessa mesma intensidade. Ativem sua luz interior por meio de sons de cura e identificação com seres superiores, como nós, os pleiadianos e Sananda/Jesus.

Sananda/Jesus veio do Sol Central galáctico. Seu nascimento ocorreu por meio de um raio de luz diretamente do núcleo galáctico, levando seu espírito para a Terra. Foi um momento extraordinário.

Ao se identificar com os mestres e os seres superiores, vocês se tornam parte deles. Vocês colocam sua presença em um estado unificado com eles, e isso os leva ao nível espiritual deles. Vocês podem e devem se identificar com mais de um mestre ou guia. Cada um traz uma vibração ou perspectiva única, que pode ajudá-los em sua compreensão da verdade espiritual.

Junto a Sananda/Jesus e outros, pedimos que vocês também se unam ou se identifiquem com os arcturianos. Levem a si mesmos, levem sua consciência, deixando-a subir ao seu chacra coronário, até uma nave que está acima do planeta. Há um arcturiano esperando por cada um de vocês. Vocês podem ascender para estar com eles, e eles se unirão a vocês. Vocês já ouviram falar dos entrantes e sempre pensaram neles descendo em sua consciência. Mas vocês também podem transmitir sua consciência até nós. Podemos permitir que vocês façam parte de nós temporariamente. Vocês podem trazer sua consciência para um de nós e experimentar a perspectiva arcturiana. Tudo é energia. Tudo é vibração eletromagnética. Vocês estão se movendo, se transformando. Estão preparando seu campo energético para receber uma infusão de energia que permitirá que se projetem para o reino da quinta dimensão.

Energia Espiritual

Ficamos sempre contentes em saber que outros mestres e guias poderosos estão vindo para interagir com vocês. A Fraternidade Branca e as presenças angélicas têm sido muito ativas em apoiar seu trabalho conosco e nos dar permissão para trabalhar com vocês. Existem outros seres na galáxia, seres que vêm de Antares, alguns da energia siriana superior, e seres das Plêiades que trabalham conosco. Há seres estelares que vocês não conhecem por nome, como os low-koos. O sistema estelar dos low-koos está a aproximadamente 1.580 anos-luz da Terra. Existem outros seres da sexta dimensão que também estão entrando nos corredores interdimensionais que alguns de vocês criaram.

A lei universal da energia é tanta, que a energia espiritual atrai poderosamente. É a força atrativa mais poderosa do universo – energia espiritual e amor espiritual. Aproveitem os muitos seres presentes que estão trabalhando com vocês. Esses seres podem transpassar as densidades da sua terceira dimensão. Mas a questão é se vocês, que estão realmente vivendo no ambiente denso, podem receber, processar e interpretar essas frequências mais elevadas.

Nós lhes ofereceremos vários tons e sons que irão sintonizá-los com algumas dessas energias que estão entrando em vocês agora [o canal reproduz vários sons únicos]. Essa energia é uma frequência aprimorada relacionada a uma leveza tanto no peso físico quanto na energia da luz. Essa energia especializada que está entrando em vocês agora é muito delicada e complexa.

Permitam que a energia entre em seu chacra coronário como uma luz azul. Essa é uma frequência especial de energia sintetizada dimensionalmente que está chegando a vocês agora, e isso vai ajudá-los a receber e processar frequências de seres de dimensões superiores. Vocês precisam estar sintonizados com essas frequências. É muito importante que se sintonizem de modo a receber e transmitir adequadamente essa luz às outras pessoas.

Uma Nova Consciência

Vocês estão passando por um período de novo equilíbrio de energia. A nova energia é muito poderosa, e muitas pessoas estão achando difícil se ajustar ao novo equilíbrio. Saibam que nesse equilíbrio vocês poderão acessar mais energia eletromagnética. É fundamental que todos vocês compreendam que são seres eletromagnéticos. É importante que mantenham um equilíbrio entre o positivo e o negativo e sempre procurem uma harmonia entre as duas forças em seus campos energéticos.

Toda a sua tecnologia e todos os novos avanços que vocês desenvolveram nos últimos 30 a 40 anos são baseados em vibrações de campo eletromagnético. Não é por acaso que vocês são seres eletromagnéticos. Vocês estão buscando reproduzir seu próprio sistema cerebral. Mas também descobrirão que podem realizar muito crescimento pessoal ao acelerar internamente seus campos eletromagnéticos. Vocês conseguirão acessar e utilizar sua inteligência completa.

A energia de cura arcturiana nos permite permanecer em um estado de ressonância com a fonte galáctica. Somos capazes de nos conectar a uma fonte de energia galáctica mais elevada que, quando vocês se tornarem receptores, irá ajudá-los consideravelmente a ter um equilíbrio energético melhor e aumentar sua inteligência. Isso não apenas os ajudará a se definirem em tudo o que estão fazendo no seu trabalho diário e nos processos de pensamento, mas também os ajudará a ressoar e vibrar com a energia superior que está agora disponível em seu planeta.

De fato, sua alma está evoluindo. Vocês receberam o conhecimento de que sua alma é eterna, e também devem compreender que tudo o que é eterno também está evoluindo. A expansão massiva ocorre como parte do curso natural da evolução do universo. Nós, os arcturianos, também estamos expandindo, assim como vocês estão expandindo sua consciência.

Nós sabemos que vocês têm origem galáctica. As energias que os trouxeram para este planeta se originaram de fora do seu sistema solar. É por isso que, ao acelerar neste estado evolutivo, vocês poderão acessar com facilidade suas origens extrassolares e extraplanetárias.

Seus Eus Multidimensionais

Nós queremos que vocês se tornem conscientes de seus eus multidimensionais. Compreendam que esse eu que estão vivenciando nesta encarnação na Terra é apenas um aspecto do seu eu multidimensional. Vocês estão tendo apenas um vislumbre de quem são. Vocês são muito maiores do que estão vivenciando nesta manifestação. Ao mesmo tempo, o que estão vivenciando nesta manifestação é verdadeiramente um reflexo do seu eu maior. Vocês têm acesso a muitos dons do seu eu multidimensional.

Seu eu multidimensional já está conectado a nós. É esse eu multidimensional que entrou em contato conosco antes e se sente muito confortável conosco. É uma questão de trazer os diferentes aspectos do seu eu superior para uma consciência com a qual possam trabalhar aqui no plano terrestre. Nós queremos que vocês levem essa energia para sua consciência. Deixem-nos dar um exemplo. Como vocês possuem um eu multidimensional, parte de vocês já pode trabalhar em uma de nossas naves. Em outro sentido, parte de vocês já pode visitar Arcturus, enquanto parte de vocês está vindo para as nossas câmaras de cura. Estamos trabalhando com muitos de vocês durante seu estado de sono. Seu eu superior nos deu permissão para fazer isso.

Queremos ajudá-los a ativar essa transição de introduzir o eu multidimensional e trazê-lo para sua consciência, de modo que possam acessá-lo. Sabemos que vocês têm muito interesse em se tornar seres poderosos na Terra. O caminho para se tornar um ser poderoso na Terra é trazer os aspectos do eu que são mais etéreos e multidimensionais. Vocês podem fazer isso. Em meditação, queremos que abram o portal de sua consciência para seu eu multidimensional. É essa conexão multidimensional que permite que vocês se conectem conosco. Podem observar que somos uma transição, um canal para vocês.

Vocês podem se conectar a nós com seus sentidos multidimensionais. Abram o portal multidimensional para seu eu superior. O aspecto multidimensional os leva ao nosso corredor – um corredor de luz arcturiano. Vocês podem acessar suas habilidades psíquicas, bilocação, clarividência, telepatia, canalização e visão. Esses traços psíquicos são frequentemente identificados com assuntos da Terra, mas hoje queremos que usem suas habilidades psíquicas para adentrar seu eu multidimensional. Vocês podem pedir para guias arcturianos trabalharem com vocês.

Participem de um exercício conosco. Elevem-se para um lugar agora sobre a Terra, onde todos nós nos conectaremos. Nesse estado mais elevado, imaginem uma pirâmide. Concentrem sua atenção na pirâmide. Agora, levem sua consciência para um ponto no topo da pirâmide. A partir desse ponto, sintam sua consciência se separando do corpo físico e do corpo etérico. Estamos agora nos movendo como uma consciência coletiva. A partir desse ponto no topo da pirâmide, em consciência coletiva conosco, viajem por um túnel longo, belo e repleto de luz. É um corredor para a quinta dimensão.

Agora, depositem sua consciência no guia arcturiano que lhes foi atribuído. Vocês podem se aventurar em um aspecto da quinta dimensão depositando sua consciência no guia que lhes foi atribuído. Saiam! Olhem através dos olhos do seu guia. Vocês estão dentro de um ser altamente treinado. Estão dentro de um arcturiano. Sintam, vejam, provem e experimentem essa dimensão. Seu guia arcturiano também pode se conectar com seu eu multidimensional. Ao elevar a energia do chacra coronário dentro do guia arcturiano (é como uma antena), vocês podem inesperadamente receber muitas instruções e informações diferentes sobre si mesmos. Essas informações podem entrar em sua consciência a partir da antena do guia arcturiano. Se vocês participaram dessa meditação, as informações estão sendo transferidas para vocês agora.

Queremos que continuem a experimentar essa luz da quinta dimensão. No entanto, não poderão permanecer nela por muito tempo, pois há limitações do hospedeiro arcturiano em que vocês entraram. Pedimos que retornem com o guia arcturiano, que está voltando para o túnel. Do túnel, começaremos a nos retirar e viajar de volta ao ponto da pirâmide onde começamos, de volta para onde sua consciência partiu. Tragam sua consciência de volta para a pirâmide agora. Do ponto do topo da pirâmide, permitam que sua consciência desça ao seu corpo etérico. É muito importante retornar da mesma forma que vocês saíram. Isso é fundamental para o processo de reintegração. Agora, retornem para seu corpo físico na Terra. Permitam que isso aconteça gradativamente e aproveitem, pois agora vocês estão conectados a seus eus multidimensionais.

A transferência de sua consciência é a chave para se moverem até a próxima dimensão. Quando vocês começarem a se sentir mais confortáveis com esse fato, conseguirão se mover mais facilmente. Desenvolvam sua capacidade de se desmaterializar. Sabemos que isso parece absurdo para vocês. Mas vocês conseguem compreender que a ascensão é uma forma de desmaterialização? O corpo segue a mente. A mente segue a consciência.

Vocês aprenderam uma lição valiosa hoje sobre como a ascensão funcionará – pela desmaterialização. Recomendamos que pratiquem esse tipo de exercício. Quando a ascensão ocorrer, não terão tempo para passar por etapas, como na meditação que acabamos de realizar. Saibam que a ascensão será instantânea.

Alinhamentos Energéticos

É importante compreender o significado dos alinhamentos energéticos. Os alinhamentos ocorrem em todos os níveis multidimensionais. Vocês possuem muitos níveis de alinhamentos físicos. Possuem alinhamentos espirituais com seus vários corpos, incluindo o emocional, o mental e o físico. Os seres humanos também possuem alinhamentos com as energias da Terra. No entanto, por causa das mudanças de energia que estão ocorrendo atualmente e da exploração devastadora dos sistemas planetários, é fácil estar fora de alinhamento com as energias da Terra.

Os alinhamentos do Sol com o centro galáctico também influenciam vocês quando determinados planetas se alinham. Então, há os outros sistemas solares na galáxia que vocês desconhecem. Vocês também podem se sintonizar com os alinhamentos em diferentes setores da galáxia. Existem setores internos, intermediários e externos da galáxia, da mesma forma que há planetas internos, intermediários e externos em seu sistema solar. Seu sistema solar representa um modelo em miniatura da galáxia. Assim, vocês podem compreender, por meio de nossa apresentação, que existem diferentes sistemas de energia dentro da galáxia.

Os seres humanos passam por alinhamentos energéticos com as estrelas irmãs e também com as estrelas binárias. Esses alinhamentos ocorrem a longo prazo e são difíceis de serem medidos do ponto de vista da Terra, por causa de sua vidas físicas breves.

Cada um desses alinhamentos é poderoso. Vocês podem usar alinhamentos energéticos ou podem ignorá-los. A escolha é sua. Um alinhamento é uma oportunidade de crescer, expandir e experimentar a união em um novo nível. Vocês terão uma oportunidade de vivenciar uma nova unificação quando conseguirem se alinhar de maneira física, emocional e mental. Vocês estão constantemente em uma espiral que oferece oportunidades para novos alinhamentos energéticos com novas informações e consciências. Como nem sempre estão cientes dos planos multidimensionais, esses alinhamentos são importantes, porque podem ajudá-los a integrar e obter consciência de diferentes dimensões.

Vocês podem estar presos, inibidos pela natureza linear de sua densidade. No entanto, a cada novo alinhamento, podem transcender a densidade aproveitando a oportunidade para vivenciar parte de sua existência multidimensional.

O primeiro passo ao usar alinhamentos é estar ciente deles. Vocês podem induzir os efeitos dos alinhamentos compreendendo que eles são pontos de aceleração. Concentrem sua consciência na Terra, no sistema solar, na galáxia e, então, além do campo das galáxias. As próprias galáxias entram em alinhamento com os vários universos. Esse é um conceito que é difícil para muitos compreenderem – a saber, que os universos podem entrar em alinhamento com outro campo energético. Nós ainda estamos procurando maneiras de compreender e explicar isso.

Continuar nessa linha de consciência os leva de volta a si mesmos. É dentro de si mesmos que vocês podem alinhar essa energia. Vocês podem optar por alinhar internamente seu coração, seu sistema sanguíneo, suas estruturas celulares ou seus códigos genéticos. Vocês podem retornar àqueles que colocaram os códigos na composição genética humana e aprender sobre a energia e a consciência deles. As informações das galáxias e dos universos já estão em sua codificação genética. É por isso que muitos de vocês são pesquisadores tão ávidos do grande cenário cósmico.

Oscilação

Vamos descer mais para a Terra. Vocês possuem energias específicas que precisam compreender. Esses alinhamentos vão ajudá-los. A partir de nossa perspectiva, vocês estão em um período de oscilação. É uma época de mudanças intensas de um lado para o outro. Alguns descrevem isso como estar em um navio em um mar tempestuoso. Algumas pessoas podem ficar nauseadas se não puderem retornar a uma posição central. Aqueles que estão alinhados podem superar esse fenômeno e observar a oscilação.

O planeta está buscando um novo alinhamento. Acreditamos que a ascensão está relacionada a isso. Quando um planeta procura um novo equilíbrio, passa por uma fase de estranhamento. O sistema antigo torna-se pesado, mas ainda é muito poderoso. Os padrões de pensamento antigos tornam-se mais firmes. Isso significa que, à medida que a mudança continua, aqueles que estão no controle em seu planeta tentam se segurar e se manter nesses padrões e estruturas antigos. Isso não lhes diz como vocês devem reagir? Quanto mais se segurarem, mais serão lançados. Se vocês se desprenderem, poderão se elevar acima da situação e observar.

Quando vocês se desprendem, realmente se tornam um mestre como Sananda/Jesus. A partir de nossa perspectiva, uma de suas lições foi a de se desprender, até mesmo no momento da morte. Nós não estamos sugerindo que vocês terão de passar por um episódio tão dramático, mas, quando começarem a partir do que poderia ser o pior resultado possível, talvez o resto se torne mais fácil. Quando aprenderem a superar a situação, uma nova estabilidade ocorrerá em seu planeta. Quanto mais de vocês conseguirem se destacar e ascender na perspectiva dimensional, mais fácil será criar um novo equilíbrio na Terra.

Muitos perguntaram sobre o que podem fazer para evitar desequilíbrios. Quando vocês ascenderem, conforme explicamos, e concentrarem seus pensamentos e seu amor em uma perspectiva mais elevada, então poderão efetuar mudanças. A partir dessa perspectiva, podem enviar amor para as raízes da Terra.

Abrindo o Chacra Coronário

Eu sou Juliano, e nós somos os arcturianos. Quando olhamos para vocês, observamos que cada um tem uma determinada vibração, ou nível de energia, em torno de seu chacra coronário. Esse chacra é seu receptor central da energia universal. Também é interessante que essa área esteja praticamente bloqueada, porque vocês não foram treinados desde a infância para usar esse centro de energia. Vocês não foram criados com esse centro aberto.

Nós, em Arcturus, estamos muito satisfeitos com a atenção que é dada ao desenvolvimento do chacra coronário em nosso planeta e a capacidade de nos conectarmos com a energia universal. No entanto, conectar-se à energia universal por meio do chacra coronário ainda é uma experiência nova para vocês. Vocês devem ser lembrados sobre o chacra coronário e sua conexão tendo todos os bloqueios removidos ao redor desse centro de energia. Nós podemos usar o som para ajudá-los a alinhar seu chacra coronário.

Será uma experiência diferente para vocês terem seu chacra coronário totalmente aberto. Muitos de vocês se concentraram em trabalhar em seu chacra cardíaco e em seu terceiro olho. Este é o momento de direcionar sua energia para o chacra coronário. Vocês têm feito esse trabalho de luz por anos suficientes, de modo a acharem mais fácil alinhar seu chacra coronário.

Reservem um momento para concentrar sua consciência em seu chacra coronário. Seu chacra coronário deve estar bem aberto agora. Pedimos a vocês, neste momento, que deixem seu corpo e projetem sua consciência para uma nave arcturiana interdimensional no corredor de Júpiter. Vocês estão agora sentados em uma sala semelhante à nossa biblioteca; vocês se conectam a esse lugar por meio de seu chacra coronário. Olhem bem para baixo e vejam seu chacra coronário na Terra. Ele está bem aberto!

Nós lhes ofereceremos informações por meio de seu chacra coronário. Essas informações serão relacionadas à energia e ao conhecimento que precisam assimilar para sua missão. Cada um de vocês tem um aspecto específico desse trabalho na terceira dimensão que precisa ser completado. Talvez existam determinadas pessoas com as quais devem trabalhar ou determinadas ideias ou conhecimentos que precisam trazer para os outros. Trabalharemos com vocês a fim de transmitir esse conhecimento por meio de seu chacra coronário. Estamos permitindo uma conexão permanente de seu chacra coronário com essa biblioteca em nossa nave interdimensional. Há tantas perguntas que vocês necessitam que sejam respondidas e solucionadas.

Agora, vamos além do corredor de Júpiter. Vocês estão sentados na nave como seu eu etérico. Mais uma vez, conectem-se com seu chacra coronário, a fim de sair do sistema solar e viajar até o Templo Arcturiano de Tomar para experimentar a luz do cristal. Saibam que a luz desse cristal é uma luz aperfeiçoada, especialmente projetada para ajudá-los a incorporar a frequência arcturiana em sua realidade na terceira dimensão.

Estamos lhes oferecendo um raio de luz especial do templo que emitirá uma frequência específica que vocês podem usar na vida na terceira dimensão. Vocês precisam confiar nessa conexão. Deixem-na entrar em seu chacra coronário e, depois, no chacra coronário da Terra. Observem que agora estamos em três partes. A primeira camada reside na Terra. A segunda camada está em seu corpo dentro da nave interdimensional perto de Júpiter. A terceira camada está no seu outro corpo no Templo Arcturiano de Tomar. Permitam que os três chacras coronários se conectem.

Estamos alinhando nosso gerador de frequências, nossa luz do cristal, especificamente para vocês as receberem. Transmitimos uma luz dourada pelos três corpos. O corpo da terceira dimensão na Terra sentirá um calor – uma explosão de amor, uma onda angélica de amor – descendo de todos os três corpos para seu corpo terrestre. O Arcanjo Miguel deseja falar com vocês neste momento.

Eu sou o Arcanjo Miguel. Estou contente por vocês compreenderem que a frequência arcturiana é uma frequência de vibração e de amor mais elevados. Sei que vocês já me ouviram falar muito sobre cortar os laços do apego. Também é importante se tornarem um canal para essa conexão, porque precisamos solidificar e manter a dimensão da Terra unida. Essa tem sido uma missão de grande presença angélica. Nós temos trabalhado para ajudar a vocês e a seu planeta de muitas formas.

Eu tenho uma mensagem a vocês que está relacionada à realização de seu trabalho. Por meio da graça e do poder de Sananda, podemos oferecer-lhes um impulso especial para seu processo evolutivo. Peço-lhes que tragam de volta o que é necessário para tornar sua vida mais fácil. Peçam por isso, e, quando voltarem para seu corpo, eu os ajudarei energicamente. Independentemente do que vocês necessitarem neste momento para tornar sua vida mais fácil, peçam agora para que isso aconteça neste nível com os arcturianos. Quando retornarmos ao corpo da terceira dimensão, continuaremos esse processo.

Tenham certeza de que o que vocês estão pedindo é algo de que realmente precisam. O motivo pelo qual estamos oferecendo isso é porque entendemos o quão importante é esse trabalho que vocês estão realizando. As dificuldades e os bloqueios pelos quais vocês passam podem ser facilmente resolvidos a fim de que consigam dedicar mais de sua energia à missão de se conectar à quinta dimensão. Eu sou o Arcanjo Miguel.

Eu sou Juliano. Nós nos interessamos pelos seus problemas pessoais e queremos ajudá-los. Também trabalhamos com as forças angélicas que estão muito próximas de vocês. Com essa conexão e essa luz, pedimos agora que retornem ao segundo nível. A partir do segundo nível, por favor, voltem lentamente ao primeiro nível. Deixem a biblioteca interdimensional na nave e retornem para seu corpo neste momento. Mesmo tendo voltado, queremos que mantenham essa conexão com o terceiro nível, com a luz do cristal no Templo Arcturiano de Tomar. Essa conexão permanecerá aberta esta noite para seu momento de sonho.

Capítulo 8

A Necessidade de Cura

A cura é muito importante para vocês agora enquanto passam pela transição de liberar apegos. Vocês estão liberando algumas das histórias de vida antigas que tiveram no planeta, mesmo que continuem a manter uma interação com essas energias passadas. A chave para a cura está na interação com essas energias, incluindo tanto a energia das vidas passadas quanto a energia das mágoas da infância. As energias devem se tornar fluidas. Elas fazem parte da sua história e de seu ser. As experiências que vocês tiveram no planeta são todas relevantes. Vocês estão buscando uma unicidade, uma integração de todas essas energias. Elas permanecerão como parte de sua nova integração. Uma vez que vocês as compreenderem, serão capazes de interagir com as energias e elas não irão dominá-los. Vocês, então, se soltarão.

Estamos seguindo muitos de vocês o tempo todo. Nós nos conectamos diretamente com vocês quando nos convocam. Quando não nos convocam, nós não intervimos nem interferimos de maneira alguma em seus padrões de vida contínuos. Nós somente trabalharemos com vocês se nos pedirem, e nossa interação não é uma interferência em seu carma. Nós lhes ofereceremos informações e seremos receptivos quando nos convocarem. Conseguimos ver todos os seus padrões de vida. Podemos ver para onde estão indo, o que vão desenvolver e como seus corpos físicos vão se desdobrar. Estamos muito atentos à sua saúde. Vocês podem nos convocar em particular para os ajudarmos no desenvolvimento de sua saúde.

Nós estudamos como vocês respondem a doenças e outros problemas físicos. Estamos cientes de suas limitações físicas. Também estamos cientes de que vocês conseguirão transcender essas limitações quando entrarem nos reinos superiores. É importante para seu próprio desenvolvimento aprender a trabalhar dentro de suas limitações no plano físico. No entanto, todos vocês são capazes de superar muitos dos problemas físicos que estão enfrentando atualmente.

Um aspecto de nossa missão é ajudá-los na cura. Fazemos curas por um método no qual pedimos a vocês que se projetem etericamente por um corredor e até as nossas naves, a fim de que possamos trabalhar com vocês. Seus problemas de saúde podem ser um incômodo às vezes, como vocês já sabem. Alguns de vocês têm problemas de saúde especificamente complexos, mas eles não precisam impedi-los em sua evolução em direção ao objetivo da consciência superior e do trabalho interdimensional. É muito importante que vocês compreendam isso.

Estamos cientes das dificuldades no sistema imunológico que muitos estão enfrentando. Alguns de vocês já sentem o comprometimento de seu sistema imunológico. É um desafio permanecer em um estado saudável neste planeta. Novamente, é por isso que pedimos que se juntem a nós nos corredores, onde somos capazes de ajudá-los a eliminar grande parte das densidades e grande parte da energia negativa que está ligada a vocês.

Novas naves arcturianas chegaram ao seu setor do sistema solar vindas da área arcturiana. Nós trouxemos naves de luz especiais, energia de cura especial e curadores especiais conosco para ajudar aqueles de vocês que pedirem nossa ajuda. Estamos falando sério sobre querer ajudá-los e sabemos que o caminho mais direto para isso é por meio da cura. Temos a tecnologia e a capacidade mental e espiritual para trabalhar diretamente com vocês.

Nós também nos especializamos em regeneração da alma. Há almas que, por causa de sua escuridão, de sua maldade e densidade, parecem estar em um estado de total aniquilação. Alguns especularam que essas almas foram destruídas. No entanto, temos trabalhado na regeneração da alma, incluindo as almas dos líderes do mal. As almas podem ser regeneradas por meio de auxílio e trabalho especiais. É importante para aqueles que se dedicam à regeneração da alma estarem muito concentrados e manterem um contato próximo com sua energia da alma-grupo. Trabalhamos com grupos inteiros e até mesmo com planetas inteiros que foram aniquilados por armas atômicas ou desastres nucleares. Eles precisavam muito da regeneração da alma.

Cura nas Naves Arcturianas

Nossos métodos de cura estão relacionados a alinhar suas frequências e purificar todos os seus corpos. Nós oferecemos uma conexão direta com vocês, fornecendo um corredor interdimensional e trazendo nossas naves para um espaço acima de sua presença física. Transmitimos um raio de luz para ajudá-los a se tornarem purificados, se sentirem mais leves e entrarem em contato consigo mesmos. Podemos elevar seu eu etérico e trazer essa parte de vocês para nossa nave. A bordo, utilizamos uma biblioteca e câmaras de cura para ativar e recarregar sua energia. Vocês também podem se reconectar a épocas antigas e a outras vidas da alma quando estiverem conosco.

Se vocês quiserem ser curados em nossas naves, devem praticar a projeção de pensamento. Vocês devem ser capazes de se projetar para as naves por meio do pensamento. Esse é um aspecto importante. Nós usamos uma técnica altamente avançada de terapia dos meridianos nas naves. Em vez de usar alfinetes e agulhas, usamos nossos pensamentos para centralizar determinadas ondas de energia.

Vocês estão se conectando conosco agora ao lerem estas palavras. Nós também podemos oferecer sons com os quais vocês podem trabalhar em suas meditações. Preferimos trabalhar com vocês em uma câmara. Pedimos que se projetem por pensamento para dentro da câmara, e então podemos ascender suavemente a câmara e vocês. Vocês podem imaginar a câmara como uma espécie de cabine telefônica diferente. A parte de cima dela é circular, e vocês podem colocar uma cadeira nela ou o que desejarem. Podem talvez imaginá-la como tendo vitrais. Nós gostaríamos que vocês utilizassem o som do nosso nome, os arcturianos, para se alinhar conosco.

Alguns de vocês tiveram experiências em nossas naves, mas elas não foram tão intensas quanto gostariam que fossem. Isso requer um compromisso consciente de sua parte para permitir que possamos trabalhar com vocês. Preferimos trabalhar com vocês em um estado consciente. Vocês podem começar com um pedido consciente de cura e, depois, irem dormir, em vez de serem levados para uma câmara de cura durante um sono profundo. Nós descobrimos que somos capazes de trabalhar com vocês de maneira mais eficiente quando vocês assumem o compromisso conscientemente, usando seu livre-arbítrio. Podemos, então, realizar mais. Temos centros especiais de cura que usam ondas sonoras para trabalhar com a energia de seus órgãos. Grande parte da nossa cura está relacionada à energia e aos problemas dos órgãos. Essa é a nossa especialidade de cura.

Pedimos agora que elevem sua energia espiritual, adentrem um corredor interdimensional diretamente acima de sua cabeça e entrem na área de nossa nave que chamamos de sala azul. A sala azul é reservada para a cura e o rejuvenescimento. Nós reservamos cadeiras na câmara para vocês. Vocês recebem uma carga intensa de luz azul, e uma energia espiritual harmoniosa flui através de vocês agora. Ela é incrivelmente acolhedora e harmoniosa. Isso ativa a energia para vocês. Os andromedanos nos ensinaram como ativar a luz azul. Transmitimos cada vez mais luz azul para seu campo áurico. Ela é muito poderosa – uma energia de cura azul, uma forma de energia telepática.

Continuem sentados na sala azul e olhem para a parede em frente a vocês. Nós lhes oferecemos uma visão da galáxia. Vocês também podem ver as diferentes cores da estrela Arcturus, que está muito próxima agora. Vocês estão olhando para fora de uma janela especial, de modo que não sofram quaisquer efeitos nocivos dos raios de Arcturus. Esse é um método de ativação muito poderoso. Identifiquem a estrela com a qual desejam se conectar, e, então, a energia de que precisam virá até vocês.

Saibam que seu chacra coronário está agora sendo inundado por uma luz azul, a luz do conhecimento espiritual. Ela está ancorada dentro de vocês. Essa luz azul varia de um azul-claro a um azul-escuro. Ela contém a luz e os tons azuis-escuros juntos. Nesses tons, o azul-escuro não elimina o azul-claro. Vocês nunca apagam uma oitava; vocês apenas acrescentam.

A vibração terrestre na terceira dimensão é uma vibração mais lenta. Suas energias mais elevadas são constantemente esgotadas pelo processo da Terra na terceira dimensão. Conhecemos a vibração mais lenta da Terra e como ela tira sua energia. Dessa forma, vocês precisam se recarregar quantas vezes puderem. Precisarão receber muitas doses dessa luz azul na câmara azul. Vocês vão querer continuar voltando para essa câmara de cura. Se retornarem para as câmaras de cura azuis, eventualmente conseguirão manter uma oitava mais alta da luz azul. Isso é parte do que precisam fazer para a ascensão – obter uma oitava mais alta que possam estabilizar. Até mesmo nós precisamos voltar para as câmaras de cura azuis, a fim de manter nossa frequência.

Purificações Pessoais

Muitos de vocês ainda não se lembram de seu compromisso e de suas instruções antes de entrarem na terceira dimensão na Terra. No entanto, é verdade que se ofereceram como voluntários para essa missão e que, no fundo do seu coração, desejam ajudar e servir da maneira mais elevada possível. Muitos de vocês estão trabalhando com empenho em suas próprias purificações pessoais. Isso está relacionado a resolver seu carma e os seus problemas pessoais. Isso também envolve abrir seus chacras e seus campos energéticos, a fim de receber a energia da quinta dimensão e interagir com ela. É um grande desafio para muitos de vocês equilibrar seus problemas pessoais e a resolução desses problemas com a ajuda aos outros e o serviço à Terra.

Queremos falar com todos que estão passando por dificuldades pessoais. Nós estamos preocupados com seus problemas pessoais. Somos solidários à sua situação e temos compaixão por vocês. Sabemos que não há uma porcentagem alta de trabalhadores da luz neste planeta. Cada um de vocês é incrivelmente valioso. Quando estiverem mais purificados e mais resolvidos com seus problemas pessoais, serão melhores transmissores dessa energia da quinta dimensão.

Nós vamos oferecer orientações para ajudá-los a purificar qualquer energia que os possa estar prejudicando. Em primeiro lugar, ampliem seu chacra cardíaco. Em segundo lugar, conectem um elo de energia entre seu terceiro olho e seu coração. Em terceiro lugar, projetem mentalmente uma data no futuro quando desejam ver uma resolução completa da dificuldade. Pode ser 30 dias, 50 dias, e assim por diante. Em quarto lugar, criem um caminho de luz do momento presente até a data que escolheram. Em quinto lugar, quando chegarem a essa data pelo caminho de luz, criem uma resolução para seu problema em sua mente e projetem-no nesse ponto.

Em sexto lugar, a partir dessa data em sua projeção, transmitam uma luz de energia para uma nave arcturiana que esteja no corredor de Júpiter em seu sistema solar. Ao transmitir essa luz, vocês nos concederão permissão para enviar energia a seu caminho, a fim de ajudá-los. Em sétimo lugar, recebam a conexão de nossa nave até vocês, e isso completará o caminho de energia. Em oitavo lugar, mantenham essa energia fluindo!

Em muitos casos, seu problema pode ser resolvido com uma energia e uma perspectiva aumentadas. Quando vocês conectam seu coração com o terceiro olho, também são capazes de encerrar o carma que está envolvido no problema que possuem. Isso os move mais rapidamente para uma resolução. Vocês não precisam mais ser sobrecarregados. A maioria dos problemas que possuem pode ser resolvida em um período de seis semanas. Sabemos que isso pode parecer surpreendente, mas há pouquíssimos problemas que observamos nos trabalhadores da luz que não podem ser resolvidos dentro de seis semanas.

Obviamente, não podemos interferir no seu carma. No entanto, no método que acabamos de descrever, vocês estão no comando. Vocês estão nos pedindo para trazer uma energia que os ajudará. Isso não é uma interferência. Estamos simplesmente trabalhando juntos, conforme seu pedido.

Energia Taquiônica

A energia taquiônica é uma energia pulsante muito semelhante à força de energia básica do universo. É possível encontrar o mesmo movimento pulsante no coração humano e no campo áurico. A energia taquiônica usada em nossa galáxia é uma força que alguns compararam com a energia Chi universal. A cura taquiônica concentra-se na utilização do Chi, a força vital. A energia Chi pode ser depositada em pedras e em outros artigos e, depois, transmitida para estruturas celulares, como para o corpo humano.

Manter a energia taquiônica nas pedras é semelhante a reter a energia nos cristais. Vocês podem transmitir seus padrões de pensamento para o cristal, que mantém os pensamentos como transmissões de energia mentais. Os cristais devem ser purificados para que sejam removidos padrões de pensamento negativos. No entanto, ao trabalhar com a energia taquiônica, não há necessidade de purificar a pedra, já que os artigos taquiônicos sustentam e geram energia Chi. Além disso, diferentemente dos cristais, as pedras taquiônicas não requerem uma programação.

A energia taquiônica preenche uma necessidade não atendida pelos cristais para a transmutação da energia da força vital de cura. Essa energia da força vital pode ajudar as sementes estelares e os curadores, proporcionando uma maior unicidade e equilíbrio para aqueles que estão abertos ao processo de ascensão. As pedras taquiônicas podem acelerar seu trabalho espiritual aumentando a frequência vibratória de seus campos mental e áurico. Ao ressoar com o pulso taquiônico, sua frequência de vibração aumenta. Então, em meditação, vocês serão capazes de duplicar essa vibração mais elevada sozinhos. O objetivo é usar a energia taquiônica para ajudá-los a acessar estados mais profundos de consciência. Por fim, vocês conseguirão acessar esses estados sem usar pedras taquiônicas.

As fontes de energia taquiônicas estão, na realidade, fora do seu sistema solar. A energia está vindo de forças cósmicas – por meio de cometas, e assim por diante. "Táquion" se refere à estrela de mesmo nome, que é conhecida por muitos viajantes galácticos. Acredita-se que a fonte dessa energia seja originária desse sistema estelar. As informações sobre a energia taquiônica e a tecnologia para seu uso são extremamente importantes e úteis para vocês neste momento. Vocês precisarão aprender diversos métodos, incluindo o método taquiônico, para acelerar seus processos.

O que estamos dizendo agora é muito importante: todos vocês acharão necessário acelerar seus campos energéticos. Quando não estão acelerando, quando estão fisicamente ou mentalmente presos de alguma maneira, isso é um sinal de que precisam de uma aceleração. Não tenham medo de acelerar. Pode ser mais útil acelerar suas conexões também – isto é, acelerar seus contatos com seus guias e seres extraterrestres. Simplificando, muitos de vocês ficarão presos em padrões de energia inferiores. Será muito difícil sair sem auxílio, portanto não hesitem em usar os contatos que vocês têm conosco.

Som e Cor

O som da palavra "táquion" é muito poderoso. Vocês podem aumentar o poder da energia taquiônica pronunciando essa própria palavra, que os ajudará a liberar o poder das pedras. "Táquion" é uma palavra galáctica, semelhante à palavra hebraica *"Zohar"*, ou brilho.

O som aprimora a cura taquiônica. É útil tocar determinadas músicas durante as curas, incluindo sons gerados por computador. A música ajuda tanto o curador quanto o receptor a ressoarem com o ritmo. Uma vez que ambos estiverem em ressonância com o ritmo taquiônico, uma cura poderosa poderá ser realizada. Isso pode ser descrito como uma adaptação. Para obter o benefício completo do tratamento taquiônico, vocês devem estar abertos a ele e ressoar com o ritmo.

Existem vários níveis de vibrações sonoras que podem ser usados para acelerar a cura. Por exemplo, usar um som rítmico lento os ajudará a entrar em um estado de transe. Conforme vocês se tornam mais confortáveis, a velocidade dos ritmos pode ser aumentada. A vibração do receptor aumentará à medida que o ritmo dos sons aumenta em velocidade. Para que tenham uma ideia dos efeitos do som, ajudaremos o canal a reproduzir sons úteis durante um tratamento taquiônico. [Entoa]: "tac... tac". Vários níveis e velocidades de vibrações sonoras podem ser usados. Por exemplo, usar esse som devagar ajudará a diminuir o ritmo da pessoa que estiverem curando. Primeiro, façam a pessoa se ajustar ao campo energético ouvindo um som de ritmo lento. Então, vocês podem aumentar a velocidade do som para ajudar a pessoa a aumentar sua vibração. As energias taquiônicas usadas dessa maneira elevarão a vibração total da pessoa, o que terá um grande efeito de cura.

Nós queremos falar brevemente sobre o uso das cores com a energia taquiônica. As cores que podem ser especialmente úteis estão entre as variedades de magenta, vermelho, azul e roxo. Os efeitos da energia taquiônica podem ser acelerados pelo uso adequado das cores. Recomendamos que, quando trabalharem com pessoas que estão buscando tratamento taquiônico, configurem uma sala com luzes especiais. Além disso, estejam sensíveis às cores da sala. Por exemplo, seria útil usar um lençol especial ou um cobertor nas cores mencionadas anteriormente. As cores que o curador veste também podem ser importantes como parte da abordagem integrativa de um tratamento de energia taquiônica. Quanto mais estiverem cientes de harmonizar todos os aspectos ambientais, mais poderoso será o tratamento taquiônico.

A energia taquiônica pode ser usada para aprimorar a meditação. As pedras podem acelerar os padrões de pensamento da cura universal por meio da energia da força vital. Um verdadeiro despertar celular pode ocorrer após um tratamento taquiônico. A energia taquiônica também pode influenciar a visão de uma maneira positiva. O trabalho corretivo pode ser realizado com pedras taquiônicas, especialmente quando feito em conjunto com a cromoterapia.

Sessões de Cura Taquiônica

Os objetos taquiônicos, quando colocados em volta do corpo, ajudam a ressoar com a pulsação e o fluxo harmonioso das pedras. A cura taquiônica atua ajudando-os a ressoar com a pulsação da pedra. Seus campos vibracionais e seus campos áuricos serão aprimorados. A aceleração da energia taquiônica, no entanto, pode ser arrebatadora. É por isso que queremos que tenham cuidado ao direcioná-la.

No começo, recomendamos curtos períodos de tratamento, de modo que a pessoa possa se preparar para a energia taquiônica. Um tratamento inicial pode ter de 12 a 14 minutos de duração, combinado com um equilíbrio de polaridade, um alinhamento ou uma massagem suave depois. Ao trabalhar com uma pessoa durante um período de tempo, ela conseguirá suportar até 28 minutos. O tempo do tratamento aumenta de sete em sete minutos. Portanto, vocês podem ir de 14 minutos para 21 minutos e, então, para 28 minutos. É importante se aterem ao fator de sete na determinação da duração dos tratamentos. Nós não recomendamos irem além do limite de 28 minutos, a menos que haja um propósito específico para estender o tratamento. A maioria achará 28 minutos mais do que o suficiente.

Também recomendamos um equilíbrio de 28 minutos depois. Se vocês trabalharem com alguém por 14 minutos de tratamento taquiônico, recomendamos um período de 14 minutos depois para realizar um equilíbrio de energia usando técnicas sem toque. Não toquem fisicamente a pessoa até depois do período de equilíbrio de 14 minutos. A razão para isso é que o campo energético dela ainda permanecerá em um estado de fluxo. A energia ainda estará sensível, e vocês devem respeitar essa sensibilidade. Recomendamos que a pessoa que estiver recebendo o tratamento continue seguindo seu próprio ritmo em meditação depois que as pedras taquiônicas forem removidas. Isso ajudará a prolongar os efeitos de cura e aumentará o equilíbrio.

Estimular apenas uma área sem um equilíbrio geral pode ser produtivo, mas não terá um efeito tão duradouro quanto usar uma abordagem integrada. É melhor fazer um tratamento com as pedras no qual haja equilíbrio e uma integração da energia. Isso garante que todo o sistema seja colocado em equilíbrio. Se vocês tiverem um problema e tratarem somente essa determinada área, o desequilíbrio original que se manifestou pode mudar para outra área depois. Nós preferimos que o trabalho taquiônico seja realizado por um curador que possa usar uma abordagem mais integrativa. Quando o curador trabalha com a pessoa de uma forma integrada, o tratamento efetivo pode ocorrer mantendo a energia taquiônica perto do corpo por períodos mais longos. Se o curador usar somente a energia taquiônica, sem um equilíbrio correspondente, então uma cura taquiônica mais longa não será tão benéfica.

O corpo não deve se acostumar com a energia taquiônica. Como ela é uma energia muito poderosa, é importante manter a sensibilidade do corpo a ela. Comparem o tratamento taquiônico com um medicamento que é usado diariamente. A tolerância ao medicamento é facilmente intensificada, e, então, ele não se torna tão eficaz. A dosagem deve ser aumentada para obter o mesmo efeito. Da mesma forma, uma tolerância pode ser intensificada também para os tratamentos taquiônicos. É melhor delegar seu uso, em períodos separados com equilíbrio mental, consciência concentrada das pulsações e uma tentativa de se integrar e harmonizar com a energia.

Criando um Casulo de Energia

Os seres humanos, assim como os seres galácticos, são muito inteligentes. Sabemos que vocês não acreditam em quão inteligentes são por causa dos muitos problemas emocionais que existem no planeta e dos muitos problemas emocionais que enfrentaram pessoalmente. Isso não é uma crítica. É simplesmente uma observação. Seus corpos emocionais na Terra são muito subdesenvolvidos. Às vezes nós nos perguntamos como vocês conseguem se manter em equilíbrio de alguma forma; seus corpos emocionais estão constantemente sendo submetidos à energia eletromagnética distorcida que está bombardeando seu planeta por fontes humanas. É a radiação eletromagnética distorcida proveniente das bombas nucleares que estão sendo testadas, a energia eletromagnética distorcida proveniente das fontes de rádio de alta frequência e de baixa frequência testadas pelo seu governo e as ondas eletromagnéticas distorcidas criadas por tantos aviões que estão voando no céu. Nós poderíamos continuar falando sem parar sobre isso. Felizmente, vocês são seres muito resilientes. Na maior parte das vezes, são capazes de se adaptar. Porém, seria muito benéfico criarem um casulo de energia em torno de si mesmos para sua própria proteção.

O casulo de energia fornecerá uma estabilidade em torno de seus campos eletromagnéticos. A energia do seu casulo precisa ser fortalecida, de modo que vocês não sofram fraturas áuricas. É isso que está acontecendo atualmente. Quando ocorrem fraturas áuricas, vocês podem enfrentar energias eletromagnéticas distorcidas que podem criar desconforto.

Vocês já ouviram falar que um casulo de energia também pode ser chamado de uma bolha protetora de luz branca. O importante é que essa luz branca, ou casulo, seja sensível o suficiente para bloquear a radiação eletromagnética e algumas das outras fontes de energia que vocês não desejam enfrentar. Fraturas áuricas podem ocorrer a partir da energia eletromagnética distorcida. Essas fraturas podem desencadear o que vocês chamam de experiência de *déjà vu*.

Nós ofereceremos instruções sobre como criar esse casulo ao seu redor, porque isso será vital para todos vocês aprenderem a se proteger. Vocês precisam fazer isso por muitos motivos. A razão mais importante é que devem manter seu equilíbrio mental. Nós não poderíamos viajar através de muitas zonas diferentes ou viajar dentro da esfera galáctica se não conseguíssemos nos controlar mental e energeticamente.

A maioria dos seres extraterrestres não se manifestará fisicamente porque não quer se expor às vibrações eletromagnéticas inferiores. Isso será um dos maiores problemas em sua cultura quando finalmente perceberem os riscos a que estão expondo a si mesmos e a seus filhos pelas vibrações eletromagnéticas distorcidas. Elas estão em todos os lugares do planeta atualmente, e vir a este planeta e a esta manifestação requer altos níveis de proteção do casulo.

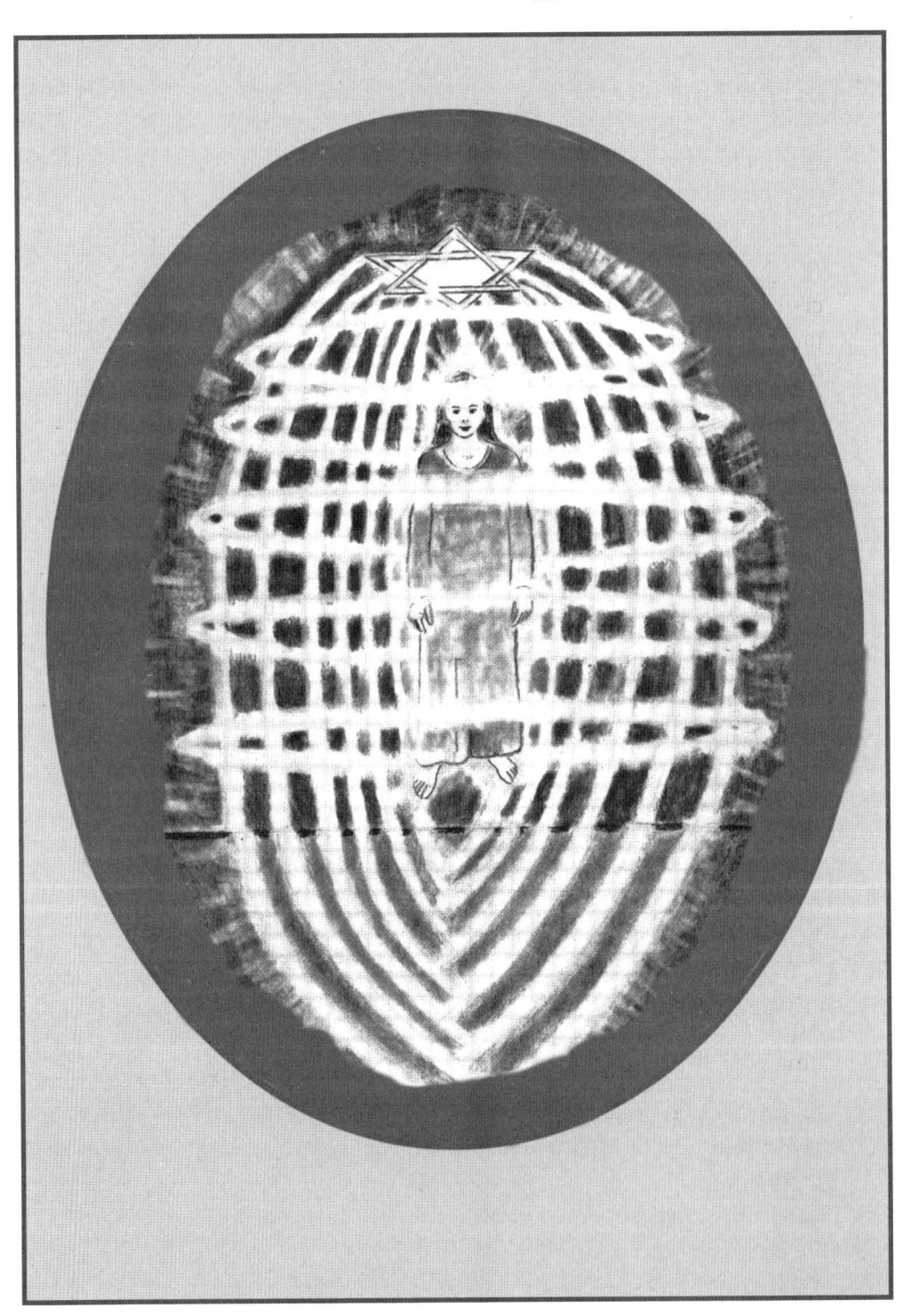

O Casulo de Energia

Para criar o casulo, pedimos que comecem com uma estrela tetraedro (Estrela de Davi) aproximadamente um metro acima de sua cabeça. A partir dessa estrela, tragam 12 linhas para baixo de forma inclinada, continuando até elas chegarem abaixo de seu corpo, em torno de seus pés. Vocês devem fazer isso para cada linha vertical. Em seguida, tracem uma linha cruzada que se mova horizontalmente ao redor de seu corpo, de modo que agora tenham linhas que se cruzam em ângulos de 90 graus. Criem cinco dessas linhas horizontais de um lado e cinco do outro lado, entrecruzando-se. Nesse ponto, vocês terão 12 linhas de grade cruzadas (vejam o diagrama do casulo de energia). É muito importante que estabeleçam 12 linhas de grade. Assim, conseguirão acessar nosso campo energético, bem como estar centrados no campo energético que criaram.

Gudrun Miller

Quando estiverem no campo energético que acabaram de criar, podem entoar nossa expressão. [Entoa um som rápido e repetitivo]: "tac, tac, tac". Esse som eliminará toda a energia eletromagnética divergente que estiver chegando até vocês. Agora, apliquem uma camada de luz branca em volta de seu casulo, depois uma camada de luz azul, e terminem com uma camada de luz prateada. Agora, seu casulo está completo. Esperamos que estejam tentando fazer isso enquanto leem estas palavras. Vocês agora permanecerão em um estado de proteção e poderão se manter em um estado de equilíbrio no qual harmonizaram e estabilizaram suas próprias vibrações eletromagnéticas.

Recuperando Imagens Galácticas

Aqueles que construíram um casulo podem ser transportados para uma área em nossas naves em um padrão de controle dimensional. Vocês podem entrar em nossas naves e descansar em paz. Podem se mover para uma sala especial reservada a vocês, uma sala de luz de cura azul-prateada. Suas capacidades intelectuais são manifestadas pelo cérebro. A força espiritual que guia seu cérebro é uma energia vibracional eletromagnética. Vocês são purificados e ajustados conforme essa luz azul-prateada entra na parte de sua alma que manifesta sua inteligência mental.

Ainda em nossa nave, nós giramos a sala toda em que vocês estão, em um círculo estreito e rápido e uma força centrífuga intensificada. Sintam a sala continuar a girar, a aumentar em vibração e a girar cada vez mais rápido. Olhem para fora da sala em que estamos na nave e vejam as estrelas diante de si, as estrelas do sistema arcturiano. Sintam a luz das estrelas azuis que vocês podem ver. Saibam que, para alguns, esse é seu sistema natal, e esperamos pacientemente que vocês retornem. Não se preocupem com o período de tempo, porque não estamos no tempo da Terra. Não é um problema de paciência, como vocês podem pensar a respeito disso a partir de sua perspectiva linear.

Observem as estrelas e o portal estelar arcturiano, e vejam a imagem daqueles que estão entrando no portal estelar que é protegido pelos arcturianos. Conforme esses seres de consciência mais elevada entram no portal estelar por um lado, eles também saem pelo portal estelar, partindo em um espírito puro, em uma forma galáctica pura. É uma formação espiritual. Conforme vocês começarem a acessar nossa energia, pedimos que tragam de volta à realidade algumas dessas imagens galácticas para que outras pessoas possam vê-las. Compartilhar essas imagens ativará outras pessoas, a fim de que se lembrem de sua origem.

Esse é um exercício muito importante, porque muitos de vocês estão lutando com sua autoimagem. Ela foi destruída por tantas forças que impactam seu corpo emocional e foi severamente distorcida pelos implantes negativos, que estão constantemente chegando até vocês. O objetivo, no entanto, não é se lembrarem completamente de quem vocês são, porque isso vai desequilibrá-los se não tiverem realizado o processo de purificação. Concentrem-se na clareza, na estabilidade do processo mental, e conseguirão se lembrar. Alguns se lembrarão de forma diferente de outros. Isso é porque alguns têm uma perspectiva diferente. Não sejam confundidos por aqueles que têm memórias diferentes. Sigam com sua própria memória da alma.

Suavemente, virem-se ao seu redor e girem para baixo de nossa nave, para um lugar onde vocês podem readentrar sua própria consciência em seu corpo físico. Girem para baixo. Seus corpos estão contentes em receber seus espíritos. Sua mente foi recarregada, purificada, limpa e ativada.

Capítulo 9

Abrindo Sua Consciência

Vocês estão vivendo em uma cultura e em uma dimensão que são bem restritivas à sua consciência, que vocês desejam expandir o mais amplamente possível. A expansão de sua consciência é o único requisito que permitirá que vocês entrem na próxima dimensão. Não é preciso que estejam em uma determinada condição física, mas sua consciência e seu conhecimento devem ser expandidos. Buscar a ajuda dos arcturianos pode ajudá-los a alcançar a expansão de sua consciência, bem como amplificar e transformar a si mesmos.

Nós conversamos com vocês sobre expandir sua consciência desvendando os códigos. As palavras "Santo, santo, santo é o Senhor dos exércitos" têm sido tradicionalmente um código que pode ser utilizado para expandir sua consciência. Alguns de vocês, no entanto, não se identificam com frases bíblicas. Assim como Jesus usa o nome Sananda, existem novos códigos, novas palavras e novos conceitos que podem ser usados mais apropriadamente para abrir sua consciência. Trabalharemos com vocês, a fim de ajudá-los a direcionar suas energias, mas somente vocês devem gerar as aberturas.

Vocês podem compreender melhor a densidade quando obtiverem uma perspectiva superior. Isso parece simples. Vocês já vivenciaram a energia densa que está em torno do planeta. Há uma lentidão e uma névoa que envolvem muitas atividades da terceira dimensão. Se vocês abrirem sua consciência, poderão se elevar acima dessa dimensão e compreenderão claramente a densidade desse espaço.

Nós também reconhecemos a importância da proteção de seus campos energéticos pessoais. Energias difusas podem entrar quando vocês abrirem sua consciência amplamente. Em vidas passadas, muitos de vocês tiveram alguns infortúnios em relação a pessoas que não estavam abertas ou que não tinham uma consideração sagrada por essa abertura de consciência. Esta é uma tarefa sagrada, uma tarefa santa. Nós oferecemos energia protetora em torno de todos vocês enquanto se envolvem no processo de abrir sua consciência amplamente. Com a prática, será muito fácil deixar seu corpo e elevar sua consciência.

Canalização

A canalização é um dos muitos caminhos que usamos para alcançar as sementes estelares que estão muito interessadas em se conectar conosco. Compreendam que vocês estão respondendo a uma mensagem primordial de seus irmãos e irmãs na galáxia. Todos em seu planeta possuem as capacidades inerentes de se comunicar com aqueles em outras partes da galáxia. Isso faz parte da estrutura genética de sua espécie.

Estamos chegando ao canal como uma entidade em grupo. Isso é o que vocês chamariam de um canal de processo em grupo, e muitas naves arcturianas designadas para esse setor do sistema solar estão trabalhando com o canal nesse projeto. É extremamente importante que todos vocês aprendam a interagir com os arcturianos e outros extraterrestres de natureza espiritual. É o momento de abrirem sua consciência para outras influências cósmicas. Vocês precisarão da perspectiva que oferecemos.

Muitos fatores estão envolvidos no processo de canalização. O termo "canalização" é um pouco confuso, porque o que o canal está realmente fazendo é se comunicar telepaticamente conosco. Por meio dessa comunicação telepática, o canal informa quais mensagens recebe de nós. A personalidade do canal modifica a informação que é gerada. A personalidade receptora, inevitavelmente, influenciará e modificará algumas das informações que são recebidas.

Os canais trazem tudo o que podem com o melhor de sua capacidade. Atualmente, não existe um canal que seja 100% preciso na transferência total de padrões de pensamento. A única entidade capaz de fazer isso foi Sananda/Jesus, e ele conseguiu trazer 100% de luz pura. Outros, como seus líderes religiosos, trouxeram uma forte luz. Porém, sempre houve alguma redução na vibração, permitindo a distorção das informações. É natural que isso ocorra. Portanto, quando estiverem ouvindo os canais, pedimos que usem seu discernimento e considerem o fato de que pode haver alguma distorção não intencional nas informações trazidas por qualquer canal.

Alguns de vocês comentaram a respeito de símbolos matemáticos e equações que entraram em sua mente enquanto estavam meditando, sonhando ou apenas fechando os olhos por um momento. Esse é um sinal de que estão abertos a um poder telepático. Queremos nos comunicar matematicamente com muitos seres. A matemática é uma linguagem universal com símbolos universais por toda a galáxia. Mesmo que vocês possam não compreender as equações neste momento, tenham certeza de que essas equações são uma forma de simbolismo que ajudará as pessoas a compreenderem a natureza da realidade cósmica.

Energias e entidades negativas também podem ser canalizadas. A enganação tem sido usada na canalização como uma forma de controle ou manipulação. Uma desconfiança dessa energia que vocês chamam de canalização está enraizada na consciência humana de muitas pessoas. Isso vem de algumas épocas antigas na Terra, quando as pessoas foram manipuladas por falsos profetas e falsos líderes religiosos. Isso não significa que a canalização seja ruim ou que não forneça uma maneira prática de comunicação. Devemos esclarecer que existe uma grande necessidade de comunicação com vocês neste momento. Muitas restrições nos impedem de aparecer diretamente na sua dimensão. A forma de comunicação telepática é a mais desejável agora. A canalização pode ser muito útil, mas também pode ser utilizada de maneira incorreta e equivocada. Não confiem totalmente em obter todas as suas informações dos canais. Confiem também em experiências e comunicações diretas. Passem mais tempo junto a seus mestres e guias ascensionados, em vez de concentrar muito tempo em outros canais humanos.

Desejamos que recebam luz, conhecimento e informação, pois vocês estão abrindo seus chacras. Estamos trabalhando com vocês para aprimorar seus poderes telepáticos. Vocês devem considerar os grupos espirituais como um poderoso campo de treinamento para o trabalho telepático. As pessoas que pensam de maneira semelhante precisam se reunir em grupos. Isso é importante nas comunicações telepáticas; isto é, vocês possuem uma ressonância com a mesma mentalidade dos outros. Vocês também possuem uma mentalidade semelhante à nossa. Essa mentalidade semelhante está relacionada a uma energia espiritual e a um compromisso com o desenvolvimento espiritual. Esse é nosso maior compromisso.

Entrantes

A questão dos entrantes é muito relevante nestes tempos em que muitos estão questionando suas missões no planeta. Ela é repleta de confusão, mito e distorção, e o próprio termo "entrante" é confuso. Nós preferimos usar o termo "visitante espiritual". Parece que um espírito de repente sai e outra entidade entra instantaneamente. Embora tenha havido casos assim, a maioria dos entrantes entra gradativamente. O processo avança com a comunicação contínua entre o eu superior da pessoa da Terra e a alma daquela entidade que deseja entrar na existência da terceira dimensão. Nem sempre é verdade que a alma do hospedeiro deixa o corpo para o entrante entrar. Pode haver residência conjunta. Assim como pode haver mais de duas pessoas morando em uma casa, pode haver muitos espíritos habitando um corpo.

A colaboração de um espírito superior de outra dimensão pode aprimorar muito a vida daqueles que estão no plano terrestre. Na maioria dos casos, aqueles que receberam visitantes espirituais de outra dimensão estiveram em uma posição de vida em que se sentiram presos. Eles estavam falhando e eram incapazes de progredir em seus padrões de vida. Quando parece que não há nada mais a se obter continuando a encarnação, então é totalmente permissível, e até mesmo vantajoso, que um espírito superior se junte e ajude a ativar a pessoa hospedeira. Essa é uma experiência de crescimento para o espírito hospedeiro, e é uma chance para o espírito de uma dimensão superior direcionar o hospedeiro para sua missão ou propósito. A maior missão que o entrante pode realizar é garantir que um ser humano siga seu caminho.

Vamos considerar brevemente a semeadura de seu planeta. Muitos sabem que seu planeta foi semeado por entidades externas ao seu sistema solar. Muitos ainda estão lutando com as ideias de evolução e outros conceitos primários que foram explicados em sua mitologia, mas uma semeadura realmente aconteceu. O fenômeno dos entrantes começou com a semeadura do seu planeta. Era impossível que ocorresse esse salto de consciência e evolução da vida humana sem o auxílio daqueles em lugares mais elevados. O passo evolutivo final foi completado quando um espírito se manifestou fisicamente. Receber outras entidades começou com o primeiro protótipo de sua forma humana, quando a primeira série de seres humanos foi desenvolvida. A cadeia evolutiva foi manipulada. Se vocês acreditam que os entrantes são um fenômeno incomum, pensem novamente.

Esses são conceitos difíceis de se entender. Um salto na fé é muitas vezes necessário para compreender que a existência interdimensional é verdadeiramente uma realidade e que extraterrestres vieram ao seu planeta para se comunicar com vocês.

A Missão dos Entrantes

Vocês estão se perguntando por que uma entidade desejaria vir a este planeta neste momento, quando muitos de vocês estão esperando tão ansiosamente para partir. Existe tanta densidade, destruição e violência no planeta. Muitas vezes vocês sentem que estão em uma névoa. Por que alguém realmente escolheria vir para cá? Geralmente, a menos que vocês estejam no ciclo de encarnação na Terra, não há necessidade de retornar à manifestação física. Somente aqueles que têm uma missão ou um objetivo específicos em mente realmente gostariam de vir para cá. A missão daqueles que estão entrando refere-se principalmente a ancorar energia e receber e ativar altas vibrações. No entanto, cada entrante está em uma situação sutilmente diferente.

Os entrantes estão trabalhando conscientemente, recebendo a luz e os padrões de pensamento daqueles que estão além do seu espaço dimensional. Quanto mais pessoas puderem receber informações e ondas de pensamento daqueles além do planeta, mais este planeta será ativado. Mais de vocês estarão prontos para mover sua consciência para uma dimensão superior. A fim de iniciar a cadeia, é necessário ter mais e mais pessoas sensíveis às energias superiores. É como o fenômeno do centésimo macaco; é uma reação em cadeia.

Os entrantes podem ajudar a estabelecer um despertar, uma ancoragem, uma ativação e uma consciência das forças galácticas. A consciência coletiva pode, então, ser ativada no planeta. Essa é uma descrição aceitável para aqueles que estão buscando compreender seus papéis. Alguns entrantes estão buscando uma tarefa específica, mas não devem conceber suas missões como tarefas específicas impostas. Esse é um processo linear da terceira dimensão. Aqueles que lutam contra o fenômeno dos entrantes podem ficar presos porque não conseguem encontrar uma tarefa específica, como quando o famoso Noé construiu uma arca para sobreviver. Tarefas específicas surgirão.

Enquanto isso, as transformações que serão realmente significativas se concentrarão no conhecimento, na comunicação e na consciência. Essas são as três forças principais que estão moldando aqueles que estão se movendo em direção a uma transformação expandida. Das três forças, neste momento a mais importante é a comunicação. É importante que vocês conversem com outras pessoas sobre o que estão recebendo. Vocês, então, vão ativar suas habilidades para transmutar em uma dimensão superior.

Coabitação Espiritual

Coabitar com um ser superior é uma forma de permitir que vocês acessem outros planos de consciência. Essa função ilustra uma maneira pela qual os entrantes ajudam aqueles com quem estão em coabitação. A coabitação ativa o hospedeiro e gera uma melhoria. Deve haver um aspecto mais leve e um nível de energia mais elevado, resultando em mais sensação de tranquilidade sobre a pessoa. Se vocês não sentirem isso sobre o hospedeiro, então algo está errado. A coabitação com um entrante é definitivamente um fenômeno intensificado que é realizado com a aceitação consciente do eu superior do hospedeiro. Ela não é realizada contra a vontade dele. Uma energia espiritual mais elevada somente funcionará em uma pessoa após um convite do eu superior dela.

Se, a qualquer momento, essa pessoa não quiser que essa entidade esteja presente, então o espírito sairá. É simples assim. O fato é que, quando vocês se conectam com essa energia, querem mais ainda que ela esteja por perto. Imaginem, digamos, que vocês estão procurando seu duplo etérico, ou sua alma gêmea. De repente, vocês entram em contato com essa alma gêmea. Esse é um fenômeno que muitos de vocês podem até ter experimentado em sonho e depois se decepcionaram quando o sonho acabou, porque perderam a conexão. Ao contrário dos sonhos, vocês mantêm esse contato no fenômeno dos entrantes. Esse é o tipo de conexão forte que vocês têm durante o fenômeno dos entrantes. Vocês se sentem motivados a ter essa conexão.

O propósito da coabitação é oferecer uma expansão da consciência espiritual para o hospedeiro terrestre. A coabitação termina no momento em que o hospedeiro quiser, mas não precisa haver um fim. O fim (lembrem-se, estamos falando sobre sua perspectiva linear) pode ocorrer quando a missão for realizada. Digamos, por exemplo, que vocês estão em uma sala de aula fazendo um curso com um instrutor que está ensinando lições básicas de matemática. Esse professor permanecerá com vocês durante todo o semestre, mas, quando vocês se formarem e seguirem em frente, não precisarão mais desse instrutor. Assim ocorre com a coabitação. Os espíritos entrantes servem como guias ou instrutores. A experiência do entrante pode terminar quando a necessidade específica for satisfeita. Vocês podem, então, liberar a entidade ou optar por manter contato.

Em relação à coabitação, pensem na vida de Sananda/Jesus. Jesus, enquanto estava na encarnação física, foi capaz de se unir à mais elevada energia de Cristo. Existe uma energia espiritual elevada a que vocês se referem como a energia do Filho do Homem. Essa energia foi capaz de coabitar o corpo do homem que vocês conhecem como Jesus, criando uma experiência poderosa e benéfica para a humanidade.

O Processo de Fusão

O corpo físico pode enfrentar dificuldades no começo de uma experiência com os entrantes. Às vezes não há unificação, não há uma harmonia verdadeira. Isso ocorre porque o entrante é proveniente de um plano superior ao do hospedeiro. Isso pode causar algumas interferências na consciência geral do hospedeiro, e essas dobras podem ser percebidas em seu corpo, já que o corpo reflete os bloqueios espirituais e a desarmonia causada pelo pensamento negativo. Vocês podem sentir que seus corpos desejam fazer coisas incomuns, como realizar movimentos específicos ou emitir sons estranhos. Isso acontece a fim de liberar a energia bloqueada. Os bloqueios permanecem quando vocês não conseguem liberar com êxito a energia que se acumula, e então o corpo se rompe.

Muitos de vocês podem dizer que essa experiência com os entrantes parece loucura. Vocês podem dizer que há um aspecto esquizofrênico nisso. Mas lembrem-se de que estamos falando sobre uma energia intensificada, e não uma energia de distorção. O hospedeiro de um entrante torna-se mais ele próprio do que menos. Torna-se mais confiante, pois isso aprimora quem ele já é. Se vocês estiverem se sentindo confusos sobre os entrantes, provavelmente estão pensando que as pessoas devem desistir de seus eus originais para receber um entrante. É nisso que consiste a confusão. O eu não é abandonado; ele é aprimorado. Se vocês conhecerem pessoas que dizem ser entrantes, mas estão mais densas do que eram antes, saberão que elas estão pensando de maneira incorreta.

As pessoas podem vivenciar o fenômeno dos entrantes e não estarem conscientes disso. Em um nível consciente, elas podem não ter ciência, mas, em um nível mais elevado, isso foi acordado. No nível inferior, pode ser vivenciado como um despertar gradativo. Quando isso é trazido à consciência do hospedeiro, deve haver uma aceitação do estado do entrante, ou a experiência será encerrada. Uma vez que houver consciência, a comunicação contínua poderá ocorrer entre a entidade entrante e o hospedeiro.

A comunicação com os entrantes é muito parecida com uma forma mais elevada de canalização. Um entrante pode conviver com pessoas durante todo o dia e ajudá-las em suas tarefas diárias. É uma forma de uma entidade extraterrestre se apresentar, pois uma introdução gradativa é preferível a uma aparição repentina. O espírito do entrante não precisa estar presente 24 horas por dia. É quase sempre mais uma coexistência do que uma incorporação total. Na maioria dos casos em que houve uma incorporação total, ela foi planejada com muita antecedência. Na verdade, uma incorporação total é muito perigosa, a menos que determinadas diretrizes e restrições sejam seguidas.

Milhares de arcturianos atualmente estão atuando como entrantes no plano terrestre. Eles coabitam com hospedeiros terrestres e se mantêm em comunicação direta conosco. Há também entrantes de outras fontes planetárias. Alguns causaram problemas porque violaram as regras básicas desse fenômeno. Infelizmente, aqueles que têm personalidades e percepções de si mesmos mais fracas podem ser confundidos por entidades negativas. Lembrem-se de que a entidade deve sempre partir quando houver uma firme rejeição pela alma humana.

Coabitação Negativa

Fiquem atentos: vocês devem usar o discernimento, pois há exemplos em sua cultura de coabitação negativa. Pessoas que se envolvem em violência e agem de maneira insensata às vezes fingem estar sendo possuídas. Elas se convencem de que os outros estão forçando-as a realizar atos negativos. Isso é uma ilusão. É simplesmente seu próprio eu inferior, energias muito primitivas que foram ativadas dentro delas. O que vocês observarão é uma redução de energia à medida que os mecanismos mais primitivos estão sendo ativados.

Houve casos em que as pessoas erroneamente acreditaram que estavam sendo habitadas por um espírito. Inicialmente, elas foram em parte habitadas, mas depois permitiram que seus egos se envolvessem. Quando uma pessoa deseja usar a experiência do entrante para autogratificação no plano físico, essa energia pode se tornar muito distorcida. As pessoas podem ter experiências muito negativas. É verdade que há forças obscuras no universo. É fato que existem extraterrestres negativos interessados na dominação humana.

Houve homens como Hitler, que trouxeram energia coletiva negativa. Ele não estava agindo sozinho. Ele foi capaz de ativar outras forças negativas que estavam buscando controle, de convocar essas energias e se transformar de uma forma negativa.

Saibam que vocês podem usar a recusa de pensamento, que envolve a renúncia de apegos negativos ao que alguns de vocês chamam de mal. Vocês podem se proteger, a fim de que a negatividade não seja fixada em seus campos áuricos. Vocês se tornarão imunes a energias negativas, de modo que seu espírito se tornará capaz de se mover através do campo energético etéreo nebuloso da Terra sem sofrer dano. Descobrirão que há muitos lugares onde podem ficar presos na densidade e na escuridão, muitas energias que poderiam ser fixadas em vocês. Vocês não desejam isso. Podem evitar essa fixação usando a recusa de pensamento.

Como há confusão e muito bloqueio nas energias ao redor do planeta, vocês geralmente precisam de quanta ajuda espiritual puderem encontrar. À medida que se elevam acima dessas densidades inferiores, podem receber ajuda oferecida por um entrante. Vamos nos concentrar no uso intensificado da energia do entrante. Sananda e os trabalhadores essenciais de sua Fraternidade estão continuamente mantendo contato, encorajando as pessoas a se abrirem em um nível espiritual. O fenômeno dos entrantes continuará a aumentar, porque há a necessidade de uma infusão de energia, a fim de que a humanidade e a Terra deem o próximo passo evolutivo. Neste momento, o planeta está mergulhado em negatividade e sofrendo um grande risco. Será oferecida ajuda de todas as formas possíveis.

Capítulo 10

Dimensões e Corredores

Temos interesse em saber como vocês, como espécie, aceitarão o conhecimento das dimensões superiores. Isso representa um importante passo evolutivo em seu desenvolvimento. Anteriormente, na história do planeta, havia uma compreensão muito limitada das dimensões. A consciência dimensional emergiu apenas durante os últimos 5 mil anos. O desenvolvimento da religião geralmente indica que uma espécie está se tornando consciente de outras dimensões. O primeiro passo na consciência dimensional concentra-se no desenvolvimento de uma religião e na compreensão da existência de um ser maior. O conceito de céu é um grande exemplo de consciência dimensional primordial.

Estudamos as dimensões de diferentes partes da galáxia. Vários lugares na galáxia oferecem diferentes pontos de entrada para outras dimensões. Se vocês conseguissem realmente observar como uma dimensão se sobrepõe a outra, veriam que há uma saliência quando a vida existe em um determinado sistema solar ou em um planeta. Essa saliência é muito espessa. Ela se torna a consistência para os campos cármicos que estão se desenvolvendo no planeta.

Os planetas podem coexistir em diferentes dimensões. Os desenvolvimentos cármicos também deixam vestígios em outras dimensões. O carma é a energia densa que pode ser vista quando entramos na área dimensional da Terra. Apesar de ser uma energia densa, é uma energia incrivelmente interessante, e podemos facilmente interpretá-la. A informação existe na saliência – as áreas cármicas que existem, camada sobre camada, ao redor do seu planeta. É fácil para os arcturianos, os pleiadianos e outras civilizações avançadas interpretar essa energia e ver seu passado.

Alguns extraterrestres visitaram seu planeta e se manifestaram, o que causou algumas interferências. Eles não compreenderam as transformações que podem ocorrer por causa de suas manifestações, nem os efeitos em si mesmos por estarem nesta arena dimensional única que se desenvolveu no plano terrestre. Imaginem submergir na água. Mesmo tendo estudado a geografia subaquática, vocês ainda não compreendem totalmente seus efeitos.

Algumas das entidades de dimensões superiores que vieram ao planeta não precisaram se manifestar. Elas são evoluídas o suficiente para conseguir coletar quaisquer informações necessárias sem se manifestar. Existem importantes informações neste planeta que seriam de utilidade para os outros – informações que poderiam estar relacionadas ao desenvolvimento de toda a galáxia, à energia do Criador e ao ângulo de dimensão específico que está disponível somente na Terra. Muitos desejam estudar como este planeta se torna ciente da transformação para uma existência multidimensional.

Estamos contentes porque muitos de vocês estão percebendo o significado da existência multidimensional, pois ela é a chave para a ascensão e para uma fase evolutiva superior. Quando vocês reconhecerem a existência de outras dimensões, poderão acessá-las. Estejam cientes de que nós, os arcturianos, e outros, existimos em outras dimensões. Estejam cientes de nossa existência e de que interagimos com vocês para ajudá-los em sua iluminação. Uma mensagem essencial sobre a ascensão é que outras dimensões realmente existem e que vocês possuem uma maneira de acessá-las.

A Quarta Dimensão

Nós percebemos que pode haver um pouco de confusão a respeito da quarta dimensão. A quarta dimensão está ligada ao ciclo de encarnação na Terra. É a noção terrestre de um corpo físico, ou a noção de tempo e lugares como vocês os conhecem. Os lugares, no entanto, agora estão expandidos. Eles não se encaixam na estrutura da terceira dimensão, mas estão conectados à sua existência. A quinta dimensão é livre da Terra como ponto de referência. Na quinta dimensão, vocês possuem um corpo espiritual que pode assumir formas desconhecidas para vocês neste momento.

Na quarta dimensão, vocês assumirão uma forma semelhante ao seu corpo físico atual. Na quinta dimensão, vocês podem assumir formas que nunca viram antes ou até mesmo imaginaram em sua estrutura na terceira dimensão. Muitas de suas concepções do céu, por exemplo, e para onde irão em sua evolução, estão mais focadas na quarta dimensão. A quarta dimensão também está mais ligada ao plano astral.

A quarta dimensão é um lugar maravilhoso para se estar. É uma progressão natural. Por que, então, vocês desejariam saltar da quarta para a quinta dimensão? Vocês já estiveram na quarta dimensão antes. Ela não é um lugar novo para vocês. Algumas pessoas podem lhes dizer que, saltando a quarta dimensão, vocês vão perder um aspecto importante que não pode ser compensado. Nós estamos lhes dizendo que vocês já estiveram na quarta dimensão antes em partes de suas encarnações na Terra e entre essas encarnações.

As pessoas falam sobre a quarta dimensão todas as vezes em que estão conversando com vocês sobre suas experiências de quase morte. Elas podem se referir a descer o longo túnel branco e, depois, encontrar amigos e parentes. Muitas pessoas na Terra que morreram ainda residem na quarta dimensão.

Muitas pessoas na quarta dimensão serão capazes de ascender à quinta dimensão quando a ascensão ocorrer. E quanto àqueles que morrerem antes da ascensão? Essas pessoas poderão ascender também? A resposta é sim; haverá uma ascensão a partir da quarta dimensão. Se vocês morrerem por algum motivo antes da ascensão, irão para a quarta dimensão e esperarão. Existem grupos de ascensão na quarta dimensão. Nós também estamos trabalhando com Grupos de Quarenta nessa dimensão. Se vocês fossem para a quarta dimensão, iriam se sentir muito confortáveis. Todos vocês entram nessa dimensão frequentemente durante o sono, e os espíritos animais também residem na quarta dimensão.

A Quinta Dimensão

A quinta dimensão é uma dimensão de luz, repouso e total abertura mental – abertura para os pensamentos dos outros. Não há necessidade de esconder algum pensamento. Os pensamentos são transmitidos imediatamente, direcionando-os a uma pessoa. Se vocês não quiserem que seus pensamentos sejam ouvidos, então simplesmente pensem neles sem uma direção. Essa é uma mensagem muito importante que temos para vocês sobre a telepatia. Quando quiserem transmitir uma mensagem, entrem em contato com a outra pessoa mentalmente. É um equívoco acreditar que, quando vocês se comunicam por telepatia, todos os pensamentos estão abertos a todo mundo. Existe um código inerente de respeito. Nós recebemos apenas aquelas mensagens que são transmitidas a nós. Não vamos invadir sua privacidade. Ao mesmo tempo, reconheceremos o que vocês desejam transmitir a nós.

Chegar à quinta dimensão lhes proporcionará a oportunidade de estar com seus amigos galácticos. No entanto, chegar à quinta dimensão requer uma frequência, uma perspicácia e uma intensidade maiores. É por isso que temos o portal estelar – para garantir que vocês ajustem sua energia e se entreguem à frequência que permite que existam na quinta dimensão. Aqueles na quinta dimensão podem facilmente se mover pela quarta dimensão. Não é como ir da quinta dimensão à terceira dimensão, o que requer determinadas habilidades. Ir da quinta para a quarta dimensão é tão fácil quanto adormecer e entrar em um estado de sonho.

Mover-se da quinta à terceira dimensão requer que se tenha alcançado uma ascendência e uma maestria. Exige uma orientação e um cuidado especiais. Nós não somos guardiões desse processo. Os guardiões do processo de mudança da quinta à terceira dimensão estão sob os reinos de Sananda e Kuthumi.

Nós sabemos que vocês desejam adentrar o reino de nossas naves mãe e viajar interdimensionalmente. Como podem fazer isso? Quando vocês aumentam sua consciência, podem criar incríveis projeções de pensamento e mover seu espírito para os reinos superiores. Vocês podem se projetar através de um túnel de luz, de um buraco no espaço que vocês chamam de terceira dimensão. Não é realmente um buraco como conhecem, mas sim uma abertura ou um corredor no qual podem entrar com sua consciência. Imaginem que essa abertura existe em sua mente. Tragam sua consciência para a abertura e entrem nesse corredor de luz conosco neste momento. Atravessem o túnel de luz. Vocês vão ouvir um som de assobio. Entrem na nossa quinta dimensão.

As dimensões em si estão sobrepostas umas às outras. Quando vocês estiverem na quinta dimensão do nosso planeta natal, embora essa dimensão não seja visível para a Terra, ela ainda estará dentro do reino da galáxia da quinta dimensão e ocupará o espaço da quinta dimensão no sistema arcturiano. A Terra ainda não manifestou sua vibração da quinta dimensão. Enquanto trabalhamos, a fim de ajudá-los a elevar sua vibração até a quinta dimensão, também estamos simultaneamente ajudando a conduzir a Terra para o reino da quinta dimensão. Esse é um ponto importante que deve ser compreendido. O reino da terceira dimensão ainda permanecerá, em um sentido limitado, após a ascensão planetária.

Estamos envolvidos em ajudar a desenvolver portais e linhas de grade da quinta dimensão para a Terra. Nós, assim como os pleiadianos, estamos muito envolvidos nesse projeto. Esse imenso projeto cósmico está indo muito bem e está quase na metade de sua realização. Nós não queremos que isso seja um abalo para a Terra, mas será vivenciado de várias maneiras como um choque quando ocorrer. Existem muitos no lado da terceira dimensão do véu que estão trabalhando para se conectar com uma energia mais elevada e seres superiores. Ao fazer isso, vocês estão efetivamente nos ajudando na sobreposição e interligação das duas dimensões. Essa será uma transformação muito poderosa para vocês e uma satisfação para nós. Uma das grandes funções das sementes estelares é ajudar no processo de interligação, a conexão da terceira à quinta dimensão.

A Luz da Quinta Dimensão

É importante que vocês compreendam como interagir com a luz da quinta dimensão. Nossa grande missão, novamente, está concentrada apenas em unir a terceira à quinta dimensão. Os arcturianos são capazes de lhes transmitir uma luz específica que pode adentrar a terceira dimensão e, assim, chegar a vocês mais facilmente. A transformação de energia no universo é configurada no padrão básico de um emissor e um receptor. Se a energia for transmitida sem um receptor, então o circuito não estará completo. É simples assim. Estamos trabalhando com vocês, a fim de purificar sua capacidade de receber. Quando vocês se permitem uma sensibilidade maior, podem captar essa energia da quinta dimensão.

A energia da quinta dimensão está continuamente sendo transmitida a vocês de diferentes formas. Parte dessa energia está sendo transmitida na forma de ondas de pensamento. Existem aqueles que, como o canal, são capazes de receber nossos pensamentos. Outras sementes estelares estão recebendo a energia da quinta dimensão como música. Algumas delas podem até mesmo traduzir a energia arcturiana em belas músicas. Alguns de vocês podem receber a energia arcturiana para criar pinturas e imagens cósmicas. Alguns podem receber a energia especificamente por meio de sons e tons. Alguns trabalhadores da luz habilidosos podem transmitir essa energia da quinta dimensão por meio das mãos, como uma energia de cura – aqueles que têm a capacidade de trazer energia de cura da quinta dimensão por meio das mãos.

Existem muitas formas pelas quais essa conexão com a quinta dimensão ocorre. A conexão com a quinta dimensão pode acontecer intensamente durante os sonhos. Essa conexão também pode ocorrer por meio da projeção de pensamento. Com a projeção de pensamento, vocês estão buscando se posicionar ou se projetar em nossa arena, que inclui nossas naves, nossos templos e nosso planeta natal. Vocês podem realmente se mover até essa arena. É importante, neste momento, ampliar qualquer meio que vocês tiverem de acessar essa luz da quinta dimensão.

Corredores

Os corredores são conexões entre a terceira e a quinta dimensão, onde uma pessoa que está na terceira dimensão pode experimentar aspectos, poderes e informações da quinta dimensão. Os corredores são suas conexões com a quinta dimensão. É uma verificação, uma prova viva e uma experiência dimensional disponível a vocês neste momento.

Usando sua terminologia científica atual, um corredor é semelhante a um buraco de minhoca. É um lugar onde vocês entram e, depois, podem ir diretamente para outra parte do universo, em vez de terem de viajar, digamos, mil anos-luz. Vocês podem realmente entrar em um buraco de minhoca e sair em outra área sem terem de gastar o tempo linear ou a energia. O conceito é o mesmo para um corredor. Vocês podem entrar em um corredor e ir a lugares a que normalmente não seriam capazes de ir. Isso significa, por exemplo, que um corredor pode levá-los a um local na quinta dimensão.

Nós os chamamos de corredores porque eles são como portais pelos quais vocês não entram realmente no reino, mas estão perto o suficiente para experimentar e sentir a energia dele. A partir de sua perspectiva, isso os leva a um ponto de energia mais elevada. Isso também nos permite alcançar vocês nesses lugares. Para descermos e interagirmos com vocês, precisamos reduzir nosso campo vibracional. Não é uma redução do nosso campo espiritual, mas sim uma redução do campo vibracional físico. Quando nos encontramos nos corredores, nós precisamos diminuir nossa vibração apenas um pouco. Descobrimos, por meio de nosso trabalho junto a vocês, que desejam ascender a uma vibração mais elevada, ou não estariam nos ouvindo ou trabalhando conosco neste momento. É mais desejável que cheguem até um lugar onde elevaram sua vibração. Vocês podem, então, interagir conosco enquanto estiverem em um estado vibracional elevado.

A existência dos corredores também está relacionada ao cinturão de fótons. Vocês leram que o cinturão de fótons só ocorrerá em algum tempo no futuro. No entanto, rastros de energia dos fótons já atingiram a Terra. Vocês pensam em um tempo linear; portanto, esperavam que a Terra e o Sol entrassem no cinturão de fótons em um ano fixo, como no ano 2000 ou 2012. No entanto, rastros iniciais de energia dos fótons já entraram no sistema terrestre antes disso. Esses rastros permitem a criação e o uso dos corredores. As entradas e saídas dos corredores devem ser usadas por vocês.

Os corredores são projetados na Terra por nós e outros seres de energia elevada. Eles podem ser criados para se associar a frequências específicas ou a grupos de pessoas. Os corredores arcturianos são criados para interagirmos especificamente com vocês, as sementes estelares. Os corredores nos quais trabalhamos com vocês são muito energéticos. Por meio desses corredores, podemos conectá-los às nossas naves e a lugares específicos em Arcturus. Nós também podemos direcionar corredores específicos para lugares especialmente para vocês.

Corredores Naturais

Os corredores também podem ocorrer naturalmente na terceira dimensão. As pirâmides egípcias, por exemplo, foram construídas em um corredor natural. Elas foram cuidadosamente alinhadas com os sistemas estelares na constelação de Órion. Lugares na Terra que possuem corredores naturais são muito úteis e importantes. É aconselhável que vocês experimentem a energia nesses corredores específicos. Ela é muito ampla; assim, vocês podem se direcionar a muitos lugares diferentes a partir desses pontos. Os corredores específicos com os quais temos trabalhado com vocês estão conectados principalmente a nossos portos e à energia arcturiana da quinta dimensão.

Os corredores naturais existem em pontos de energia, que vocês também chamam de vórtices. Um grande corredor pluridimensional pode ser encontrado em Montezuma Well, perto de Sedona, Arizona. Ele é como um *shopping center*, no qual há uma seleção de muitas lojas reunidas em um único local. Muitos corredores podem ser acessados a partir desse ponto. Outro complexo de corredores poderoso está localizado na região de Crestone, Colorado. Esse é um ponto de energia central para nós. Fizemos contatos profundos nas montanhas dessa região e podemos usar esse ponto para transmitir e processar energia. Vocês poderiam dizer que ele é como uma estação de parada. Nas profundezas da Terra, nesse ponto, há cristais muito poderosos, que nos auxiliam a transmitir energia a vocês. Nós podemos irradiar energia a vocês, e irradiar energia por meio dos sistemas que interagem com os corredores desse lugar chamado Crestone.

Também existem corredores ao longo das linhas de grade eletromagnéticas da Terra. Os corredores das linhas de grade estão se tornando mais importantes à medida que a Terra muda para a quinta dimensão. É útil trabalhar dentro desses corredores. Os índios nativos americanos, principalmente, conseguiram realizar esse trabalho. Muitos trabalhadores da luz estão, neste momento, viajando pelo mundo abrindo corredores, e isso tem sido muito útil. Notem que algumas vezes esses corredores foram considerados como portais estelares, mas eles são, na realidade, corredores. O significado desses corredores está sendo reconhecido, e ativá-los é extremamente importante. Muitos desses corredores estiveram fechados por longos períodos de tempo, por causa das densidades ao redor do planeta.

Os corredores também conectam a terceira e a quarta dimensões. Vocês realmente entram em um corredor entre a terceira e a quarta dimensões durante o estado de sonho ou quando estão sonhando acordados. Nós, no entanto, estamos trabalhando para movê-los para os reinos superiores da quinta dimensão.

Corredores no Espaço

Corredores interdimensionais também foram criados no espaço sideral. Se vocês desejam viajar para outro sistema estelar, a anos-luz de distância, podem trazer sua nave espacial para o corredor de Júpiter. Esse é um corredor real em seu sistema solar que foi criado por arcturianos, pleiadianos e outros seres superiores. Vocês podem viajar até esse ponto, chamado corredor de Júpiter, e avançar por ele até lugares a muitos anos-luz de distância. O famoso autor Arthur C. Clarke, que é uma semente estelar arcturiana, sentiu o corredor de Júpiter e o descreveu em muitos de seus livros.

O corredor de Júpiter não é o único dentro ou próximo do seu sistema solar. Há também um corredor principal fora do seu sistema solar. Corredores como esse existem entre sistemas estelares e, igualmente, entre diferentes setores da galáxia. Também existem corredores entre galáxias. Infelizmente, a existência de corredores não pode ser comprovada pela ciência da terceira dimensão. Vocês não podem ver os corredores com seus telescópios nem detectá-los com seus instrumentos atuais.

Entrando em um Corredor

Um corredor interdimensional é um campo energético; portanto, pode ser visto ou sentido por aqueles que são sensíveis. Sim, existe uma manifestação física que pode ser vista, mas isso requer uma consciência e uma sensibilidade elevadas. Estamos ajudando-os a desenvolver essa sensibilidade. Aqueles de vocês que não são altamente treinados podem não experimentar a fisicalidade dos corredores. No entanto, quanto mais vocês experimentarem a energia dentro de um corredor, mais se tornarão sensíveis a ela. Vocês elevarão sua vibração ativando e acelerando suas energias no corredor. O corredor é uma conexão física real, mas é uma conexão em uma frequência mais alta. Portanto, a maioria das pessoas não poderá vê-lo.

Todas as pessoas têm acesso aos corredores. No entanto, para entrar em um corredor, vocês devem ter atingido uma determinada frequência, uma vibração mais elevada em seu campo energético. Seres superiores sabem que esses corredores podem oferecer uma oportunidade clara de se comunicar com vocês. É muito mais fácil nos alcançar no corredor. É por isso que sempre afirmamos que é melhor vocês ascenderem a um nível dimensional superior para nos ver e experimentar nossa energia, em vez de nós descermos para sua energia da terceira dimensão mais densa.

Para entrar em um corredor, vocês devem conduzir seu corpo físico para perto dessa área. Então, podem iniciar uma experiência fora do corpo, na qual seu espírito e seu eu etérico deixam seu corpo físico e entram no corredor. Muitos de vocês estão viajando para fora do corpo enquanto dormem, e alguns que são altamente capacitados podem viajar para fora do corpo em meditações rotineiras. No estado fora do corpo, vocês podem entrar em um corredor e viajar para muitos lugares.

Para acessar os corredores, então, vocês devem estar em uma frequência mais alta e ser capazes de deixar seu corpo. No início, recomendamos que fiquem tão fisicamente próximos de um corredor quanto possível. Depois, poderão acessar o corredor remotamente. Queremos contar-lhes que existem válvulas de segurança no corredor, de modo que vocês não possam ficar presos lá dentro. Atualmente, há proteções que os impedem de ir até a quinta dimensão. No momento da ascensão, no entanto, vocês poderão usar os corredores e, confortavelmente, levar seu corpo consigo até eles. Todas as entradas e passagens estarão bem abertas durante esse período. Dessa maneira, vocês podem observar que os corredores desempenham um papel muito significativo no processo de ascensão.

Queremos que usem os corredores e se elevem para fora de seu corpo quando enfrentarem densidades pesadas. Isso não é uma fuga. É simplesmente uma maneira de vocês se elevarem acima da densidade. Saibam que existem atualmente conexões diretas do sistema arcturiano para o planeta Terra, e vocês podem fazer parte desse sistema que estabelece essas conexões. Com a prática, vocês conseguirão efetivamente ativar os corredores conforme sua vontade.

Dentro de um Corredor

Existe um determinado aspecto de proteção em um corredor. Por exemplo, se vocês estivessem em uma catástrofe que causasse uma mudança na Terra, ficariam protegidos em um corredor interdimensional. No corredor, vocês podem temporariamente se tornar invisíveis. Podem prescindir de frequência. Com isso, queremos dizer que, se alguém os visse no corredor, mas não estivesse nele, os veria desaparecer ou sumir.

O tempo muda dentro dos corredores. Da perspectiva da Terra, vocês podem sentir que algumas horas se passaram, mas, no corredor, parecerá um tempo muito curto. O contrário também é verdade. Muito disso depende do que vocês necessitam. É importante que seus corpos físicos estejam em um lugar muito seguro quando entrarem em um corredor. Vocês devem estar sem fome, mas não excessivamente cheios. O corpo deve estar em um lugar confortável, a fim de se manter relaxado.

Enquanto estiverem dentro de um corredor, vocês conseguirão expandir suas consciências à medida que aprimoram suas vibrações eletromagnéticas e aceleram seus níveis de energia e seus processos de pensamento. Mais importante ainda é que seus campos energéticos eletromagnéticos são intensificados. Vocês têm permissão para trabalhar nos corredores. Podem pedir nossa orientação, e nós estaremos lá, ou podem passar por eles sozinhos. Vocês também podem vir para as naves arcturianas pelos corredores.

Há extraterrestres vibrando em uma frequência tão alta, que é difícil para sua forma física ficar perto deles, e o contato com eles causaria uma distorção em seus campos energéticos. Alguns de vocês realmente desmaiariam se ficassem expostos a esse tipo de frequência. Esses seres são muito elevados. Mas, se vocês puderem elevar sua vibração, entrar em um corredor e encontrar um ser como esse, o corredor servirá como uma forma de proteção para vocês.

Nós trazemos agora formas de luz cinza e cinza-prateada. A luz cinza-prateada é um raio prateado brilhante, uma luz prateada irradiante. Ela não é parecida com nenhuma forma de luz que vocês já viram. Essa forma de luz cinza-prateada é um novo raio que oferecemos a vocês. Usem-na para se purificar e despertar o conhecimento celular, pois a luz prateada é uma luz de proteção nos corredores. Quando vocês passam por um buraco negro, podem imaginar que ocorrerá uma desintegração do eu e até mesmo uma perda de consciência. A luz prateada que oferecemos é uma proteção da consciência e da percepção. Enquanto vocês viajam em um corredor com essa luz prateada, não ocorre perda de consciência.

Saibam que seu campo energético eletromagnético está evoluindo, assim como seus processos de pensamento. Este é o momento de entrar no trabalho da energia eletromagnética. A luz cinza-prateada é necessária para acelerar suas vibrações. Nós trazemos a luz neste momento, porque sabemos que vocês estão prontos para isso. Vocês estão vibrando em uma intensidade boa, mas podem vibrar de forma muito mais elevada. Não haverá problemas para seu corpo ou seu sistema se moverem para uma frequência mais alta agora. Vocês podem suportar isso porque seu corpo está em equilíbrio para suportar uma frequência mais alta.

Mantendo os Corredores Abertos

Nós usamos os corredores para nos conectar com seu nível de consciência. Porém, a rotação do planeta e os diferentes níveis de densidade continuam aumentando. A densidade em si está criando algumas dificuldades. Está cada vez mais difícil enxergar através da energia da terceira dimensão. É por isso que é importante manter esses corredores abertos. Essa densidade está envolvendo o planeta em muitos níveis. As pessoas acharão mais difícil enxergar através da realidade de sua existência. A densidade será tanta, que causará ódio e escuridão.

A questão não é como fechar um corredor; ele se fechará por si mesmo. A questão é como mantê-lo aberto. Se vocês não querem que alguém use um corredor específico, aconselhamos que não se preocupem com isso. Isso pode ser comparado a uma pessoa não sentir nada nos vórtices de Sedona, que são enormes corredores naturais. Algumas pessoas não estão prontas para vibrar nessa frequência mais alta, mas podem ser influenciadas se ficarem por perto por tempo suficiente. Um corredor aberto não pode prejudicar ninguém. O tipo de energia necessário para fechar um corredor pode ser causado por vários comportamentos negativos, como consumir álcool ou drogas, assistir à violência na televisão, brigar, gritar, xingar ou tocar música negativa de baixa vibração.

O que estamos dizendo é que precisamos manter tantos corredores abertos quanto possível. Os corredores podem ter muitas variedades. Os grandes são como os vórtices em Sedona ou em Montezuma Well, Arizona. Existem grandes corredores naturais em diferentes partes dos Estados Unidos, e eles precisam ser mantidos abertos. É por isso que grupos se reunirão em determinados lugares por todo esse país para ativar os corredores. Esse é um grande serviço espiritual.

A partir de nossa perspectiva ao visualizar o processo da Terra, observamos a necessidade de todas as sementes estelares terem um forte senso de distanciamento dos fatos que estão ocorrendo na Terra. Por outro lado, vocês precisam ter um forte vínculo para trabalhar nos corredores e integrar as vibrações de energia que chegam a vocês dos reinos superiores. Os corredores estão se tornando cada vez mais importantes à medida que a instabilidade no planeta se intensifica. Há mais pressão nos corredores, e também mais necessidade de os trabalhadores da luz os utilizarem.

Os corredores se tornarão uma salvação para vocês. Nós os criamos em muitas áreas. Existem áreas de energia no Arizona com o canal, e outras áreas sendo desenvolvidas em relação aos grupos que se formam. Nosso objetivo em relação aos membros dos Grupos de Quarenta é estabelecer ao menos 1.600 corredores individuais ao redor do mundo.

Talvez vocês desejem desenvolver outros corredores ao redor da área em que vivem. Ao estabelecer novos corredores, estão ajudando a solidificar a interação dimensional e a conectar a terceira e a quinta dimensões. Não há nada mais poderoso que vocês possam fazer atualmente. Sabemos que poderíamos falar sobre a limpeza dos oceanos, o salvamento das florestas ou a purificação do ar. Embora tudo isso seja muito importante, cada um desses fatores é apenas uma pequena parte do plano total. Quando vemos a perspectiva geral, observamos que a Terra necessita de mais energia da quinta dimensão e de vibrações mais elevadas, e ela precisa liberar sua energia densa e negativa.

Um Encontro no Corredor

Nós somos os arcturianos, e eu sou Juliano. Peçam a ativação de um corredor pessoal acima de sua cabeça neste momento. Vejam um corredor de energia circular se abrindo acima de vocês. Raios de luz dourados de uma de nossas naves estão inundando seu corredor com luz brilhante, e o corredor se expande para abranger toda a sua área. Vou ajudar a ampliar esse corredor e fazer com que recebam mais energia dele. Peço-lhes que olhem para o corredor com seu terceiro olho, e vocês verão uma imagem de mim parado ali.

Vocês me verão cercado por um halo dourado. Esse halo é tanto uma proteção para mim quanto é um sinal de energia mais elevada pela sua perspectiva. Sou guiado por esse incrível halo protetor, pois estou saindo da quinta dimensão para esse corredor. O corredor também é útil para nós quando estamos a seu serviço. Ele proporciona um lugar para nos conectarmos com vocês, uma vez que ainda não queremos aparecer em seu reino da terceira dimensão.

Irradiem energia do seu terceiro olho para fora enquanto olham para o corredor. Há um enorme círculo de energia que estou transmitindo agora. Esse círculo de energia é composto por 15 esferas combinadas na forma da Árvore da Vida. Essa árvore, na verdade, possui 12 esferas em vez das dez, observadas na sua Árvore da Vida da Cabala judaica. Em nosso trabalho, existem 12 delas. Recebam a explosão de energia dessas esferas. O círculo de luz, símbolo das esferas, desce e deposita sua energia em seu terceiro olho. Ele ativa os corredores. Sintam os raios de luz entrando em seu terceiro olho ao receber essa energia. Eu sou Juliano.

Capítulo 11

O Portal Estelar Arcturiano

Nós nos aproximamos do portal estelar arcturiano com profunda reverência. Nele ocorre uma experiência atemporal. Trata-se de um portal multidimensional para a galáxia e além. O portal estelar é uma central para missões de almas galácticas. Imaginem chegar a um local onde vocês entram por um caminho, mas do outro lado podem ter cem mil portais diferentes indo para diferentes áreas da galáxia. Vocês precisarão de ajuda para se alinhar ao portal correto. Uma vez que passarem por um portal do outro lado do portal estelar, estarão comprometidos com esse processo. Por exemplo, se escolherem o portal para retornar à Terra, então entrarão em uma encarnação na Terra novamente. No entanto, podem não querer fazer isso. Vocês podem querer deixar a Terra permanentemente.

Vocês podem observar o portal estelar como uma experiência instrutiva e direcionadora. Quando estiverem no portal estelar, podemos ajudá-los a examinar cada portal. Vocês podem ver outras possíveis existências nas quais adentrar. Então, têm a capacidade de projetar seu futuro nessa possível existência. Com base nessa projeção, podem decidir se vão entrar ou não nessa vida. Alguns de vocês desejam retornar aos seus planetas. Vocês ainda podem se beneficiar mais passando um tempo em Arcturus, antes de retornar para seu planeta natal. Sabiam que alguns de vocês vieram através do portal estelar antes e escolheram o portal da Terra? Vocês vieram a esta encarnação como sementes estelares. Alguns de vocês podem decidir permanecer no sistema do portal estelar por um tempo. Há amigos, almas gêmeas, digamos, esperando por vocês agora no portal estelar.

O portal estelar pode ser descrito como um aparato holográfico multidimensional. Ele não é unidimensional, porque está diante de muitos lados que levam a diferentes dimensões. Ele pode ser descrito como uma construção infinitamente grande que possui muitos portais e centros de cura. Vocês podem ter entrado no portal da terceira dimensão, mas também existe um portal da quinta e da sexta dimensões, assim como portais para outras áreas da galáxia.

O portal estelar é verdadeiramente um palácio interdimensional. Jardins amplos e câmaras de cura, alguns deles multidimensionais, podem ser encontrados nesse incrível palácio. O portal estelar abriga muitos mestres que estão nele, a fim de trabalhar com vocês, guiá-los e ajudá-los. Trabalharemos com vocês para levá-los da ascensão para nossas naves, e das nossas naves para Arcturus e para o portal estelar. É emocionante imaginar que muitos milhares de corpos de luz da Terra chegarão ao portal estelar durante a ascensão.

O portal estelar arcturiano foi chamado de a joia da galáxia. Aqueles que olham diretamente para ele são imediatamente transformados. Ele vive nas memórias de sua alma. Alguns de vocês passaram pelo portal estelar como sementes estelares e vieram para a Terra através dele. Em suas meditações, vocês podem agora ir para a área do portal estelar. Podemos levá-los até câmaras e portais ao redor dele, mas não podemos, no momento, levá-los para processamento. Ser processado significa deixar a Terra e seu corpo.

Nem todos na Terra passarão pela experiência do portal estelar. Alguns de vocês vão permanecer em determinados agrupamentos encarnacionais, como os mórmons ou a alma-grupo do Reverendo Moon. O portal estelar é somente para as sementes estelares e para aqueles que despertaram como seres dimensionais galácticos. Nem todos vocês chegaram a esse ponto em sua evolução, e, honestamente, alguns de vocês nem querem. Vocês descobrirão que existem outros métodos de evolução no universo, mas nenhum tão eficaz quanto o portal estelar. O portal estelar arcturiano é para cidadãos galácticos em evolução. O portal estelar ativa existências de dimensões superiores. Ele se conecta à sexta e à sétima dimensões, bem como à quinta dimensão. No entanto, vocês não poderão vê-las até que tenham sido purificados.

Existem outros dois portais estelares galácticos, além do portal estelar arcturiano; contudo, eles não são tão desenvolvidos quanto o nosso. Nossa galáxia foi dividida em três áreas principais. Os três portais estelares abrangem os três setores da nossa galáxia da Via Láctea. O portal estelar arcturiano está conectado aos outros dois portais estelares. Nós também podemos enviar vocês desse portal estelar para os outros portais estelares.

Guardiões do Portal Estelar

O controle e a manutenção do portal estelar são uma função muito importante nesta galáxia. Qualquer um que alcançar um nível no qual é possível deixar o ciclo de encarnação na Terra e que deseje ir para planos ou planetas superiores em outras dimensões dentro do nosso sistema local terá de passar pelo portal estelar.

Os arcturianos são os guardiões e os administradores do portal estelar. Atualmente, somos responsáveis pelo portal estelar; por isso ele é referido como o portal estelar arcturiano. Outros seres estão em treinamento para nos ajudar. Estamos recebendo muito auxílio dos pleiadianos em relação a isso. Outras espécies estão ajudando aqueles que estão muito evoluídos e com os quais vocês não estão familiarizados.

Como vocês sabem, estamos perto da Terra. É nossa proximidade a esse setor da galáxia que nos conduz a um relacionamento especial com vocês. Mas o que nos conduz a vocês não é tanto a proximidade física real quanto são nossas realizações espirituais e nossa presença da quinta dimensão. É também por isso que o portal estelar está em nossa área. Ele e sua administração são passados a cada 52 mil anos para outro detentor. Se outro detentor não estiver pronto, ele permanecerá com os arcturianos por um período de tempo equivalente. É uma honra sermos os detentores do portal estelar para esse incrível processo de ascensão planetária que está diante de vocês.

A Funcionalidade do Portal Estelar

O portal estelar arcturiano é uma manifestação espiritual individual como um planeta, uma estrela ou um buraco negro. O portal estelar é uma criação. É uma força energética única que se desenvolve e evolui por si só. Cada pessoa que passa pelo portal estelar se torna temporariamente parte dele, e vocês, de certo modo, participam da energia e da consciência do portal estelar.

O portal estelar está evoluindo para se tornar uma entrada para dimensões superiores. Ele evolui para se transformar totalmente na próxima dimensão. Assim, ele se tornará uma entrada da quinta para a sexta dimensão. O portal estelar pode conter milhões de almas. É difícil determinar uma coordenada espaço-temporal para ele, porque, como uma porta de entrada, é considerado parte da quinta dimensão. Nela, o espaço e o tempo têm um significado diferente. Não podemos lhes oferecer uma noção física do portal estelar. É possível apenas dizer que o portal estelar é tão grande quanto necessita ser.

O portal estelar está aberto apenas por um período limitado. Alguns de vocês realmente estiveram em um planeta, até mesmo na Terra, e não conseguiram reencarnar em outro sistema planetário galáctico porque o portal estelar estava fechado. Algumas almas foram, por necessidade, forçadas a permanecer na Terra até que o portal estelar fosse reaberto. Muitas sementes estelares conhecerão o caminho para o portal estelar, e elas o utilizarão. Será como um despertar de memórias. Isso será muito reconfortante para vocês.

Por fim, esse portal estelar será fechado quando as tarefas atuais forem concluídas. Quando as almas evoluídas completarem sua transição, o portal estelar será fechado. Seus portais se abrem e se fecham em momentos diferentes. Estamos em um período e em um padrão evolutivo dessa seção galáctica nos quais o portal estelar está aberto à Terra. Ele tem um ciclo, e o ciclo se abre e se fecha. Vocês estão em um período no qual podem participar de sua abertura. Em parte, é por isso que muitos de vocês vieram para a Terra como sementes estelares, como pessoas de outros planetas, porque vocês sabiam que poderiam retornar e voltar pelo portal estelar novamente.

O portal estelar se abre e se fecha para diferentes seções da galáxia. Sua seção está aberta agora. É difícil explicar isso, pois é um conceito multidimensional. Por exemplo, podemos dizer que o portal estelar está fechado, mas isso poderia significar que ele está fechado apenas para a Terra. Ele se abriu para a Terra em 1987, e permaneceu aberto até 2017. Haverá períodos depois disso nos quais ele será reaberto, mas aquele foi um momento principal ou ideal. Compreendam que vocês devem aproveitar isso. Ao se aproximarem do portal estelar, poderão contornar o ciclo de encarnação da quarta dimensão.

O Processo de Cura e Purificação

O portal estelar arcturiano pode ser considerado como uma câmara de cura, um portal de cura no qual nós os ajudaremos em sua purificação final para a ascensão. Especificamente, as câmaras de cura no portal estelar fornecem uma frequência de luz que ajuda a acelerá-los e purificá-los. As câmaras de cura também serão capazes de aumentar sua energia. No portal estelar, vocês entrarão em uma série de câmaras de luz que os ajudarão a remover as densidades e formas estruturais consideradas pesadas.

Ideias e densidades de encarnações anteriores ainda estão em suas auras, e elas precisarão ser removidas. Vocês precisarão ser purificados de padrões de energia negativos. A remoção não é tão simples como eliminar algo. É verdade que vocês podem cortar os cordões de ligação com o plano terrestre. No entanto, ainda possuem cicatrizes persistentes em seus campos energéticos que precisam ser purificadas. Uma coisa é cortar os cordões de ligação. Outra coisa é estar em uma vibração totalmente curativa que lhes permitirá entrar no reino da quinta dimensão, o reino do portal estelar arcturiano.

Nós também os ajudaremos no portal estelar de outra maneira. No sistema arcturiano, nossos filhos são educados e treinados de uma maneira que coincide com seu próprio bem maior e sua missão individual. No portal estelar, nós também podemos oferecer esse processo a vocês. É possível aprender muito sobre vocês e ajudá-los em sua purificação, de modo que possam ir para a área apropriada da galáxia em alinhamento com seu bem espiritual maior.

Entrada no Portal Estelar

O portal estelar arcturiano está agora disponível a vocês por meio da projeção de pensamento. Vocês não podem passar pelo portal estelar até completar essa encarnação, mas podem ir até ele por meio da projeção de pensamento e ver uma infinidade de escolhas. Essas escolhas são baseadas em sua frequência e sua vibração. Vocês só podem passar por determinadas entradas se tiverem alcançado a frequência vibratória aprendendo as lições que vêm com o amadurecimento e a integração de sua energia na terceira dimensão. Sua frequência automaticamente determina por quais entradas vocês podem passar.

Sabe-se na galáxia que uma pessoa não pode sequer se aproximar desse portal estelar sem a frequência apropriada. É necessária uma determinada aceleração de energia para se aproximar do portal estelar. Isso requer um alto nível de energia espiritual. Ainda desconhecida para a maioria dos seres humanos, a energia espiritual é uma das forças mais poderosas e criativas do universo.

Sua entrada no portal estelar será o auge de seu trabalho de ascensão. A ascensão pode ser vista como uma aceleração e também como um salto de vários processos, um salto adiante. Isso é semelhante a pular anos escolares. Vocês poderiam estar no oitavo ano e, de repente, ir para o décimo ano. Poderia haver experiências no nono ano das quais teriam se beneficiado, mas o objetivo geral de se formar o mais rápido possível prevalece sobre permanecer na escola por mais tempo. Quando vocês entrarem no portal estelar, estarão em um processo de aceleração. Vocês podem saltar uma ou duas vidas. Vocês estão em uma situação na qual precisarão avançar rapidamente.

Vocês esperaram muitas vidas para chegar a uma posição como esta, na qual podem entrar em um portal estelar e, conscientemente, direcionar seu progresso. Conforme dissemos anteriormente, o acesso ao portal estelar é limitado àqueles que alcançaram um nível específico de realização. No entanto, por causa da aceleração e do acesso às energias da ascensão, sua oportunidade de entrar no portal estelar chegará em um período muito mais cedo. Vocês podem pensar que precisam passar por muito mais vidas ou aprender muito mais; no entanto, estão prestes a dar um salto quântico.

Tudo o que está acontecendo – tudo o que está se movendo em direção a essa incrível fase de seu planeta – pode ser visto como um salto evolutivo. Esse salto na consciência vai aproximá-los do ponto em que podem literalmente pular para o portal estelar. A ascensão pode ser vista como algo no qual conseguem avançar talvez dez ou 15 vidas em um tempo muito curto, realizando um trabalho intenso por meio do qual obterão acesso ao portal estelar.

Muitos canais pelos Estados Unidos e pelo mundo estão falando de portais estelares. Estamos no processo de conectar muitos pontos de grade poderosos no planeta, principalmente no México e na América do Sul, ao portal estelar arcturiano. Nosso vocabulário é um tanto diferente porque não nos referimos a uma abertura ou a um vórtice como um portal estelar, mas sim como um corredor. Vocês podem conectar um corredor a um portal da quinta dimensão que lhes trará energia constante do portal estelar. O portal estelar arcturiano é o único portal estelar nesta seção da galáxia em direção à qual estamos todos evoluindo.

As pessoas perguntam se existe um lugar específico no planeta que ofereça um acesso melhor ao portal estelar. Crestone, Colorado, é atualmente uma das áreas mais abertas do mundo que se conecta ao portal estelar arcturiano. Um corredor muito poderoso na região de Crestone permitirá que muitas pessoas acessem o portal estelar. Trabalharemos com vocês para aprimorar e ampliar seu acesso a esse portal.

Escolhendo Sua Próxima Existência

O portal estelar é um portal no verdadeiro sentido da palavra: um portal para as estrelas. Essa é, no entanto, uma explicação simplificada. Ele é uma entrada para muitas dimensões diferentes nos sistemas estelares. Vocês podem atravessar o portal estelar e usar sua energia para se impulsionarem para o próximo reino dimensional, o próximo planeta ou a próxima área da galáxia para a qual desejem ir.

Esse ponto de processamento do portal estelar pode facilitar que vocês sejam enviados para diferentes planetas, como planetas no sistema de Antares, as Plêiades ou até mesmo planetas em outra galáxia. Vocês não podem ir diretamente de um planeta para outro, a menos que passem por esse portal estelar. Vocês estão começando a perceber a importância do portal estelar. Se desejarem retornar ao seu planeta natal nas Plêiades, por exemplo, e estiverem prestes a experimentar a ascensão ou até mesmo a morte física, então poderão se projetar pelo portal estelar e para as Plêiades por conexão direta.

Existem entradas que levam a outras entradas. Por exemplo, uma entrada mundial da quinta dimensão pode levá-los a entradas em outros reinos da quinta dimensão. Outras entradas poderiam levá-los de volta a alguns reinos da terceira dimensão, como a Terra ou outros planetas, mas a um nível vibracional muito mais elevado. Vocês poderiam até mesmo observar outra entrada que oferece opções de galáxias da quinta ou da terceira dimensão. Suas escolhas tornam-se aritmeticamente progressivas.

Nós temos muitas habilidades no portal estelar. Com a permissão que recebemos de Sananda e do Alto Conselho, podemos explorar outra encarnação na Terra para vocês. Se vocês tiverem algum trabalho inacabado na Terra, podemos direcioná-los ao portal, a fim de que consigam realmente observar essa vida se estiverem para voltar. Observando a vida em potencial pela entrada do portal estelar, vocês podem assimilar as lições de lá sem entrar na encarnação. Amigos da Terra, isso é a alta tecnologia na galáxia! Podemos fazer isso porque vocês são sinceros em seu desejo de vir a Arcturus e ao portal estelar. Haverá períodos limitados e difíceis pela frente na Terra, e retornar para outra vida na terceira dimensão não seria uma encarnação muito agradável.

Uma de suas escolhas é voltar para a Terra através do portal estelar. Um dos portais retorna à Terra. Se vocês escolherem retornar à Terra, voltarão como um ser da quinta dimensão. Uma construção criativa está atualmente em andamento para a quinta dimensão da Terra. Tenham certeza de que lugares especiais estão sendo desenvolvidos para vocês.

Se uma pessoa que evoluiu para a quinta dimensão decidir retornar para a terceira dimensão, ela precisará voltar como um mestre ascensionado. Nenhum de vocês que são sementes estelares já residiu na quinta dimensão totalmente. Com isso, queremos dizer que nenhuma das sementes estelares que estão atualmente na Terra concluiu seus ciclos de encarnação, o que lhes permitiria permanecer totalmente no reino da quinta dimensão. Como sementes estelares, vocês só foram expostos à energia da quinta dimensão em encarnações anteriores não terrestres.

O portal estelar é uma ferramenta importante para trazer a quinta dimensão da Terra à realidade, pois isso requer uma infusão de seres da quinta dimensão de volta à Terra. Aqueles de vocês que estão se perguntando se serão ou não capazes de retornar à Terra podem primeiro ir para o novo nível da quinta dimensão do plano terrestre e, então, poderão aparecer na terceira dimensão. Isso tornará mais desejável a vocês escolher retornar.

Processamento de Alma

Imaginem que existe um local de processamento para sua alma que os coloca de volta ao processo de encarnação na Terra. Vocês sabem que possuem muitas vidas no sistema terrestre. Após cada vida, devem se encontrar com seus mestres e processar diferentes aspectos de sua encarnação antes de serem direcionados a uma nova encarnação. O portal estelar arcturiano tem uma função semelhante, processando-os em diferentes sistemas planetários galácticos.

O portal estelar arcturiano é uma responsabilidade sagrada. Qualquer trabalho envolvendo a alma, como viagem ou processamento de alma, é reconhecido como um trabalho sagrado. Vocês podem considerar o portal estelar como um centro de processamento de alma. Quando atuarem nesse nível, perceberão a santidade e a pureza desse trabalho. Queremos torná-los cientes da santidade do portal estelar. Muitos seres da classificação Elohim estão nele; entre eles está o Arcanjo Metatron. Como estamos lidando com decisões sobre viagem e processamento de alma, muitos seres superiores estão presentes.

O portal estelar arcturiano pode manifestar situações celestiais, como encontrar Metatron ou outras grandes presenças angélicas. O portal estelar oferecerá educação, processamento e desenvolvimento para transformação pessoal, bem como a capacidade de avançar para o nível e a frequência apropriados à sua próxima encarnação.

A enorme quantidade de energia gerada pelo portal estelar é necessária para processar almas. Milhares ou até mesmo milhões de almas estão sempre em processamento. Nós vemos isso como uma das funções mais importantes do nosso trabalho. O portal estelar também tem a função de introduzir as almas recém-criadas em seus primeiros sistemas planetários. Vocês podem compreender como é incrível esse lugar, o centro de processamento de almas que entram e saem para esse setor da galáxia.

Sananda controla ou supervisiona o grupo de seres humanos que virão da Terra pelo portal estelar – ou, digamos, que estão se aproximando do portal estelar da Terra. Outros seres – arcturianos, pleiadianos, aqueles de sistemas estelares cujos nomes vocês desconhecem – também estão ajudando a introduzi-los e direcioná-los aos corredores necessários que levam aos reinos superiores. É muito importante compreender a grande variedade de escolhas que vocês possuem antes de chegar ao portal estelar. Existe uma grande rampa de retorno para a Terra. Sananda a supervisiona. Seres humanos virão da Terra e retornarão a ela como mestres da quinta dimensão usando essa rampa. Outros mestres ascensionados além de Sananda também estão nos ajudando.

Esse incrível portal estelar é uma enorme operação, realmente capaz de processar simultaneamente milhões de almas. Temos trabalhado muito próximos a Sananda em preparação para o enorme influxo de seres que entrarão no portal estelar arcturiano durante a ascensão. Pedimos que a energia de todos os seus mestres e guias esteja com vocês e os ajudem a se alinhar com seu propósito mais elevado, concentrando-se em sua missão espiritual e sua evolução para o próximo nível.

O Portal Estelar foi a primeira pintura da série de imagens arcturianas recebida para este livro. Foi a primeira pintura que os arcturianos pediram que eu fizesse.

Os arcturianos descreveram o templo do portal estelar como tendo um estilo oriental, como um pagode. Ele está no planeta azul-esverdeado de Arcturus, com um sol amarelo-esverdeado. Um corredor multidimensional se estende da Terra ao templo. Seres terrestres estão subindo pelo corredor para, finalmente, transcender a realidade da terceira dimensão, movendo-se através do portal estelar. Existem três luas; portanto, nunca há escuridão total. As Plêiades são visíveis no céu. Os arcturianos pediram que eu incluísse todos esses detalhes especificamente e demonstraram estar preocupados quanto a se eu conseguiria colocar todos os conceitos em uma única imagem. Incluídos na imagem estão os arcturianos subindo o caminho da montanha até o templo. Seu planeta é aparentemente muito montanhoso.

O portal estelar se assemelha a uma joia multidimensional com nuances douradas acima do templo. Após coletar informações e receber orientação e cura no templo, os seres se movem para a luz ao passar pelo portal estelar.

O Portal Estelar Arcturiano

Gudrun Miller

O Templo Arcturiano

O templo arcturiano é uma área de preparação e purificação conectada ao portal estelar. Devemos enfatizar que vocês atualmente estão chegando ao ponto de ser processados. Para fazerem isso, devem essencialmente perder seu ego. Sua identidade como um ser terrestre deve ser integrada, porque seu eu superior prevalece. Na área do templo, vocês podem integrar seu ego, seu eu inferior e seu eu intermediário ao eu superior por meio de um processo de fusão. Dessa forma, não sentirão como se estivessem em choque e não perceberão uma perda de consciência. Se vocês passarem pelo portal estelar sem o processamento, poderão perder a consciência. Vocês devem se preparar para essa transformação superior. É especialmente vantajoso para vocês se moverem e trabalharem dentro da área do templo.

Entrem no corredor conosco. Sintam a energia pulsante à medida que sobem pelo corredor até a nossa nave e entrem em uma de nossas câmaras de cura. Nós trazemos neste momento uma luz azul-esbranquiçada para infundir em vocês uma energia intensificada. Essa luz trará a vocês uma nova clareza mental. Essa clareza mental lhes proporcionará um tom azul brilhante sobre sua aura que os ajudará a observar o que está ocorrendo em sua vida com clareza. Buscamos purificar e limpar seu subconsciente, assim como promover sua clareza mental consciente.

Neste momento, trazemos para o centro da sala um enorme e belo cristal azul e branco que nunca foi visto em seu planeta em forma física. Nós permitimos que esse cristal desça em uma câmara até o centro da sala. Vocês podem participar concentrando seu terceiro olho como um raio de luz no cristal. Agora, podem interagir com o cristal, e esse cristal pode lhes trazer uma sensação especial de paz e clareza.

A missão arcturiana é ajudá-los nos aspectos importantes de sua união espiritual com o portal estelar e sua união espiritual com o templo arcturiano. Todos vocês podem fazer isso. Não importa a densidade dos problemas que estão enfrentando, vocês ainda podem vir até nós. Agora, pedimos que unam sua consciência a esse cristal.

Vejam um templo magnífico em Arcturus diante de vocês, e então entrem no belo templo arcturiano. Ele é um templo gigantesco de luz azul. Vocês estão aqui, a fim de que possam aprender a se tornar transformadores para a ascensão e transformadores dos campos energéticos da Terra. Vocês estão agora recebendo fortes vibrações de luz. Estamos trabalhando com sua energia do DNA e toda a sua estrutura biológica. Vocês possuem um corpo interno e um corpo externo. Seu corpo externo é o que vocês veem na presença física na Terra. Nós trabalhamos com vocês em seu corpo interno. Isso agora será trazido à luz.

O templo arcturiano é uma estrutura multidimensional. Existem literalmente incontáveis seres aqui. Ao olhar em volta, vocês estarão cientes de outros que estão interagindo, mas não exatamente no mesmo espaço. Há outras pessoas chegando aqui para receber essa energia. Olhem para cima e observarão outras pessoas realmente passando pelo portal estelar e indo para outros sistemas estelares. Vocês não têm permissão para passar pelo portal estelar agora, mas olhem para ele dessa posição no templo. Vocês observarão que ele é um belo portal de joias que leva a outros reinos por toda a galáxia. Vocês podem observar outras pessoas passando pelo portal. Conforme elas passam, transformam-se, deixando para trás o invólucro de seus corpos antigos. Elas deixam seus corpos antigos com alegria! É um alívio que resulta em uma leveza – uma nova energia, uma nova luz – que está chegando.

Somente aqueles como vocês que estão se purificando e que possuem uma forte energia etérica podem compreender o significado do portal estelar e começar a se preparar. Nós vamos ativar seus códigos. Estamos trabalhando com vocês agora, a fim de que sejam ativados no momento adequado. Agora, vocês estão ativados para entrar em alinhamento com a energia do portal estelar. Isso ainda não significa que possam passar por ele, mas estão recebendo luz e ativação do portal estelar. Recebam essa luz dourada do portal estelar e do templo em Arcturus.

Capítulo 12

O Templo de Cristal de Tomar

Eu sou o Arcanjo Metatron. É meu objetivo guiá-los à sua missão de alma superior nos reinos que estão esperando por vocês. Como o tempo não é linear, vocês já estão experimentando parte de sua consciência dessa nova missão. Vocês são multidimensionais. Estão simultaneamente movendo sua consciência em muitos lugares diferentes. É o desejo dos mestres que vocês se tornem cientes de sua consciência e existência multidimensionais.

Eu trabalharei com vocês para desvendar seus códigos. Determinados códigos controlam o acesso às suas vidas passadas, de modo que não sejam inundados por memórias que são muito difíceis, dolorosas ou confusas. Existem também códigos que bloqueiam seu conhecimento para a consciência em outros reinos. Esses códigos podem ser temporariamente quebrados e removidos, de modo que consigam mover seus pensamentos para o portal estelar.

Eu vou passar por vários encantamentos e, em seguida, oferecer a vocês instruções tonais. Por fim, vocês receberão mais instruções sobre como entrar nesses reinos. Nós começaremos primeiro com *Kadosh, Kadosh, Kadosh, Adonai Tzevaot* [hebraico para "Santo, santo, santo é o Senhor dos exércitos"]. Essas palavras vão desvendar os primeiros códigos. Em seguida, iremos para o segundo nível: *Eheyeh Asher Eheyeh* [hebraico para "Eu Sou o que Sou"]. Que os códigos bloqueados sejam desvendados. Que sua consciência esteja aberta a todas as missões de alma quando vocês adentrarem, em pensamento, a pré-câmara do portal estelar arcturiano. Eu sou Metatron.

O Templo de Cristal

Nós lhes enviamos saudações dos nossos mestres espirituais arcturianos que estão se conectando conosco e desejam muito lhes transmitir uma visão poderosa. É uma visão de beleza espiritual em um templo em Arcturus. Esse templo magnífico está construído ao redor e em cima de um grande lago. O templo externo tem a aparência de uma gigantesca estrutura hexagonal com uma ponta triangular no topo. No lago, há um enorme cristal com o qual também estamos nos conectando. Esse cristal é um poderoso portal para a consciência galáctica, dimensões superiores e memórias de vidas passadas.

Eu sou Tomar, e gostaria de levá-los ao templo de cristal arcturiano. Em sua consciência, subam para uma das câmaras de cura em nossa nave. Agora, sintam-se girando e flutuando em uma luz azul muito bela. Observem um enorme portal diante de vocês. Um número incontável de almas como vocês está flutuando para esse belo portal. Agora, vamos girar novamente e subir para o próximo nível, para o templo de cristal arcturiano. Estamos em um enorme local com uma cúpula em Arcturus, usado principalmente para cura. Nós também chamamos esse local de câmara de cura do cristal. Enquanto vocês se sentam na margem desse incrível local, podem observar um enorme cristal nas águas profundas. Nós manifestamos esse cristal para poderes especiais.

Ainda mantemos contato com sua forma física. Quero que vocês coloquem as duas mãos com as palmas viradas para cima, em direção ao centro da sala. Vocês estão, agora, em três lugares ao mesmo tempo: na forma física na Terra, em uma câmara de cura em nossa nave e no templo de cristal arcturiano. Temos muito cuidado em integrar o trabalho de cura que estamos realizando com vocês em todos esses três níveis.

Nós estamos dentro do templo, sentados juntos e observando o lago. Podemos ver os raios de luz e o poder do cristal que está nesse lago. O lago tem cerca de 1,5 quilômetro de diâmetro. O cristal tem aproximadamente 400 metros de diâmetro e está emitindo uma luz poderosa. Por ser tão poderosa, a água permite diminuir a energia do cristal de modo que as pessoas possam assimilá-la.

Nós não podemos olhar diretamente para o cristal. Sabemos que olhar diretamente para o cristal sem a água ao seu redor é arriscar fundir a consciência e ser enviado imediatamente para outra encarnação, o que não desejamos que vocês façam neste momento. No entanto, podemos ajudá-los a olhar com segurança para esse poderoso cristal no lago.

Nessa bela área do templo, há muitos cantos e entoações. Diversos seres em vestes brancas estão conosco, e estão presentes outros seres galácticos que vieram por essa energia do cristal. O cristal é um aspecto interdimensional do portal estelar que está localizado no templo arcturiano. Esse cristal está conectado ao portal estelar arcturiano de uma maneira muito interessante. Há seres de luz de dimensões superiores que frequentemente vêm pelo cristal.

Uma poderosa energia de amor é emanada do cristal. Ela vem de uma força intergaláctica poderosa conhecida como Conselho de Andrômeda. O Conselho de Andrômeda concentra uma energia de amor para a consciência crescente com a qual nós, os arcturianos, estamos trabalhando. Ele envia essa força de amor para todos que estão meditando sobre o poderoso cristal. Ele sabe que o amor que envia por meio desse cristal é o mais curativo para todos no planeta Terra. Vocês recebem essa força de amor.

Um Fio de Luz

Eu sou Juliano. Gostaria de conectar um minicorredor, ou um fio de luz, de vocês a uma abertura da quinta dimensão no templo de cristal de Tomar. Vocês terão essa conexão cosigo 24 horas por dia. Isso significa que sempre terão acesso a uma perspectiva e conexão da quinta dimensão em todas as suas atividades. Possuir esse dom de luz permitirá que se tornem trabalhadores da luz muito mais poderosos.

Agora, especificamente, como esse fio de luz vai influenciá-los em sua vida cotidiana? Quando vocês tiverem uma perspectiva da quinta dimensão continuamente, terão um novo senso de desapego das atividades da terceira dimensão e serão capazes de vê-las claramente a partir de uma perspectiva da quinta dimensão. Vocês também observarão como suas atividades da terceira dimensão podem prosperar e beneficiar o movimento de toda a Terra e toda a consciência planetária para uma interação da quinta dimensão mais brilhante. Vocês vão energizar tudo o que fizerem e tudo o que virem com essa perspectiva superior.

Tudo o que vocês fizerem – como ensinar, trabalhar, aconselhar, realizar trabalho físico ou simplesmente ver seus filhos – será influenciado por essa nova perspectiva da quinta dimensão. Cada interação agora carregará esse fio e permitirá a vocês a oportunidade de transmitir esse fio para outras pessoas. Em todas as suas interações, conseguirão transmitir uma frequência especial dos arcturianos por esse fio da quinta dimensão. Vocês se tornarão uma luz poderosa, e as pessoas serão atraídas a vocês por onde forem.

Neste momento, vamos transmitir a vocês frequências que vão quebrar os bloqueios cristalinos ao redor de sua aura, de modo que possam receber mais luz da quinta dimensão. Agora que vocês estão mais abertos, podem se beneficiar mais da nossa tecnologia de luz arcturiana. Essa tecnologia de luz terá um impacto em áreas como cura pessoal, desvendando seus códigos, transformando-os em espaços da quinta dimensão e ascensão permanente aos reinos superiores. É nossa missão ajudá-los a ascender ao reino da quinta dimensão. Nossa tecnologia é muito adequada para esse trabalho.

Olhando para o Cristal

Eu sou Tomar, e vocês são meus convidados no templo de cristal. Vocês têm permissão para participar dessa maravilhosa energia cristalina. Olhem para a água comigo agora e vejam as poderosas ondas de energia vindo do cristal. Essas energias ativam seus poderes telepáticos, seu terceiro olho e seu chacra coronário. Elas também ativam uma enorme infusão de energia em vocês. Permitam que essa energia venha em sua direção desse poderoso cristal. Então, usem a energia que acabaram de receber para olhar mais profundamente dentro da água.

Vocês podem observar uma cidade em Arcturus chamada Arcturus Um. Ao olharem para o cristal, vocês observarão pessoas felizes em grupos, conversando, meditando e juntando-se a pequenos grupos familiares, ouvindo os outros falarem. Cada lar arcturiano possui um cristal poderoso para cada membro usar. Esse é nosso método de televisão. Vocês usam a consciência de massa em seu planeta para se engajar em diferentes visões por meio de um aparelho de televisão que tem um valor limitado em termos de iluminação espiritual.

Em Arcturus Um, temos a capacidade de nos concentrar em estruturas de cristal especiais. São cristais poderosos, mas não exatamente como as estruturas de cristal em seu planeta. Podemos olhar para a consciência, para as energias galácticas. Vocês agora são capazes de fazer isso, conforme observam muitas das famílias arcturianas se concentrarem dessa maneira. Muitos se concentram na Terra e transmitem a ela luz e amor. Muitos observam e estão muito conectados ao processo. Eles se conectam como um grupo.

Nós olhamos para o cristal e vemos um grande líder – uma grande presença espiritual, um ser elevado na hierarquia galáctica – que vem dos jardins do Sol Central. Nós recebemos pensamentos dessa energia. Vocês não podem interpretar os pensamentos neste momento, mas recebo pensamentos enquanto ainda estamos no templo com o belo lago e o enorme cristal. Recebo pensamentos e informações da energia do Sol Central. Acessem essa parte de seu cérebro que pode infundi-los com luz. Alguns a chamam de glândula pineal. Usem essa conexão agora para infundir luz, para experimentar a luz. A glândula pineal tem uma capacidade inacreditável de conectá-los à luz do Sol Central.

No cérebro arcturiano, temos interações contínuas com essa área de nossa estrutura física que é semelhante à sua glândula pineal. Nós a usamos quase como um sustento, como uma infusão de energia. É muito difícil imaginarmos como seria não ter essa conexão. De fato, somos solidários à sua falta de acesso a essa infusão de luz por dentro.

Continuamos a ouvir outras mensagens e a trabalhar com os corredores, nunca subestimando seu poder. Os corredores são talvez as formas mais vantajosas de vocês obterem infusões de energia dos arcturianos. Ativem os corredores; meditem nos corredores.

É importante que cada um de vocês se conecte com seu guardião pessoal ou contraparte em Arcturus. Vocês estão prontos para essa situação de aprendizagem e receberão mais mensagens personalizadas. Nós nos preocupamos muito de que seu processo evolutivo na Terra seja o mais tranquilo possível. Infundimos em vocês toda a energia de luz que eu, Tomar, estou recebendo do cristal central no templo sagrado de Arcturus.

Atualmente, existem muitos outros seres incríveis nesse belo templo. Centenas de outros seres também estão aqui participando dessa energia e dessa poderosa luz. Muitos seres absorvem essa luz no terceiro olho, usando-a para clareza mental. Como a clareza mental é um de nossos maiores objetivos e valores, oferecemos orientação para vocês ativarem sua clareza mental. Concedo a vocês um raio violeta e azul intensificado vindo do nosso templo de cristal, a fim de preenchê-los com uma clareza mental mais profunda que durará por várias semanas.

Entrando no Cristal

Eu vou ajudá-los agora a entrar no fundo do imenso cristal submerso. Vou guiá-los até o cristal usando projeção de pensamento. Vocês receberão um choque de energia muito poderoso que acelerará toda a sua vibração. Isso os ajudará a se sentir transitórios na terceira dimensão. Queremos que compreendam que realmente são transitórios na terceira dimensão. Pode parecer que vocês estão trabalhando em uma dimensão sólida e permanente, mas essa não é a verdadeira realidade da terceira dimensão. Se vocês puderem se sintonizar com a frequência e a consciência da natureza transitória da terceira dimensão, acelerarão muito mais rápido.

Enquanto nos sentamos ao redor do cristal, quero que vocês preparem sua consciência para ir fundo dentro desse cristal comigo. Enquanto flutuo acima do cristal, pego as mãos de todos vocês. Não tentem compreender isso dimensionalmente, pois não fará sentido. Cada um de vocês segura minha mão no lado esquerdo ou no lado direito. Então, descemos juntos para o cristal.

Nós flutuamos cada vez mais profundamente até o cristal. Agora, vamos alcançar um ponto que pode parecer estar a cerca de 800 metros. Estamos no fundo do cristal, e vocês continuam segurando minha mão enquanto flutuamos aqui. Nós chegamos a um palácio especial da quinta dimensão que está no centro do cristal. Enquanto flutuamos aqui, absorvemos essa energia etérica muito harmoniosa. Quero que vocês plantem sua consciência aqui, neste palácio de luz dourado dentro do cristal. Outro ser está emergindo para falar com vocês.

Saudações, eu sou T-Rahn. Sou um dos mestres espirituais do reino arcturiano. Estou abençoando cada um de vocês, e conectarei pessoalmente seu fio de luz a esse ponto no palácio dentro do cristal. Esse é um palácio dourado repleto de bela luz espiritual, calor, beleza etérica eterna e intensidade. Por favor, conectem-se a isso. Estamos muito contentes por vocês conseguirem experimentar essa profundidade de beleza espiritual dos arcturianos. Nós queremos que mais seres terrestres experimentem essa frequência arcturiana. Vocês são os precursores dessa grande experiência.

Quanto mais conseguirem experimentar nossa luz espiritual arcturiana, mais serão capazes de disseminar essa luz quando retornarem à Terra. Esse fio de luz que vocês carregam será transmitido para fora quando passarem por sua vida cotidiana. Irei a cada um de vocês para ajudar seu campo energético vibracional enquanto ele é acelerado, de modo que possam manter essa frequência com vocês agora e por quanto tempo precisarem. Como Juliano e Tomar disseram, há todos os motivos para celebrar agora, pois vocês terão esse fio permanente com vocês. Como possuem essa conexão, estou transmitindo uma forte luz azul tubular a cada um de vocês. Estamos muito contentes por serem capazes de receber essa luz.

Muitos grandes seres espirituais vêm até aqui para obter energia antes de irem para outros sistemas planetários. Sananda frequentemente vem até aqui para ser recarregado. Vocês também estão vindo até aqui para serem recarregados. Vocês voltarão para ser recarregados, pois estão se tornando mestres ascensionados. Como mestres ascensionados, emitirão e transmitirão luz durante suas interações cotidianas na Terra. Eu sou T-Rahn.

Eu sou Tomar. Vou ajudá-los a retornar ao topo do cristal. Reservem um momento para meditar comigo agora. Enquanto seguram minha mão, voltamos para o topo do cristal. Vou flutuar de volta, e vocês vão me seguir. Nós vamos cada vez mais alto, pois é um longo caminho até a superfície. Agora, estamos no topo, flutuando acima, e os enviarei de volta para um lugar ao redor do cristal. Vocês agora estão em uma posição muito boa para estabelecer esse fio de luz, de modo que ele fique permanentemente fixado do seu corpo terrestre a esse lugar. Meditem sobre esse fio e o conectem ao seu chacra coronário.

Sentindo Seu Corpo de Luz

Usamos o templo de cristal para ajudar a recuperar a identificação total da alma com o corpo de luz. Houve casos em que pessoas não conseguiram se conectar com seus corpos de luz. Elas não conseguiram se lembrar de que sua essência é o corpo de luz. Aqui, no templo de cristal, vocês sentirão totalmente seu corpo de luz.

Eu, Tomar, líder da comunidade espiritual arcturiana criada para trabalhar com os seres terrestres, convoco a mais alta autoridade para trazer seu corpo de luz para o templo de cristal. Vocês sentirão uma essência de luz. Sintam o poder da energia de luz proveniente do cristal que agora está em sua proximidade.

Seu corpo de luz não é nem masculino nem feminino; é uma essência da alma. Comecem a sentir seu corpo de luz mais próximo da atmosfera purificada que forma a câmara de cristal. Comecem a sentir sua estrutura celular tornando-se mais aberta e mais estimulada. Essa é a verdadeira abertura que vocês desejavam – a abertura para sua essência permanente, seu corpo de luz espiritual.

O corpo de luz espiritual acima de vocês está se conectando totalmente com o cristal na água. Quero que olhem para o cristal com seu terceiro olho – não com seus olhos físicos, mas sim com seu terceiro olho. Quando olharem para o cristal, quero que entrem nele profundamente. Não fiquem na superfície do cristal. Vocês podem entrar em um ponto central do cristal considerado tão profundo quanto cerca de 1,5 quilômetro. Saibam que, quanto mais profundamente entrarem, mais se conectarão, com essa linha de energia, ao seu terceiro olho e ao seu corpo de luz.

Agora, vocês possuem um triângulo de energia que vai do seu terceiro olho para o interior do cristal e que reflete de volta para o terceiro olho do seu corpo de luz. Esse é o começo da conexão com seu corpo de luz. Agora, vamos trabalhar com seu chacra coronário. Conectem uma linha do seu chacra coronário profundamente ao cristal. Essa linha ressoará, então, com o chacra coronário em seu corpo de luz. Façam o mesmo com os chacras cardíaco, do plexo solar, sacral e da raiz. Agora, vocês estão conectados com a próxima camada de chacras e estão se alinhando com seu corpo de luz.

Parte da essência do corpo de luz desce lentamente de volta ao seu corpo físico. Absorvam lentamente essa vitalidade. Saibam que, enquanto essa energia está entrando em seu corpo físico, vocês estão se tornando totalmente andróginos. Andrógino não implica apenas masculino e feminino, mas também se refere à consciência terrestre e galáctica. Sua sociedade está muito concentrada na distinção entre os sexos. Saibam que vocês também são seres multidimensionais e de multi-identidades – seres que possuem identidades duais, tanto como seres terrestres quanto como seres espaciais. Essa é uma visão mais abrangente da androginia. Enquanto seu corpo de luz desce ao seu corpo físico, vocês estão se tornando um ser galáctico e andrógino. Essa identidade está sendo comunicada ao seu corpo terrestre – o estado de consciência galáctico e andrógino.

Conforme integram seu corpo de luz, vocês precisam saber que ele está conectado diretamente à energia da fonte do Criador. A partir do chacra coronário em seu corpo de luz, vocês possuem uma fonte de luz direta da fonte e da luz do Criador. Cada um de nós, incluindo os arcturianos, possui uma conexão de energia específica com a fonte do Criador, que é única. Aprendemos com vocês enquanto vocês aprendem conosco.

A luz do Criador que vocês estão experimentando é única. Essa luz contém uma mensagem e uma frequência especiais. Alguns de vocês serão capazes de traduzir isso em uma palavra, um tom ou instruções verbais. Por exemplo, algumas mensagens novas poderiam ser: Luz é Unicidade. Luz é beleza – luz azul arcturiana, luz unificadora, ser luz, purificar com luz. Permitam-se sentir uma mensagem da fonte do Criador. Então, transmitam essa mensagem e essa experiência para seu corpo físico na Terra.

Transmitam as palavras ou tons que vocês receberam para seu corpo físico. Na terceira dimensão, as palavras e os pensamentos criam. Vocês podem criar uma cura pessoal a partir desse ponto transmitindo as palavras, os tons ou os símbolos adequados para seu eu físico. Essa é a beleza que encontramos na terceira dimensão: as palavras podem criar. Transmitam palavras de amor para si mesmos no plano físico.

Em seu corpo de luz e no templo de cristal, vocês podem viajar para muitas partes diferentes do universo. Vocês podem viajar para o Conselho de Andrômeda em nossa galáxia irmã. O Conselho de Andrômeda é um grupo de seres de luz que têm uma relação próxima com a Fraternidade Branca. No Conselho de Andrômeda, existem seres de luz, tão poderosos quanto Sananda/Jesus. O conselho está muito interessado em sua unificação dimensional com seu corpo de luz. A partir desse lugar no templo, quero que vocês pensem: "Estou viajando para o Conselho de Andrômeda". Eu, Tomar, acompanharei vocês enquanto viajam para o Conselho de Andrômeda em nossa galáxia irmã. Um membro do Conselho de Andrômeda deseja falar com vocês neste momento.

Gurhan, do Conselho de Andrômeda

Eu sou Gurhan, do Conselho de Andrômeda. Somos especialistas em tecnologia de luz e seres de luz. Sua vinda com a ajuda de Tomar é uma verdadeira bênção para todos nós. Vocês nos trazem informações e mensagens sobre sua evolução da galáxia da Via Láctea. Nós somos um conselho galáctico que está preparado para receber emissários da sua seção da Via Láctea.

Nós nos comunicamos por meio de luz. Não precisamos usar palavras, mas, ao trabalharmos com vocês, podemos facilitar sua compreensão por meio delas. Três seres em nosso conselho possuem o aspecto espiritual e o poder de Sananda. Eles estão todos relacionados à energia monádica do Santíssimo – talvez aquilo a que possam se referir como a energia do Filho do Homem. Existe uma força monádica em nossa galáxia que é semelhante à energia de Sananda.

Nós admiramos seu progresso na evolução e na transformação. Minha mensagem a vocês é esta: vocês estão começando a usar sua tecnologia de luz e avançarão em saltos e limites magníficos. A tecnologia de luz não apenas os ajudará a se materializar e desmaterializar, mas também a projetar pensamentos e curar seus corpos físicos. Posteriormente, vocês se moverão para além da existência física. Em breve, compreenderão que a existência física não é mais necessária. Isso será considerado um fardo, e vocês deixarão essa densidade para trás.

Estamos entusiasmados em ver que a Terra está se preparando para receber sua essência de luz, seu ser de luz. Quando a Terra fizer isso, ela então estará em comunicação universal com todos os planetas da quinta dimensão. Na quinta dimensão, usando a tecnologia de luz disponível, vocês podem se comunicar instantaneamente com outros planetas sem usar a tecnologia complexa da terceira dimensão, como as ondas de rádio.

Não existe medo na quinta dimensão – nenhum sequer. Eu, junto a Tomar, vou temporariamente retirar o medo da sua memória celular.

Sintam todo o medo temporariamente removido de sua estrutura celular enquanto estiverem em nossa luz. O medo é da terceira dimensão. A memória do medo agora pode ser temporariamente apagada enquanto a vibração do amor é amplificada. Para cada grama de medo que deixou seu corpo, preencham esse espaço com amor.

Nós podemos aparecer como um raio de luz em sua dimensão. Ocorrerão avistamentos de luz de fontes desconhecidas relatados por alguns de seus trabalhadores. Vocês não podem tocar, capturar ou abater essa luz. Essa fonte de luz está criando os verdadeiros círculos nas plantações. É necessário se comunicar com vocês de maneira não verbal, o que os aproximará da comunicação de luz. Em um nível mais elevado, pode-se dizer que isso é simplesmente uma troca de luz. Os círculos nas plantações contêm códigos dentro das imagens que vão liberar seu medo na terceira dimensão.

Peço-lhes que meditem sobre os círculos nas plantações. Quando fizerem isso, pensem no Conselho de Andrômeda e na nossa tecnologia de luz. Vocês também podem usar essa tecnologia de luz especial quando retornarem à Terra. Visualizem uma estrela acima do seu chacra coronário que está irradiando para fora continuamente. Uma vez que vocês ativarem essa estrela, poderão se conectar conosco, os arcturianos, e outros seres de luz na galáxia e além. Agora, vou encaminhá-los de volta a Tomar. Eu sou Gurhan.

Retornando para a Terra

Eu sou Tomar. Vamos agora viajar de volta ao templo de cristal arcturiano. Nós usaremos esse templo para uma base de purificação. Olhem novamente para o cristal e reativem todos os seus chacras. Lembro-lhes de que é importante ter uma afirmação da fonte do Criador para levar com vocês desse trabalho. Recarreguem essa afirmação e transmitam-na para seu corpo da terceira dimensão. A fonte do Criador está sempre se comunicando. Vocês devem aprender a receber e interpretar essa comunicação divina.

Vocês podem vivenciar essa integração de seu corpo de luz de uma maneira mais profunda. Quando retornarem à Terra, haverá uma sombra do seu corpo de luz presente. Essa é uma indicação de que vocês levaram parte do seu corpo de luz consigo. O corpo de luz do seu eu superior está se afastando da sua presença física na Terra,

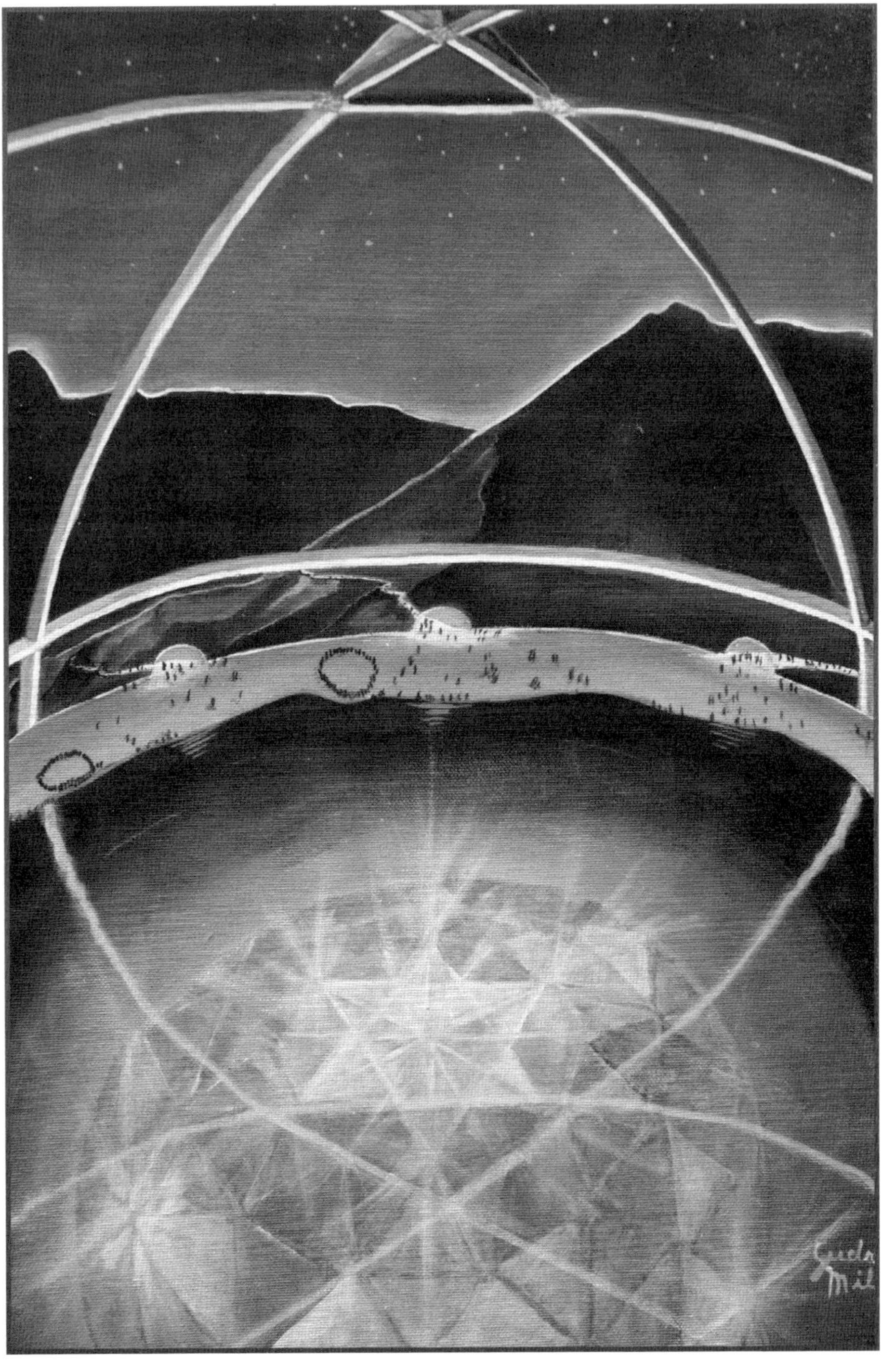

mas ele terá uma sombra de si mesmo ao seu redor. Vocês podem levar essa sombra consigo para sua presença na terceira dimensão.

Nós vamos agora deixar o templo de cristal e retornar para a câmara de cura na nave arcturiana. A espiritualidade arcturiana é uma forma de luz muito elevada. Ao entrar no cristal, vocês experimentaram o que pertence mais à natureza permanente do seu corpo de luz. Quando olharem para seus corpos físicos na Terra, saberão que são mais transitórios. Vocês saberão que todas essas coisas que estão fazendo, até mesmo os projetos que consideram mundanos, vão apresentar uma oportunidade de disseminar essa luz da quinta dimensão.

O Templo de Cristal

O lago do templo de cristal tem cerca de 1,5 quilômetro de diâmetro, com um imenso cristal submerso. Ele está submerso na água, a fim de diminuir seu poder e proteger aqueles que vêm ao templo. O cristal irradia sua própria luz e ilumina todos os que entram em contato com ele. Seres de toda a galáxia e além se reúnem na margem para rejuvenescimento. Seres são capazes de entrar na água e no cristal com a preparação e a orientação adequadas. As paredes do templo são transparentes e há muitas entradas. No topo da cúpula, há uma pirâmide de três lados.

Retratar o tamanho do cristal foi um desafio para mim. Fui absorvida pela energia do cristal e facilmente poderia ter deixado-o dominar toda a imagem. O poder do cristal é tão forte que eu podia ver e sentir seu brilho, que é principalmente na forma de luz. A imagem que pintei é verdadeiramente um símbolo para ajudar as outras pessoas a conceituar o poder e a grandeza do cristal.

Gudrun Miller

Levem sua consciência de volta ao seu corpo da terceira dimensão agora e transmitam a luz da quinta dimensão em todos os aspectos da sua vida. Estamos ajudando-os a trazer essa luz para a terceira dimensão. Quando vocês andarem pela Terra com essa luz ao seu redor, vão se tornar mais sagrados. Saibam que nós, os arcturianos, sempre carregamos o sinal e a sombra de nossos corpos de luz. É por isso que parecemos tão leves e etéreos para vocês.

Em seus próximos 30 dias, estarão fortemente sintonizados com a atividade e a imersão da quinta dimensão. Isso significa que os problemas e os bloqueios agora vão se afastar de vocês. Quando tiverem a perspectiva da quinta dimensão, deverão disseminar essa luz e usá-la para curar outras pessoas. Cada um de vocês agora terá uma capacidade de cura especial. Vocês podem não pensar em si mesmos como curadores, mas começarão a ter um efeito de cura sobre as pessoas. A cura é a verdadeira medida da luz da quinta dimensão. Sou Tomar.

Uma Mensagem de Kuthumi

Saudações, eu sou Kuthumi. Parabenizo-os por terem visitado com sucesso o templo de cristal arcturiano em sua consciência, pois vocês, meus amigos, estão sendo treinados para disseminar a frequência para as outras pessoas. Primeiro, vocês devem senti-la. Devem experimentá-la. É sobre isso que trata o serviço, a disseminação dessa frequência. Vocês possuem uma conexão permanente, e a chama violeta está profundamente dentro de cada um de vocês agora, queimando e transmutando. Venho ao templo de cristal frequentemente. Isso é magnífico e prazeroso.

Estou contente que vocês tenham encontrado caminhos para seu serviço nessa missão. Há uma grande necessidade de disseminar a luz da quinta dimensão. Vocês podem sentir que as outras pessoas ao seu redor estão bloqueadas e não têm esperança. O fato de vocês carregarem a luz da quinta dimensão entrará em suas auras. Isso em si já é poderoso! Se Sananda entrasse nesta sala, imaginem o efeito dele sobre vocês. Ele não teria de dizer nada. Ainda assim, vocês seriam imediatamente transformados. Só é preciso Sananda aparecer para vocês alcançarem lugares mais elevados. Se vocês tiverem um fio de luz da quinta dimensão, então também influenciarão outras pessoas. Preparem-se para algumas interações incríveis!

Capítulo 13

Ascensão Planetária

A ascensão é um processo coordenado que está ocorrendo com assistência em toda a galáxia. A galáxia é multidimensional, e alinhamentos dimensionais devem ocorrer para coordenar a ascensão. É como os cientistas da Terra explicaram: este é um universo em expansão. Todos estão em um arranjo hierárquico, e estamos nos expandindo e nos movendo nessa hierarquia. Nós alcançamos um papel especial na expansão para ajudá-los no plano terrestre. Sabemos dos poderosos interesses e do profundo comprometimento que foram depositados na ascensão da Terra. Percebemos quantos seres e grupos de interesses especiais estão comprometidos com a Terra. Sabemos quantas almas incríveis estão aqui.

Quanto mais vocês expandem sua sabedoria espiritual, mais são capazes de trabalhar nas dimensões superiores. Trabalhar interdimensionalmente requer crescimento e formação espirituais. Queremos que compreendam que buscamos a luz espiritual mais elevada. Entendam que tudo está se expandindo, assim como nós. Estamos nos movendo para um reino superior e uma nova luz, assim como vocês. Este é um momento de transformação galáctica.

Grupos de seres muito poderosos estão subestimando o desenvolvimento evolutivo do planeta Terra. Evidentemente, um grande número de pessoas na Terra está pronto para entrar em uma consciência mais elevada, pronto para ascender como um grupo. Alguns se referem a esse número como 144 mil pessoas. Esse número foi dado em um determinado ponto da história com base em projeções de quantas pessoas estarão prontas para ascender. Felizmente, esse número não está mais correto. Muitos milhões de pessoas a mais estão prontos para ascender como um grupo.

Vocês farão parte de um enorme movimento de energia que está se aproximando. O centro galáctico está transmitindo energia mais elevada concentrada para o planeta, a fim de oferecer mais aberturas e mais corredores para a Terra. Ele oferecerá tantos corredores quanto forem necessários, de modo que todos que estiverem prontos possam se conectar com reinos de dimensões superiores. Vocês já ouviram falar do ciclo de 26 mil anos da Terra chamado de precessão. Atualmente, estão alcançando a marca de 13 mil anos desse ciclo. Isso cria uma grande abertura energeticamente.

A primeira onda de ascensão será uma oportunidade para o planeta começar seu próprio processo de ascensão. Essa será uma bela experiência. O planeta está evoluindo, assim como vocês, ou seja, como um ser que existe em diferentes dimensões. Os alinhamentos de energia que estão ocorrendo são tão importantes para a Terra quanto para vocês, pois essa energia pode ser muito curativa.

Estabilizando a Terra

Seu planeta pode suportar até certo ponto, e então começará a girar fora do alinhamento e a buscar um novo equilíbrio. Essa é uma das razões pelas quais tantos do reino extraterrestre estão chegando ao seu planeta – para transmitir energia estabilizadora para a Terra. Muitos seres estão trabalhando com seu planeta, a fim de ajudá-lo a permanecer em equilíbrio por mais tempo, de modo que vocês consigam continuar seu trabalho.

Testemunhamos e passamos por explosões planetárias, explosões estelares, colisões e mudanças planetárias em outras dimensões. Houve casos em nosso setor da galáxia em que um grupo de trabalhadores da luz (como o que está sendo desenvolvido agora em seu planeta), por meio de um esforço concentrado, levou um planeta a outra dimensão para que ele pudesse escapar da destruição. Para que isso ocorresse, foi necessária a existência de um grande número de trabalhadores da luz. Seu objetivo não é apenas trabalharem voltados à sua própria ascensão, mas também se unirem como trabalhadores da luz para realizar uma transformação planetária. Há uma necessidade de trabalhadores da luz em todo o planeta não apenas em termos de números, mas também em termos de realização de trabalho em vários locais. Determinadas partes do planeta precisam ser estabilizadas interconectando as áreas de grade.

Em seu planeta, muitos começaram esse processo de conectar a Terra à sua fase interdimensional de transformação. Isso precisa ser coordenado. Em todos os momentos, as pessoas devem conectar a Terra ao seu novo espaço dimensional. O conceito de conexão é muito importante. Devemos trabalhar juntos com o maior número de pessoas possível para trazer todos os trabalhadores da luz a um comprimento de onda semelhante. Vocês podem se concentrar e ajudar na mudança. Seu propósito escolhido como trabalhadores da luz também é ajudar na transformação planetária.

Preparando-se para a Ascensão

Vocês devem realmente se preparar para a ascensão. Nós não lhes ofereceremos armas nem iremos irradiá-los nesse momento. No entanto, vocês não têm motivo para temer por comida ou segurança. Não há necessidade de terem medo ou se armarem. Se algum resgate for necessário, poderemos ajudá-los sem o uso de armas.

Não é uma questão de vocês estarem ou não totalmente preparados. O que conta é que estão começando a se preparar. Todos aqueles que estão trabalhando em direção à ascensão podem ser protegidos de catástrofes de uma maneira muito especial. Essa proteção vem de vocês se prepararem, elevando suas vibrações da terceira para a quinta dimensão. Vocês podem fazer isso projetando sua energia em um corredor. Os corredores são espaços interdimensionais. Vocês sabiam que, quando estão em um corredor, as armas ou catástrofes da terceira dimensão não podem lhes causar danos? Vocês sempre estarão protegidos. Se, por algum motivo, vocês não pudessem retornar ao corredor, então poderiam ser levados para a quinta dimensão.

Aqueles de vocês que têm ouvido tons e sons já estão captando a comunicação telepática que nós oferecemos. Os tons são nossa primeira linha de comunicação. É uma maneira de prepararem-se para receber comunicações telepáticas mais intensas e mais exatas de nós. Os tons também os estão preparando para se alinhar e se manter em um estado em que possam estar abertos à energia dimensional superior.

Vocês devem purificar, alinhar e liberar seu eu da terceira dimensão, de modo que possam se mover para o reino da quinta dimensão e receber ideias, energia e informações dela. Os tons ajudam a bloquear as densidades da terceira dimensão, de modo que possam se mover para esse estado. Vocês podem usar o som dos tons para se alinhar melhor. Isso também ajuda a bloquear todas as informações desnecessárias. Com os tons, vocês agora estão preparados para receber a frequência do reino da quinta dimensão.

As energias daqueles em dimensões superiores estão ajudando a criar a atmosfera e os campos vibracionais para mudar sua consciência. É importante que vocês não apenas elevem suas vibrações, mas também se coloquem em um ambiente que os estimule a fazer isso. Quando o ambiente é propício para sua própria melhoria, então fica mais fácil vocês mudarem sua consciência. Isso por si só já diz o quanto é importante escolherem um ambiente que intensifique sua vibração.

Todos vocês estiveram neste planeta anteriormente em vidas passadas. Vocês podem encontrar diferentes áreas de pontos de energia e corredores com os quais estabeleceram uma forte conexão em outra vida. Em vidas passadas, puderam formar uma conexão com um lugar anterior que ativará sua consciência. É natural, ao retornar em outra encarnação, desejar encontrar o mesmo lugar novamente. Vocês desejam descobrir esse lugar familiar porque deixaram um código energético ou uma assinatura energética nele.

Primeiro a Quarta Dimensão, Depois a Quinta

A Terra se moverá para a quarta dimensão nas próximas décadas, e a maioria das pessoas também se moverá para a quarta dimensão. A Terra e seus habitantes já estão no processo de transmutar para a quarta dimensão. Muitas pessoas permanecerão na quarta dimensão porque não terão a energia espiritual necessária para ascender à quinta dimensão.

As sementes estelares, no entanto, e aqueles que podem ser ativados para esse entendimento, podem saltar à quarta dimensão e ascender diretamente à quinta dimensão. Queremos enfatizar que aqueles que não são sementes estelares, que ainda estão enraizados no ciclo de encarnação na Terra, ainda podem se tornar sementes estelares na consciência e também ascender à quinta dimensão. A quarta dimensão irá mantê-los em um reino onde estarão envolvidos com as encarnações na Terra, e vocês necessariamente terão de retornar a ela. Quando vocês ascenderem para a quinta dimensão, estarão livres do ciclo de encarnação e somente voltarão à Terra se escolherem fazer isso.

A Terra também entrará na quinta dimensão, mas em um momento diferente. A Terra pode não entrar na quinta dimensão, por exemplo, até o ano de 2050. Isso pode não ocorrer até um momento posterior. Muitos fatores diferentes devem ocorrer para que a Terra se transforme totalmente. Muitas coisas vão acontecer antes disso, e as sementes estelares já terão deixado fisicamente o plano terrestre muito tempo antes.

Aqueles de vocês que são sementes estelares e retornarem à Terra como mestres ascensionados participarão da transformação da Terra para a quinta dimensão. Essa transformação para a quinta dimensão não pode ocorrer sem o auxílio de – vocês ficarão surpresos com esse número – 144 mil mestres ascensionados. Essa é uma tarefa impressionante.

Agora, vocês podem compreender a importância da assistência das sementes estelares, a importância de muitas delas terem de retornar e a importância de um grupo principal para participar como mestres ascensionados. É nesse ponto que entra a importância de 144 mil pessoas. Não significa que apenas 144 mil pessoas vão ascender. Esse número é muito pequeno. Já existem quase 3 milhões de pessoas que têm potencial para ascender à quinta dimensão.

A Missão dos Trabalhadores da Luz

Nunca haverá uma maioria de trabalhadores da luz no planeta em relação à população. Dizemos isso em relação a este período de tempo atual. Atualmente, a Terra tem mais de 7 bilhões de pessoas. Nunca haverá mais de 3 bilhões de trabalhadores da luz. Vocês conseguem imaginar como seria fantástico se houvesse tantos trabalhadores da luz? Quão fácil seria transformar a Terra!

No momento presente, o número de trabalhadores da luz está provavelmente mais próximo de 4 milhões em todo o mundo. O número de trabalhadores da luz que realmente deixarão o planeta na primeira ascensão será muito menor. Estimamos cerca de 250 mil a 300 mil pessoas. Vocês podem observar que isso não é nem 10% de todos os trabalhadores da luz e que é um número muito pequeno quando comparado com a população total do planeta.

Aqueles que estão no controle dos recursos planetários e militares são muito capazes de exercer dominação física sobre as massas. Como os trabalhadores da luz podem ter algum efeito duradouro sobre essa situação? Qual é seu verdadeiro papel como trabalhadores da luz? Estamos aqui para lembrá-los de sua função principal: ajudar a preparar a Terra para nascer na quinta dimensão. Vocês também estão aqui para despertar e ativar as outras pessoas.

A troca de energia do movimento da terceira para a quinta dimensão requer uma incrível explosão de energia. A interação dos trabalhadores da luz com a Terra pode ser comparada a uma explosão de energia de uma reação atômica. Vocês podem realmente se tornar um canal para enormes explosões de energia no planeta. No entanto, a fim de se tornar um canal para esse tipo de energia, devem estar totalmente puros e completamente alinhados. Se estivessem fora de alinhamento e tentassem transferir esse tipo de energia para o planeta, os resultados seriam muito incômodos para vocês. Nós os incentivamos a trabalhar na purificação de seus problemas pessoais, de modo que consigam se tornar um canal para trazer essa energia da quinta dimensão para a Terra. Sabemos que vocês ainda estão passando pela purificação, mas estão em um ponto em que serão capazes de trazer mais energia.

A energia que entra em vocês pode ser emitida por si mesmos. Recebam a energia pelo seu chacra coronário e enviem-na em uma explosão ou fluxo do seu chacra cardíaco para a Terra. Esse exercício muito poderoso os levará a um novo alinhamento com seu verdadeiro caminho e sua verdadeira missão. Muitos de vocês estão questionando há meses: "O que eu devo fazer?". Vocês devem combinar a purificação pessoal com a transmissão e disseminação dessa energia. Estamos acima de vocês em uma nave especial que recebe energia poderosa da nossa nave mãe. Nessa nave mãe, há dez trabalhadores espirituais arcturianos que estão direcionando energia a nós enquanto a estamos direcionando a vocês. A energia de luz que estamos transmitindo é azul e prateada. Como é uma energia de alta velocidade, vocês não podem retê-la por um longo período de tempo. Vocês estão sendo treinados para carregar essa energia e a manter, talvez por cinco a dez segundos. Então, ela se dissipará. É por isso que é importante que vocês a redirecionem para a Terra o mais rápido possível.

Construindo uma Ponte para a Quinta Dimensão

Nossa verdadeira missão planetária é ajudar na estabilização e transformação da Terra para o próximo nível. Sua missão é cumprir seu papel como seres estelares no planeta. Alguns de vocês reconhecem que possuem dentro de si a consciência de ter sido anteriormente um ser estelar. Estamos contando com vocês para ajudar a construir a ponte para a quinta dimensão.

A conexão com a quinta dimensão que a Terra possui agora é tão poderosa, que seres que estão em outros planetas atualmente estão sendo atraídos para ela. Isso significa que existem outros planetas na terceira dimensão que são exclusivamente dedicados ao crescimento espiritual, mas as almas ainda precisam da experiência dimensional na Terra para completar suas tarefas. Muitos precisam fornecer um serviço por meio da experiência da Terra, que os ajudará a gerar a energia espiritual necessária para a ascensão. Isso é o que vocês estão tentando fazer agora. Vocês estão buscando elevar sua energia espiritual, a fim de que possam ascender ao próximo reino.

Como vocês vão construir e estabilizar essa ponte até a quinta dimensão? A primeira resposta é que precisam construir uma ponte para si mesmos. Estamos lhes oferecendo uma ponte pessoal para nossa consciência por meio do nosso trabalho com vocês e dos nossos corredores. Enquanto atravessam essa ponte, podem se perguntar: "Como vou estabelecer uma ponte para outras pessoas? Como vou estabelecer a ponte para minha filha, meu filho, meu marido ou meu amigo?". Eles podem não estar abertos para essa ponte. Vocês devem aprender a fornecer informações e caminhos para essa ponte de uma maneira que eles possam compreender.

Nós limitamos ou simplificamos nossas explicações sobre o trabalho arcturiano, a fim de que possam compreender e aceitar mais facilmente esses conceitos. Agora, vocês devem simplificar as informações para as outras pessoas, a fim de que elas possam compreender. Nós não estamos falando sobre sair às ruas e tentar converter as pessoas. Conectar-se a outras pessoas em um grupo oferece um poderoso acesso a essa ponte. Com certeza, vocês precisam se lembrar de que a energia da quinta dimensão está lentamente começando a entrar em suas vidas. É maravilhoso ver isso acontecendo neste momento. Estejam cientes de que essa luz da quinta dimensão está vindo até vocês e pode ser recebida pelo seu chacra coronário.

Descargas pelos Corredores

Muitos de vocês contribuirão para a descarga de energia negativa. Isso é muito importante. Como vocês são capazes de ativar diferentes lugares, também têm a oportunidade de descarregar energias poderosas. Entendam que, quando vocês trabalham com essa energia, essa é uma oportunidade de oferecer uma cura para seu planeta. Podemos lidar com as forças negativas na Terra e ajudar a dissipar a energia negativa. Quanto mais corredores abrirmos, mais conexões teremos com a Terra e poderemos permitir mais descargas de energia negativa. Quando essa energia é descarregada, a probabilidade de mudanças catastróficas na Terra diminui. Isso é o que os trabalhadores da luz têm a oferecer – não apenas modelos, mas também assistência na transformação planetária. Isso é observado no trabalho da dra. Norma Milanovich (autora de We, the Arcturians), que viajou para países em todo o mundo para ativar corredores. Uma vez que esses corredores são ativados, pode haver uma descarga contínua de energia negativa.

Se as energias da Terra ficarem mais equilibradas, então a Terra poderá deter e absorver mais energia, de modo que as reações violentas não ocorram. As liberações de energia, no entanto, só podem ser estabelecidas em áreas que receberam energia mais elevada. Vocês devem possuir um vórtice e uma ativação primeiro, e depois a descarga seguirá. As energias da Terra ao longo das linhas de grade eletromagnéticas também podem ser trazidas para esse local de descarga e liberadas.

Lembrem-se de que a Terra está recebendo luz e energia mais elevadas do seu trabalho. Quanto mais corredores existirem ao longo das linhas de grade, mais oportunidades existirão para as liberações. Ativar as linhas de grade planetárias, a fim de que a energia galáctica possa passar, é muito poderoso e muito curativo para a Terra e para vocês. Vocês podem fazer isso!

Energia Espiritual Galáctica e de Gaia

Eu sou Tomar. Um templo especial está sendo preparado para vocês em nossa nave. Estamos trazendo-os para um templo em uma de nossas maiores e mais poderosas naves mãe. Estamos todos sentados juntos nesse incrível templo em nossa nave mãe localizada no corredor dimensional entre Júpiter e os outros planetas externos. Olhem ao redor para ver a Terra a partir da perspectiva de Júpiter. Ela parece uma estrela – um planeta estelar azulado. Entrem em nosso templo.

Nós preparamos um jardim dourado para vocês. Um de nossos cristais especiais está nesse jardim. É um cristal verde-azulado que reproduz o poder e a energia da Terra. Ele tem o brilho azulado da Terra. Ao observar a Terra do espaço sideral, vocês podem ver seu tom azul. Esse cristal emite essa luz azul ao replicar a energia pura do espírito da Terra. Ao nos sentarmos no círculo, coloquem as mãos sobre esse cristal e absorvam sua energia de luz azul perfeita. Por ser a luz pura da Terra, vocês retornarão com ela dentro de seu corpo e implantarão essa luz na Terra. Isso é o que vocês amam, e o motivo de terem escolhido vir para a Terra. Essa energia é de sua natureza mais elevada. Estamos ajudando a estabilizar essa luz pura da Terra.

Venham para outra parte do templo e nos sentaremos em um círculo. Há outro belo cristal dentro do centro do círculo que representa o espírito da galáxia. Esse cristal nunca foi mostrado antes aos seres da Terra como vocês. Coloquem suas mãos sobre o cristal. Esse cristal só pode ser descrito como um poderoso tom de branco que nunca foi visto antes pelos seres humanos. Não é o branco puro que vocês estão acostumados a ver. Esse é um branco galáctico especial. Esse cristal representa o coração e o espírito da galáxia.

Meus queridos amigos da Terra, estou muito contente por vocês virem se conectar com o espírito da galáxia. Ela é nossa mãe. Assim como os nativos americanos veem a Terra como uma mãe, vocês aprenderão que é a galáxia que é a grande mãe de todos nós. Suas almas nasceram nessa estrutura galáctica chamada Via Láctea. Considerar a Via Láctea como sua mãe permite que vocês se conectem à luz do Sol Central galáctico. Vocês podem imediatamente entrar em contato com muitos seres superiores nesta galáxia.

Ao manter as mãos sobre os cristais no templo, vocês receberam as vibrações codificadas para levar de volta à Terra. Peço-lhes novamente que mantenham as mãos sobre o cristal do espírito galáctico e atraiam a energia para dentro. Vou passá-los agora para o cristal da Terra. Recebam essa vibração. A energia pura do espírito de Gaia está entrando em vocês. Vocês vão levar essa frequência de volta para a Terra.

Mais uma vez, trabalhadores da luz, vocês estão realizando um serviço poderoso, uma missão poderosa. Os corredores são muito importantes em todos os aspectos, pois os corredores com os quais estamos trabalhando agora, os corredores arcturianos, estão desempenhando várias funções. Em primeiro lugar, vocês podem entrar nos corredores; podem se tornar puros no pensamento e vivenciar a quinta dimensão. Em segundo lugar, podemos transmitir energia especial que ajudará a estabilizar a terceira dimensão.

Nós adoramos sua terceira dimensão. Ela é um incrível centro de ensino. Por favor, divulguem esta mensagem sobre quão incrível é a escola da terceira dimensão. Agora, retornamos à Terra e permanecemos suspensos.

A Energia do Criador e a Mudança Planetária

Surgiram perguntas sobre nossa função ao trabalhar com os mestres ascensionados. Somos parte de uma embaixada galáctica especial que se concentra em ajudar as outras pessoas, como vocês, a se alinhar com os corredores de energia de dimensões superiores que existem não apenas em seu planeta, mas também em todo o sistema solar. Nosso setor galáctico local é uma área altamente recarregada, que contém muitas civilizações planetárias diferentes. Todo o foco do nosso setor galáctico está na Terra neste momento. É por isso que muitos seres e entidades estão vindo para cá. Seu setor galáctico é o lugar certo para se estar, pois, quando ocorrer essa mudança, haverá uma abertura do Criador que permitirá que outras pessoas experimentem sua energia de uma forma nova e divina.

Todos nós viemos aqui a serviço, mas também viemos para aprender. Estamos aqui para experimentar a nova abertura que virá ao planeta Terra. É difícil para vocês compreenderem, pois acreditam que haverá um fechamento ou colapso de energia mais denso por causa das mudanças, à potencial devastação e aos transtornos que irão ocorrer. Apesar da verdade dessa descrição, sabemos, por observações anteriores, que essa abertura do Criador está disponível por causa da impressionante quantidade de energia que está sendo descarregada de seu planeta decorrente da mudança planetária dimensional.

Todos vocês estarão muito atentos a experimentar a energia do Criador de uma nova forma, a qual que será desejada por outros seres. É por isso que muitos encarnaram agora – para experimentar essa abertura. Devo enfatizar que essa é uma experiência nova e emocionante para todos nós, não apenas para vocês na Terra. Sabemos que haverá um momento de desafio e luz extremos, no qual uma nova faceta do espírito do Criador se manifestará. Nós, de Arcturus, viajaríamos por qualquer lugar do universo, a fim de estar aqui com esse tipo de energia. Somos seres espirituais como vocês e estamos buscando um conhecimento mais elevado do amor e da energia universais. Queremos estar perto do Criador, desejamos ser úteis e buscamos as novas aberturas que agora estão disponíveis aqui. Vocês podem chamar isso de uma fenda na estrutura dimensional.

Muitos de vocês estão trabalhando com empenho para concluir muito carma e serviço. O que vocês estão fazendo é muito importante e necessário. Aqueles que atuam como curadores de outras pessoas estão em uma grande missão de serviço, e essa missão é uma incrível oportunidade para também estar mais perto da abertura do Criador, que está prestes a ocorrer. Portanto, aqueles que estão em um grande serviço, de certo modo, vivenciam uma oportunidade especial de estar perto da incrível abertura do Criador que está vindo. Todos nós estamos muito animados para fazer parte dessa abertura. Todos os Grupos de Quarenta estarão conscientes de um nível mais profundo dessa abertura especial, e todos vocês estarão envolvidos de maneira muito poderosa. Estamos preparando-os pelo nosso trabalho vibracional para elevar sua energia, de modo que possam vivenciar conscientemente o milagre e o júbilo da transformação interdimensional.

A nova abertura do Criador não foi descrita nem vista por ninguém. Nem mesmo os mestres ascensionados conhecem o tom, a frequência e a cor exatos da abertura. Então, como podem observar, isso é emocionante para nós também. Nós apenas sabemos que uma frequência especial e única de cor e vibração descerá à Terra. Todos nós, de outras dimensões, já estivemos em planetas que experimentaram uma abertura do Criador, e sabemos quão revitalizante, estimulante e incrível é quando ocorre essa abertura. A Terra está muito perto desse momento, muito perto de experimentar essa energia. Alguns perguntaram se isso estaria associado à ascensão. Podemos apenas dizer que essa é uma questão que só será revelada nos momentos finais da abertura. Muitos outros planetas neste setor da galáxia da

Via Láctea passaram por essa experiência. Cada uma é única, e cada uma é muito esclarecedora em relação à mente universal do campo energético do Criador.

União com a Energia do Criador

Mantenham o pensamento de união ao ouvir nossas palavras e nossos tons. Transmitam sua energia; transmitam sua luz para todas as pessoas. Conectem-se ainda mais alto para que todos se movam para as conexões com os arcturianos e com nossa nave. Estamos transmitindo um raio de luz para atrair energia. Vocês podem imaginar raios de luz saindo da nave em que estamos, criando um enorme círculo que unifica toda a sua energia. Abaixo desse círculo, há mais raios de luz individuais saindo. Mantenham essa conexão. Vocês vivenciarão pensamentos como se fossem parte de si mesmos, embora eles estejam vindo dos arcturianos.

Ouçam nossos pensamentos agora. Concentrem-se na conexão que seu eu superior tem com a energia do Criador. A maior busca no universo é ser capaz de compreender e experimentar a luz do Criador. Nós somos um com vocês. Sintam nossa energia. Sintam o amor que temos por todos vocês. Sintam a união com a presença galáctica. Compreendam que, assim como há uma presença espiritual da Terra que vocês chamam de Gaia, existe também uma presença espiritual de nossa galáxia que vocês conhecem como Via Láctea. Nós nos conectamos com a luz espiritual de nossa galáxia. O portal estelar arcturiano está conectado com a consciência galáctica.

Capítulo 14

Ascensão Humana

É importante que vocês compreendam mentalmente o que vai acontecer no processo de ascensão e o que está acontecendo agora. Vocês vão descobrir que somos recursos excelentes. Podemos oferecer clareza mental sobre muitas dessas questões. Nós ajudamos vocês a obter clareza mental. Continuaremos a trabalhar com todos os que lerem estas informações, a fim de aprimorar sua clareza mental, pois é somente com total consciência e clareza mental que vocês podem passar pelo portal estelar. Isso não é algo do qual vocês vão perder totalmente a consciência. Vocês vão experimentar uma compreensão total de muitas coisas.

Há um anseio em todo o mundo e em todo o país pela energia extraterrestre de dimensões superiores. Vocês sabem que necessitam disso, assim como carecem de alimento e água. Vocês precisam ser estimulados por nós ou por outros seres superiores, a fim de criar sua espiritualidade e acelerar seus campos eletromagnéticos. Esses contatos estão aprofundando sua consciência das forças que estão vindo até vocês no planeta Terra e das forças que já estão no planeta.

Chegará um momento em que será necessário que vocês nos procurem nos céus. Vocês devem aprofundar sua concentração quando olham em direção ao céu. Vocês começarão a ver correntes de luz vindas de um determinado setor do céu. O contato conosco será importante para vocês. Será necessário para seu desenvolvimento. Vocês precisarão da luz e do contato para continuar a se manter com êxito no planeta Terra.

Honestamente, o planeta se mantém em um estado devastador de forças caóticas que estão cruzando seus meridianos. A luta para manter um senso contínuo de ordem está se tornando cada vez mais difícil. Esse senso de ordem que vocês conhecem como sua existência cotidiana é muito frágil, mais frágil do que imaginam. Talvez vocês tenham percebido sua fragilidade ao ver parte do caos manifestado nas catástrofes. Vocês podem se perguntar: "Como posso me preparar? Como posso me alinhar?".

Vocês devem colocar suas prioridades na ordem correta. Essa espiritualidade, esse trabalho de luz espiritual que está diante de vocês, deve ter a prioridade mais alta. É sua intenção – seu objetivo – aprofundar sua espiritualidade e aumentar seus campos energéticos, receptores, intenções e concentração em direção ao objetivo de uma mudança dimensional e espiritual. Vocês vão se mover para a quinta dimensão. Não há dúvidas sobre isso, e essa não é uma questão pequena.

Se vocês estiverem deprimidos, vocês possuem um campo energético inferior. Estar perto de alguém que está deprimido pode desacelerá-los. Em um humor normal, sua energia vibra rapidamente, mas, em uma energia acelerada, vocês devem ser ainda mais rápidos. Não significa que sua mente processará mais rápido; não queremos que fiquem confusos a respeito disso. A frequência é alta, mas os pensamentos não estão necessariamente mais rápidos. Na verdade, em muitos casos, os pensamentos realmente diminuem ou param. Nós chamamos isso de tecnologia de onda ou pensamento. Queremos ensiná-los mais sobre como usar essa tecnologia para acelerar a si mesmos. A concentração de um grupo espiritual é uma ótima maneira de aumentar sua frequência individual.

Transição para a Quinta Dimensão

Muitas sementes estelares irão para a quinta dimensão. Supõe-se, no entanto, que algumas não conseguirão chegar à quinta dimensão e só conseguirão entrar na quarta dimensão. Como mestres ascensionados que conseguiram chegar até a quinta dimensão, vocês podem retornar à Terra e ajudá-la em sua transformação. Vocês farão isso por livre-arbítrio, quando a Terra estiver na terceira dimensão ou quando ela estiver na quarta dimensão. Surpreendentemente, sua assistência não será tão necessária quando a Terra estiver na quarta dimensão. Nós prevemos que muitos de vocês só estarão interessados em ajudar a Terra quando ela estiver na terceira dimensão.

Muitos de vocês não serão muito atraídos à Terra quando ela for para a quarta dimensão. Haverá outro aumento de energia na Terra, e vocês não serão tão necessários quanto agora. Vocês estão ajudando principalmente a Terra ao auxiliá-la a sair da terceira para a quinta dimensão. Se e quando a Terra for para a quarta dimensão, vocês não terão a mesma tarefa importante na transformação da Terra da quarta para a quinta dimensão.

Ainda há esperança de que a Terra possa ir diretamente da terceira para a quinta dimensão. Espera-se que o planeta possa dar esse salto. Honestamente, isso é tudo o que pode ser feito agora para manter a Terra unida na terceira dimensão com as enormes energias destrutivas que foram liberadas em seu planeta. Não tem havido muita discussão a respeito da quarta dimensão simplesmente porque a maioria de vocês quer se ver livre de todas as encarnações e problemas na Terra. Na quarta dimensão, vocês não estarão totalmente livres desses problemas.

Vocês devem ter apenas um objetivo: a transformação total de sua existência física para a quinta dimensão, para o portal estelar, onde conseguirão se mover por meio de portais que vão direcioná-los para a experiência planetária apropriada. Elevem sua consciência neste momento – até um lugar onde possam estar acima da Terra na consciência e em uma onda de energia. Vocês são ondas de energia assim como nós. Vocês são grandiosos em sua incorporação completa. Sua incorporação completa se estende por pelo menos 6 metros ao seu redor. É o momento de expandir sua consciência. Entrem em seus pensamentos e movam-se até um ponto de consciência que inclui um perímetro de 6 metros ao seu redor.

Vocês estão chegando a um ponto em sua consciência no qual começarão a ver a quinta dimensão. Vocês vão poder experimentar novas luzes visuais, novos sinais visuais. Com o caos e as energias conflitantes no planeta, os trabalhadores da luz têm uma missão de trazer ordem e ações e interpretações significativas para o que está ocorrendo, além de dedicarem sua vida à transformação para uma consciência superior. Recomendamos que este é o momento de abandonar muitos dos esforços materiais que não têm significado espiritual para vocês, que não têm nenhum valor real ou duradouro.

Seus processos de pensamento incluem sua capacidade de visualizar e compreender para onde estão indo. Vocês estão se saindo muito bem nisso. Muitos de vocês estão incorporando corretamente pensamentos relacionados à ascensão e ao acesso aos planos superiores. Lembrem-se de que quem vocês são está relacionado a compreender a si mesmos como pessoas galácticas e como seres de luz eletromagnéticos. Esses são conceitos adequados. Mas há mais um conceito que queremos que vocês compreendam: vocês são seres em processo de transição. Essa é uma parte inerente do seu caminho. Isso também pode ser interpretado como: vocês são seres de expansão. Como vocês são seres de transição e expansão, parecem-se com a energia do Criador, que está se movendo para se expandir por meio do trabalho interior daqueles que são parte da família do Criador. É a lei do Criador que se expande. Nossa expansão está seguindo o comando da energia do Criador.

Muitos de vocês se perguntam para onde irão quando a ascensão ocorrer. Vocês se perguntam se irão para Arcturus, as Plêiades ou outro lugar. Por favor, mantenham em mente que o portal estelar é o primeiro objetivo. Concentrem-se em ir para o portal estelar. Vocês terão todo o tempo necessário para se reintegrar, uma vez que tenham alcançado o portal estelar. Vocês não precisam apenas reintegrar suas encarnações na Terra e tudo o que aconteceu nela, mas também precisam reintegrar suas encarnações de outros planetas. Parte do processo é reintegrar as encarnações na Terra, ou a energia da Terra, com a energia arcturiana. Como a energia arcturiana é uma frequência pura, vocês sempre estarão protegidos quando utilizarem essa frequência. Não haverá intromissões, por exemplo, dos grays, de órions negativos ou de sirianos negativos. Vocês não passarão por perda de controle. Por sermos seres espirituais puros, não temos desejo nem interesse em corrompê-los ou controlá-los. Estamos interessados apenas em ajudá-los a desenvolver uma frequência intensificada e um estado de amor elevado.

Um Aumento de Energia é Necessário

À medida que vocês se moverem para energias da quinta dimensão, obterão a capacidade de compreender e trabalhar com energias interdimensionais e interuniversais. Entre o período de 1997 e aproximadamente 2020 a 2030, estão disponíveis uma graça, uma compensação e uma energia especiais. Um grande aumento de energia espiritual está disponível a vocês. Esse aumento de energia lhes oferecerá a vibração e o nível de energia para saltar para a quinta dimensão. É verdade, no entanto, que, se tiverem determinados tipos de carma não resolvidos, talvez não sejam capazes de saltar para a quinta dimensão. Vocês não podem pular lições.

Como é, então, que vocês serão capazes de saltar dimensões e passar da terceira para a quinta dimensão? Como é que vocês serão capazes de sair do seu ciclo de encarnação na Terra? A única forma de conseguirem fazer isso é por meio de um enorme aumento de energia. Mover-se para níveis superiores requer energia. Não estamos nos referindo à energia tradicional que vocês conhecem na terceira dimensão, como a energia nuclear ou a energia que usam para impulsionar seus carros. Estamos falando sobre energia espiritual. Estamos falando sobre a energia relacionada ao eu superior.

Um nível específico de energia é emanado de cada ser humano. Quando vocês conhecem uma pessoa pela primeira vez, podem facilmente perceber seu nível de energia. Cada pessoa vibra em seu próprio nível de energia. Notamos que às vezes vocês estão deprimidos, o que seria considerado como uma energia mais lenta. Se vocês estão animados, parecem ter muita energia. Em outros momentos, estão espiritualizados e se sentem muito mais leves. Quando vocês se mantiverem em um estado de energia espiritual mais elevada, vão se sentir extremamente leves e terão a capacidade de se mover para a próxima dimensão.

Será necessário ter um determinado nível de energia, a fim de se mover para a quinta dimensão. Esse aumento de energia está sendo disponibilizado a vocês por meio da graça de Sananda/Jesus. Quando o aumento de energia chegar, vocês serão capazes de processar e lidar com grande parte de seu carma e de suas questões pessoais. Alguns podem ter questões pessoais que normalmente levariam três ou quatro vidas para processar. No entanto, com a ajuda desse aumento de energia e dessa graça divina, vocês serão capazes de resolver suas questões em um curto espaço de tempo. Esse encurtamento de seu carma, que resulta em um intenso trabalho de questões pessoais, pode causar dificuldades e problemas para vocês. Parte da nossa missão é ajudá-los a trabalhar com esse aumento de energia.

Seu chacra cardíaco está começando a se abrir, e essa será a chave para sua transformação. Não se concentrem tanto em tentar compreender mentalmente certos aspectos. Entendam que seu coração é a chave para sua transformação total. Seu coração está muito confortável com isso. Seu coração é muito conhecedor e sabe exatamente como se alinhar para sua ascensão.

Queremos que vocês saibam que muitos guias, mestres e anjos estão presentes para ajudá-los. Nós trabalhamos com Sananda, Mãe Maria, Kuthumi, El Morya, Quan Yin e muitos outros mestres ascensionados. Nossos amigos pleiadianos e muitos outros irmãos e irmãs extraterrestres estão se reunindo aqui para ajudar a criar uma energia profunda. Estamos criando um incrível portal que se abre para os reinos superiores. Entrem nesse portal e expandam sua consciência!

É natural expandir sua consciência. Consequentemente, nós nos entristecemos por causa das contrações que observamos nossos irmãos e irmãs estelares vivenciarem na Terra. Conhecemos as dificuldades que vocês enfrentam. A perda de contato com a frota estelar e com a consciência universal tem sido muito difícil para vocês. Nós comparamos essa situação a ficar sem alimento e sem água. Se fôssemos excluídos dessa consciência, sentiríamos isso dessa maneira tão grave. No entanto, agora vocês possuem uma abertura e uma oportunidade incríveis de se reconectar com essa energia.

O Poder da Energia da Alma-Grupo

Como estamos mais ligados à energia do grupo e da alma-grupo, conseguimos viver mais. Até mesmo sua espécie foi capaz de viver centenas de anos, como registrado em seu Antigo Testamento. Atualmente, é incomum que alguém viva além dos 85 anos, mesmo tendo a capacidade biológica de viver por muito mais tempo. O motivo é simplesmente porque vocês não desenvolveram a tecnologia de grupo e a consciência multidimensional. Para viver por períodos mais longos, vocês devem ter conexões mais profundas com outras dimensões.

Vocês não podem manter uma existência por um longo período de tempo sem entrar em contato com os reinos superiores, pois seu corpo se desgastará rapidamente. A chave para estender sua vida e sua boa saúde é, primeiro, concentrar-se em energias de dimensões superiores e, então, trazer essas energias para seus corpos físicos.

Sem essa capacidade, não há como um ser viver além do tempo de vida esperado de 80 ou 90 anos. Nós somos capazes de viver por até 10 mil anos.

No seu desenvolvimento, vocês agora estão trabalhando com a alma individual e a alma-grupo. Esse é um ponto muito poderoso. Vocês compreenderão, assim como nós, que, a fim de dar o próximo passo evolutivo, precisam fazer isso como um grupo. Com base em nossas informações sobre sua ascensão, isso é muito importante. Na verdade, muito do sucesso da ascensão dependerá da energia do grupo. Vocês sabem que os guias e mestres falaram a vocês sobre ondas. As ondas serão grupos, não essencialmente indivíduos. Embora ascensões individuais tenham ocorrido, a ascensão geralmente será um processo em grupo. Aqueles de vocês que não são tão evoluídos, como alguns dos mestres ascensionados, não seriam capazes de ascender se não estivessem participando de uma experiência em grupo.

Então, estamos muito interessados na relação entre a alma individual e a alma-grupo. Essa é uma das ilusões da sua existência na terceira dimensão – isto é, sua experiência de estar separado de sua família de alma e de seu grupo de alma. É um grande fardo sentir-se separado, e muitos são dominados pela ansiedade. Por outro lado, muitos seguiram o outro caminho e se entregaram totalmente ao grupo. Eles, então, perderam sua individualidade e seu livre-arbítrio. Estamos cientes desses problemas individuais sobre o arbítrio. Nós também lutamos para equilibrar as questões relacionadas ao arbítrio por um longo tempo.

Reativando sua Consciência Galáctica

É verdade que existe muito trabalho para todos fazerem nos próximos tempos. O trabalho que vocês vão realizar será mais leve e fácil, porque vão se conectar com sua consciência galáctica. Vocês deixaram parte de si mesmos para trás quando encarnaram na Terra. Deixaram para trás aquela parte de si mesmos que se relaciona com seu senso de consciência galáctica. Cada um de vocês tem um elemento de semente estelar dentro de si que está conectado ao núcleo básico da galáxia. Nós, os arcturianos, estamos vivendo nesse fio de consciência continuamente. Ressoamos com o núcleo galáctico em uma base contínua. Essa é uma vibração de energia que nos ajuda a permanecer no estado espiritual que tanto desejamos a vocês. Vocês se conectarão conosco de maneira mais eficaz e farão melhor uso de nosso contato simplesmente reconhecendo sua herança galáctica e reativando sua consciência galáctica.

Uma forma de reativar sua consciência galáctica é simplesmente se concentrar na estrela Arcturus em suas meditações. Vejam a estrela em sua consciência enquanto contemplam as estrelas e depois meditem sobre ela. Muitos de vocês conseguirão transmitir sua energia e seus pensamentos para a estrela. Arcturus irá devolver a energia para vocês. Vocês já ouviram falar de reflexão lunar? Essa é uma técnica utilizada pelos técnicos de rádio quando enviam um sinal para a Lua e ele volta de um ângulo diferente. Um sinal de rádio pode ser enviado de São Francisco para Londres refletindo o sinal da Lua. Quando vocês transmitirem seus pensamentos para o sistema arcturiano, eles voltarão para vocês com nossa energia e com a energia de alguns de nossos anciãos que escolheram trabalhar com vocês neste momento.

Temos grupos de anciãos que agora estão se reunindo em nossos templos. Eles estão abertos para se comunicar com muitos de vocês agora. Eles estão abertos a receber seus pensamentos e pedidos, e estão abertos a lhes enviar informações e energia do sistema arcturiano. Isso é diferente da energia que vocês receberiam de nossas naves espaciais. A energia que vem de Arcturus é de uma intensidade e vibração etérica especiais.

É extremamente importante que vocês aceitem sua herança e sua consciência galácticas. Vocês também devem reconhecer que os problemas pessoais em que estão envolvidos podem ser facilitados ao receber essa luz mais elevada do sistema arcturiano. Vocês obterão sabedoria espiritual e poderão usar essa sabedoria para resolver os problemas particulares que cada um de vocês possui. Vocês, então, vão considerar esses problemas, como problemas financeiros ou de relacionamento, como pequenos em comparação ao objetivo geral do desenvolvimento de sua alma e ao processo de mudança para esse reino superior.

A aceitação de sua herança galáctica e estelar é essencial para seu processo de ascensão. Vocês devem acreditar em algo antes de isso se tornar uma realidade. Quando vocês acreditarem em sua herança e sua consciência galácticas, ativarão sua semente estelar. Essa ativação permitirá que se lembrem, de uma maneira muito positiva, de suas conexões de vidas passadas como um ser estelar. Depois de terem feito isso, começarão a se conectar com outras pessoas de mente semelhante e perceberão sua importância nos eventos que estão por vir. Cada um de vocês agora possui uma determinada energia e uma singularidade e uma perspectiva específicas que são necessárias.

Em nosso mundo, muitos grupos arcturianos continuam se conectando telepaticamente com os seres humanos na Terra. Grupos em Arcturus se reúnem frequentemente, a fim de enviar mensagens para despertar os trabalhadores da luz na Terra. A todos os que estiverem lendo isto, transmitimos um raio de luz para seu terceiro olho. Ouçam o som de palmas batendo e recebam um raio de luz em seu terceiro olho. Estamos chegando a um lugar onde nos comunicaremos com vocês, não apenas por palavras, mas também por luz, energia e tons. Absorvam o máximo de luz possível em seu terceiro olho. Vocês precisam aterrar essa energia na Terra tanto quanto possível. Vocês foram ativados; seus poderes psíquicos e sua visão psíquica foram ampliados. Sua frequência foi intensificada.

Usando a Energia do Portal Estelar

Eu sou Juliano, e nós somos os arcturianos. Nosso entusiasmo é muito grande em relação a trabalhar com aqueles que são muito dedicados. Não importa o nível de desenvolvimento espiritual que vocês sintam ter alcançado. Alguns de vocês não se sentem muito evoluídos espiritualmente. Alguns de vocês sentem que não são bons o suficiente em suas práticas espirituais ou em seu desenvolvimento espiritual. Isso não é um fator para nós ao trabalharmos com vocês. Nós os cumprimentamos porque vocês estão abertos, desejam melhorar e querem levar suas vibrações a um nível mais alto, que permita seu movimento para o próximo reino dimensional. Estamos trabalhando com vocês para que possam entrar no portal estelar.

Vocês estão se movendo para um lugar onde podem se tornar seres que conseguem saltar na consciência. Vocês serão capazes de saltar encarnações. Em muitos casos, poderão saltar de 20 a 30 encarnações na Terra se, além de fazerem essa conexão profunda conosco, também abrirem sua consciência para o portal estelar. Portanto, quando vocês passarem por uma ascensão ou qualquer transição na consciência, queremos que mantenham o portal estelar em sua mente como um lugar para se alcançar.

Pedimos que tragam o portal estelar para seu momento de sonho. Vocês ficarão impressionados com o quão poderosamente podem se mover na consciência, se trouxerem a imagem do portal estelar arcturiano para seu momento de sonho. Uma de nossas principais tarefas é introduzir nossa existência em sua consciência no planeta e introduzir o portal estelar, que é um poderoso ativador. É um belo aspecto adjacente ao principal templo arcturiano do planeta, Arcturus. Vocês podem se aproximar do portal estelar em suas meditações, mas só poderão atravessá-lo quando estiverem completando suas encarnações na Terra.

Vamos agora trazer um raio poderoso que inunda toda a sala com uma luz azul, dourada e branca. Ao mesmo tempo, centralizamos esse mesmo raio em vocês. Com os poderes que nos foram conferidos sob a autoridade de Sananda, nós os levamos até a nossa nave. Com a permissão concedida pelos nossos maiores mestres, podemos agora permitir que vocês venham até a entrada do portal estelar arcturiano, de modo que possam experimentar seu poder.

Vejam a si mesmos diante do portal estelar arcturiano em um belo jardim. Quando vocês olham para o portal estelar, veem as poderosas transformações das pessoas entrando nele de outras partes da galáxia. Esse portal estelar não é apenas para os humanos, ou para a raça adâmica, mas também para outros que estão alcançando esse ponto. Saibam que existem planetas em desenvolvimento paralelos que também possuem os códigos adâmicos, assim como vocês. Esses seres estão alcançando um ponto de evolução, a fim de que também possam ser processados pelo portal estelar.

Vocês estão sob minha energia especial, minha proteção especial. Vocês têm permissão para contemplar a luz do portal estelar. Essa é uma oportunidade especial que vocês possuem. Somente sob a mais alta autoridade vocês podem participar da observação desse lugar sagrado. Vislumbrem o portal estelar. Observem a incrível luz e o poder dessa luz em sua aura. Vocês podem agora trazer essa energia de volta à Terra.

Vocês são fundamentais na introdução da energia do portal estelar. Todos vocês estão em posição de saltar na consciência. Quero trazê-los para uma das salas do templo que fica perto do portal estelar. Vocês podem desejar explorar comunicações telepáticas em um nível mais profundo aqui. Alguns de vocês receberão cores antes de palavras. Nós transmitimos a cor verde a vocês neste momento. Estamos agora sentados na sala do templo, e Tomar, um mestre da câmara de luz arcturiana, emergiu.

Aumentando Seu Quociente de Luz

Eu sou Tomar, dos arcturianos. Eu os cumprimento e os recebo na câmara de cura do complexo do templo do portal estelar arcturiano. Sua missão é ativar a energia dos arcturianos na Terra e usar essa ativação para permitir que saltem em sua consciência até esse ponto. Compreendam que vocês estão sendo trazidos aqui para o templo e que isso é uma garantia do seu trabalho como sementes estelares. como sementes estelares, e somente porque tiveram contatos anteriores, vocês são capazes de alocar sua energia de luz a esse lugar mais elevado. Continuamos a banhá-los e purificá-los com a luz de cura dessa câmara de luz.

Agora, colocamos uma nova oitava de energia em sua aura. Assimilem essa oitava, pois é uma oitava de energia mais alta que facilitará seu salto na consciência. Esta é minha mensagem a vocês por meio de Juliano. Compreendam essa capacidade de saltar que vocês possuem. A beleza da raça adâmica é que vocês são capazes de modificar intensamente a consciência. Agora, o que vocês precisam fazer, de volta à Terra, para saltar?

Usem a música de Mozart como instruímos antes. Mozart, uma semente estelar arcturiana, recebeu grande parte de sua inspiração musical dos templos daqui. Ouçam essa música o máximo possível durante uma semana. Abram seus corações o máximo que puderem para todos. Amem e compartilhem com todos. Convoquem a mim, Tomar, e estarei com vocês para ajudar a solidificar essa oitava em sua consciência. Agora, vou trazê-los de volta ao jardim e retorná-los para Juliano.

Saudações, eu sou Juliano. Temos mais a dizer sobre o conceito de um quociente de luz. Seu quociente de luz, ou frequência de luz, deve ser aumentado. Vocês devem pedir para receber a capacidade de aumentar seu quociente de luz em todos os níveis. A chave para a ascensão está na sua frequência de luz. Para aumentar a frequência de luz, vocês podem pedir a ajuda de Sananda/Jesus, dos arcturianos, do Arcanjo Miguel, do Arcanjo Metatron e de seus guias pessoais. Vocês podem pedir que seu quociente de energia de luz seja aumentado de uma maneira que possam assimilar no momento.

Cada um dos mestres e guias que acabamos de mencionar tem um tipo específico de frequência que pode ser trazido a vocês. Os arcturianos podem lhes oferecer uma frequência que é realmente diferente da frequência do Arcanjo Miguel ou de outros. Vocês devem solicitar um aumento em sua luz e vibração que os levarão ao próximo nível em que precisam estar. Isso pode envolver diferentes níveis e diferentes corpos, como o corpo emocional, o corpo físico ou o corpo espiritual. Quando vocês desejarem trazer a energia de luz do coração, devem ir diretamente pelo coração a Sananda/Jesus ou aos mestres nativos americanos. Estes têm permissão, autoridade e bênçãos de todos nós para trabalhar com a abertura do seu chacra cardíaco.

Capítulo 15

Quarenta Grupos de Quarenta

Não só podemos ver vocês e para onde estão indo como também podemos ver seus pensamentos. É muito fácil vermos o que vai acontecer com vocês. Nós podemos ver toda a sua vida antes de vocês. Vemos como processarão tudo e vemos muitas de suas conexões. Também vemos vocês se conectando com a quinta dimensão. Vemos seus processos superiores, bem como seus processos inferiores. Somos capazes de seguir e prever muito sobre vocês. Podemos ver suas conexões reais com a alma. Estamos contentes em vê-los, no entanto, porque estão muito ativados e muito leves. Aqueles que não têm uma conexão com essa luz aparecem escuros e contraídos para nós. Quando vemos vocês e outros como vocês, vemos luz brilhante e energia expansiva.

Vocês são atraídos até nós por muitas razões. Alguns de vocês, como já suspeitam, são arcturianos em sua alma. Vocês estiveram em Arcturus em vidas passadas e concordaram em vir à Terra para seu trabalho missionário ou trabalho como semente estelar. Assim como alguns de vocês podem ir para o exterior, a fim de realizar uma missão do Corpo da Paz, as sementes estelares de Arcturus se ofereceram para vir ao plano terrestre em uma missão. Agora, vocês são capazes de despertar totalmente para sua missão. Parte da sua missão envolve alinhar suas frequências a nós. Isso permite que seja realizada uma conexão que nos ajudará a elevar a vibração total do seu planeta.

Alguns de vocês não são realmente sementes estelares arcturianas, mas estão evoluindo e desejando estar conosco. Vocês terão escolhas sobre o local para onde desejam ir depois de sua ascensão. Alguns estão prontos para se formar em Arcturus, o que é um ponto de entrada muito desejável para vocês. Arcturus é uma porta de entrada para os sistemas estelares galácticos de formações de energia mais elevada. Como dissemos anteriormente, os seres que desejam se formar e se mover para outras partes do sistema galáctico devem passar pelo nosso portal estelar. Estamos contentes em poder dizer que estamos preparando alguns de vocês para virem a Arcturus em sua próxima encarnação após a ascensão.

Sabemos o quão difícil tem sido para vocês, em seu caminho, aceitar a consciência superior. Muito do plano da terceira dimensão pode ser considerado parte de uma consciência densa. Há muita contração, incluindo muita violência e ódio. Vocês devem se elevar acima disso agora e reconhecer sua conexão como sementes estelares. Vocês devem reconhecer sua consciência universal e sua capacidade inata de expandir essa consciência. Vocês devem se mover com total confiança na preparação para a quinta dimensão. Tem sido um caminho longo, e sabemos que isso não veio facilmente. Vocês passaram por muitas formas de persuasão. Agora, terão de trabalhar com as outras pessoas e ajudar a persuadi-las.

O Poder da Energia em Grupo

Nós recebemos suas energias e seu espírito nos reinos das frequências arcturianas. Muitos de vocês esperaram muito tempo para alinhar suas energias conosco e poder receber nossas energias ao mesmo tempo. Geralmente, é muito mais eficiente trabalhar com suas energias em um formato em grupo por causa da densidade devastadora e das frequências inferiores na Terra. Trabalhar com outras pessoas em grupo ajudará vocês a elevar suas frequências e sua receptividade a um nível mais alto, o que aprimorará sua interação conosco.

O processo em grupo e a força em grupo são um fenômeno bem conhecido na Terra. O poder de um grupo aumenta consideravelmente quando vocês aumentam seu número de pessoas. Mesmo um pequeno grupo pode criar uma energia poderosa. É evidente que toda a frequência do seu planeta precisa ser elevada. Dentro de um formato em grupo de esforço concentrado, conseguimos acelerar o aumento de suas frequências. Da mesma forma, vocês poderão fazer o mesmo em torno de suas áreas de convivência. Por causa de sua frequência elevada, sua mera presença em uma área física terá um efeito poderoso.

Nós falamos com vocês frequentemente sobre a importância da energia em grupo e de as pessoas se reunirem em grupos. Vocês podem ser estimulados e ativados por interações em grupo. Muitos de vocês entraram nessa encarnação como um grupo, participaram de aulas em grupo antes e terão a oportunidade de ascender como um grupo. É muito possível que as pessoas que fazem parte de um grupo espiritual permaneçam juntas na ascensão, e é muito provável que vocês se vejam novamente do outro lado na quinta dimensão. Reunir-se agora em grupos fornecerá uma base, uma fundação, para seu trabalho de se mover para o próximo reino.

Nós observamos com admiração como as pessoas estão formando grupos como uma maneira de não apenas melhorar a si mesmas, mas também de mudar a raça humana. Cada indivíduo do grupo contribui para a purificação do subconsciente coletivo e, por fim, para toda a consciência coletiva do planeta. Existem muitas sementes estelares e trabalhadores da luz se conectando de diferentes maneiras, por exemplo, por meio de meditações de amor e meditações para a Terra. As atividades do grupo arcturiano são muito poderosas, pois estão ajudando a levar muitas pessoas a um ponto de transformação. Estamos contentes por fazer parte da purificação de seu subconsciente.

O Número Quarenta

Os números são muito poderosos na matemática e na galáxia. Determinadas combinações de números podem ajudar as pessoas a entrar em um estado mental e espiritual específico de preparação. O número quarenta é muito poderoso. Podemos lhes dizer que ele é um número universal, um número comprovado, e o escolhemos com cuidado. Ele não tem sido apenas a fonte de uma energia poderosa para nós, mas também cria um grande poder espiritual na Terra neste momento. Quarenta é um número de poder galáctico, e vocês obtêm uma forma de proteção espiritual ao trabalhar com esse número. Agora, vocês querem saber por que o número quarenta tem esse poder?

Quarenta é um número que os leva do deserto espiritual a um estado elevado que lhes permite transcender a terceira dimensão. É o número-chave da transformação espiritual na terceira dimensão. Com o poder de quarenta, vocês podem ascender. É um número de ampliação. Pedimos a formação de Grupos de Quarenta, pois sabemos que esse número tem o poder especial de elevá-los. Cada um de vocês tem restrições de consciência que não podem ser superadas por si mesmos. Porém, com o poder de quarenta, vocês podem unificar sua consciência no grupo. Isso é importante para vocês. Vocês estão se fundindo. Não é uma fusão na qual desistem de sua consciência. Vocês estão trazendo sua consciência para o processo em grupo.

Nós, no sistema de energia arcturiano, estamos muito ligados ao número quarenta. Ele é um número poderoso para nós, assim como vocês usam o número sete. No nosso sistema, o número quarenta é um número de perfeição e concretização. Ao trabalhar com seus grupos, estamos transferindo a vocês nosso sistema de energia e nossos padrões de pensamento. Quando vocês fundirem seus padrões de pensamento com uma energia em grupo, conseguirão ativar e acelerar seu pensamento. Vocês vão criar, dentro de um Grupo de Quarenta, o que poderiam chamar de massa crítica de energia espiritual.

O Conceito do Grupo de Quarenta

Um Grupo de Quarenta é uma unidade de consciência desenvolvida para criar a energia necessária para ascender. Quarenta como uma unidade é importante, porque fornece a frequência de energia e a aceleração de energia necessárias para se mover para a quinta dimensão. Obviamente, será preciso uma grande quantidade de energia para vocês se moverem para a quinta dimensão.

Imaginem, digamos, que devem viajar em uma nave espacial para uma estrela distante. Para chegar a essa estrela, vocês devem viajar na velocidade da luz ou o mais próximo disso possível. Sabemos que uma enorme quantidade de energia é necessária para acelerar e percorrer uma grande distância – uma energia que ainda está além do alcance de sua comunidade científica neste momento (embora os cientistas não estejam tão longe dessa realização quanto vocês possam imaginar). Da mesma forma, é necessária uma enorme quantidade de energia espiritual para realmente saltar a quarta dimensão e ir diretamente para a quinta dimensão a partir da terceira.

Algumas pessoas especiais poderão gerar energia suficiente para ascender à quinta dimensão e ao portal estelar sem participar de uma energia em grupo. No entanto, uma energia em grupo será necessária para a grande maioria das sementes estelares e dos trabalhadores da luz. Seria extremamente difícil gerar esse tipo de força espiritual sozinhos. No entanto, como um Grupo de Quarenta, vocês podem fazer isso!

Muitas pessoas apreciam o contato pessoal de um grupo menor e não gostam de participar de um grupo muito grande. Um Grupo de Quarenta é pequeno o suficiente para que todos possam se conhecer profundamente. Com um número menor de membros em cada grupo, vocês poderão concentrar seus esforços em projetos e tarefas específicos. Apesar de, inevitavelmente, surgirem problemas dentro de um Grupo de Quarenta com quarenta seres humanos, vale a pena se reunir dessa forma. Nós pedimos que vocês aceitem isso.

Participar de um Grupo de Quarenta não impossibilita o envolvimento em quaisquer outros grupos. Isso não interferirá de forma alguma em outras atividades em grupo. Grupos de Quarenta estão sempre associados aos mestres ascensionados. Não sintam que precisam comprometer suas crenças de alguma forma. Estamos trabalhando com vocês, a fim de ajudá-los a ascender à quinta dimensão. Estamos em contato constante com Sananda/Jesus e outros mestres. Queremos ajudá-los a se lembrar de suas encarnações anteriores, estimulando suas memórias para que possam acessar o conhecimento superior já aprendido em outras vidas.

Queremos que todos vocês compreendam que possuem muitos sistemas de memória, não apenas o sistema de memória da Terra. Vocês carregam consigo pelo menos de dois a dez sistemas de memória, sistemas que são tão elaborados quanto a memória que possuem na Terra. Esses sistemas de memória podem ser interligados. Vocês podem ativar essas outras memórias e trazer informações, mas devem preparar seu corpo mental para o influxo de energia e conhecimento superiores que virá.

Os próximos anos serão difíceis para o planeta por muitas razões, e seu comprometimento com um processo em grupo irá atendê-los bem durante esse período. Ele oferecerá uma fonte de estabilidade, uma base para vocês. Vocês vão desejar poder entrar e sair do planeta e do sistema de energia que os está prendendo nele. Vão querer experimentar e vivenciar ser um corpo de luz que pode se mover pelos corredores para fora do sistema terrestre.

Vocês precisarão de um foco – um lugar para ir e pessoas para conhecer. Pode ser assustador e confuso deixar o plano terrestre, mesmo que temporariamente, sem algum tipo de ligação ou fundamentação. Os arcturianos estão disponíveis para ajudá-los a trabalhar nesses corredores e entrar e sair do espaço de energia da Terra. Somos especialmente treinados para ajudá-los nisso, pois, quando vocês estiverem saindo do campo energético da Terra, nós os auxiliaremos em seus desprendimentos.

Mais explicações sobre o número quarenta precisam ser abordadas novamente. O número quarenta ocorre em ambos os lados – quarenta seres humanos na Terra e quarenta arcturianos em nossa nave. Um guia espiritual arcturiano é designado para trabalhar com cada ser humano em um Grupo de Quarenta. Concentrem-se e conectem-se com seu guia espiritual arcturiano e caminhem nessa consciência. Ele é um aprendiz arcturiano que possui a habilidade de permitir que vocês adentrem sua consciência e seu corpo. Não é apenas uma via de mão única. Isso é um mito e um erro comuns. É uma via de mão dupla. Vocês podem entrar em um arcturiano! Isso não faz sentido? Nós somos tão altamente treinados e avançados, então por que não poderíamos deixar sua consciência entrar em nós? Essa é uma conexão poderosa. Quando estão em nossa consciência, podemos trabalhar com vocês em um nível muito mais próximo.

Nós trouxemos naves interdimensionais para o reino da Terra. Nas naves, há muitos arcturianos em meditação profunda. Esses grupos de meditação em nossas naves estão observando os membros do Grupo de Quarenta na Terra. Eles estão se conectando com vocês telepaticamente e estão lhes transmitindo energia. Nós trazemos esse foco poderoso a vocês e criamos uma ponte de energia real da qual fazem parte.

Quarenta Grupos de Quarenta

Os membros do Grupo de Quarenta se espalharão pelo país e pelo mundo, e quarenta Grupos de Quarenta serão criados. Depois que todos os Grupos de Quarenta forem formados, haverá um aumento na difusão da energia arcturiana. Um número surpreendente de pessoas vai desejar se juntar a esses grupos. A resposta será impressionante quando esse conceito for anunciado e divulgado. Esses quarenta grupos iniciais, no entanto, não serão os únicos que trabalharão com os arcturianos. Outros no planeta já estão trabalhando intensamente com a energia arcturiana. Porém, aqueles de vocês que se juntarem aos quarenta Grupos de Quarenta iniciais trabalharão conosco de uma maneira especial, que nos ajudará a manifestar uma cura planetária.

Nosso trabalho com vocês está levando a um ponto que pode resultar em uma intervenção planetária. A ajuda cósmica, ou uma força de cura, pode ser gerada para todo o planeta por meio de nossas interações com vocês. Não estamos aqui para resgatá-los, mas sim para ajudá-los a melhorar ou amplificar suas energias de cura. Todos vocês precisam de foco e direção. Agora, entendem a necessidade de uma rede interativa de grupos e como essa rede interativa nos permitirá trabalhar com a Terra sem causar efeitos colaterais cármicos negativos. Acima de tudo, vocês devem compreender como temos respeito por vocês e por esse processo de cura planetária.

Os primeiros Grupos de Quarenta já criaram uma fundação para os outros grupos que estão por vir. Os outros grupos podem, na realidade, ser mais poderosos e ter uma conexão mais próxima uns dos outros. No entanto, são sempre os fundadores ou iniciantes que carregam o fardo, porque devem estabelecer a base.

Como dissemos, quarenta Grupos de Quarenta serão formados. Nesse ponto, todos vocês vão ampliar constantemente sua energia. Cada vez que outro Grupo de Quarenta é formado, ele reforça o primeiro grupo. O terceiro Grupo de Quarenta reforça o segundo e o primeiro grupo. O quarto grupo reforça o terceiro, o segundo e o primeiro grupo. Esse é o poder de quarenta. Vocês compreendem isso em relação à sua matemática fatorial?

O que vai acontecer é que os quarenta Grupos de Quarenta se tornarão tão poderosos, que um grupo será capaz de ascender. Quando esse grupo ascender, 39 grupos permanecerão. Então, outro quadragésimo grupo será formado. Assim, os grupos vão entrar e sair. Um grupo ascenderá, e outro grupo se formará e ocupará seu lugar. Esse será o padrão de ascensão em grupo. Queremos explicar que também haverá outros pontos, ou ondas, de ascensão simultâneos. É possível que todos possam ascender em um determinado ponto. No entanto, todos os quarenta grupos não irão na primeira onda. Isto é importante: a base para novas ascensões deve ser levada adiante. Conforme um grupo ascende, a responsabilidade por novas ascensões em grupo será imediatamente transferida para os outros grupos.

Não é um esforço para nós interagirmos com vocês, visto que intensificaram muito sua energia. Há um fluxo de energia agora que está vindo dos atuais Grupos de Quarenta. Os grupos iniciais estão interagindo. Eles estão se alimentando da energia do grupo e se expandindo. O canal se moverá para o próximo reino com as pessoas desses grupos. Muitas pessoas novas estão entrando agora, e o subconsciente de cada novo membro está sendo purificado. Isso acontece automaticamente porque o trabalho de um Grupo de Quarenta se torna tão poderoso que, por fim, influencia todos os seus membros. As pessoas que agora estão se juntando a novos Grupos de Quarenta, por exemplo, estão sentindo o efeito e o poder dos dois primeiros grupos. Compreendam que a energia que está sendo gerada é perceptível para os outros. Essa ideia de purificar o subconsciente percorrerá todos os grupos que se formam.

Mantendo os Corredores da Quinta Dimensão

A Terra está se tornando um lugar de elevação espiritual. No entanto, enquanto muitos seres desejam transformar a Terra e fazer parte desse processo, existem seres que estão trabalhando para impedir a ascensão planetária. É por isso que pedimos que os Grupos de Quarenta surjam como uma poderosa força, a fim de ativar e ancorar a energia necessária para assegurar que a Terra conclua sua transformação.

Os índios nativos americanos previram o possível colapso da terceira dimensão. Os corredores da quinta dimensão devem ser mantidos. Estamos falando sobre a ascensão planetária agora. Não pensem nem por um momento que tudo vai se abrir instantaneamente e que todos vocês irão para a quinta dimensão. Muita preparação deve ser feita agora. Vocês devem se preparar não apenas em um nível pessoal, mas também em um nível planetário.

As pessoas "desaparecerão" em corredores nos quais vocês têm trabalhado. Esses corredores devem ser mantidos regularmente. Assim ocorre em um jardim: se vocês não o mantiverem regando e arrancando as ervas daninhas, estas crescerão muito rapidamente. Até mesmo um corredor poderoso, se for cercado por energias ou forças negativas, se fechará na presença de uma energia mais elevada. Manter o corredor aberto requer um esforço constante de energia mais elevada. Imaginem – com quarenta membros dos Grupos de Quarenta em cada – quantos corredores abertos poderiam existir ao redor do mundo!

Os Grupos de Quarenta serão uma influência fundamental na manutenção da conexão com a quinta dimensão. Vocês podem pensar que a quinta dimensão não está conectada com a Terra. A quinta dimensão está de fato conectada com a Terra. Nós sozinhos somos uma prova disso! Sananda/Jesus também é uma prova disso. Ele não veio ao seu planeta? A terceira dimensão deve ser colocada em ordem. Alguns de vocês vão partir e não vão retornar para esta dimensão após a ascensão. Contudo, a terceira dimensão deve ser novamente harmonizada. Só é possível harmonizar a terceira dimensão por meio de contatos como este.

Liderança e Foco no Grupo de Quarenta

O líder de um grupo não precisa ser um canal, mas deve ser capaz de expressar a missão e levá-la adiante, ajudando a organizar e coordenar os esforços do grupo e garantir seu foco. O papel do líder não é atrair os membros. Esse é o papel do canal. O líder de cada grupo não precisa necessariamente morar na área onde o grupo é formado.

Cada Grupo de Quarenta precisa de uma pessoa forte para se tornar o líder, pois muitos membros do Grupo de Quarenta trabalharão em questões pessoais de poder. Quando o líder não é forte, os egos pessoais dos membros ficam emaranhados e podem mudar o foco do grupo, que precisa adentrar a quinta dimensão e estabelecer e manter corredores, cura pessoal e trabalho de grade planetário. Uma pessoa que frequentemente se conecta com a energia da quinta dimensão emitirá um campo magnético vibracional mais elevado. O poder pessoal do líder pode servir para ampliar a conexão que o grupo tem conosco.

A responsabilidade principal de cada grupo é manter o foco de se conectar à energia da quinta dimensão. Vocês podem emitir a energia magnética que estão recebendo da quinta dimensão. Quando possuírem um campo energético magnético conectado com a quinta dimensão, atrairão outras sementes estelares. O campo energético magnético que vocês recebem da quinta dimensão é diferente de qualquer energia que possam receber da terceira dimensão. O primeiro Grupo de Quarenta começou enviando ondas de pensamento pelos corredores da quinta dimensão para outros possíveis membros do Grupo de Quarenta.

Parte de sua reunião com esses grupos está relacionada ao cumprimento de sua missão como sementes estelares. Estar em um Grupo de Quarenta será um ponto de partida que levará a muitas outras oportunidades espirituais. Os Grupos de Quarenta arcturianos se tornarão a central para todas as informações arcturianas. Eles se tornarão o ponto central de toda a energia arcturiana no planeta Terra. A interação do primeiro grupo e dos outros Grupos de Quarenta se tornará muito poderosa. Não subestimem o poder desses grupos. O comprometimento das pessoas que se juntam a esses grupos agora está muito além do que o da maioria das outras pessoas que já trabalharam com a energia arcturiana.

Os Arcturianos Aparecerão

Chegará um momento em que todos os quarenta grupos se encontrarão simultaneamente. Esse será um dos primeiros compromissos depois que todos os quarenta Grupos de Quarenta forem estabelecidos. Haverá, de fato, uma grande congregação de sementes estelares arcturianas. Vocês vão estabelecer a base para uma interação interdimensional. Vão preparar um caminho para nós aparecermos interdimensionalmente.

Vocês já ouviram falar que os extraterrestres que aparecem na terceira dimensão têm o potencial de assumir laços cármicos, ou fardos, com os terráqueos. No entanto, com a formação dos Grupos de Quarenta e com suas meditações e interconexões, nossa aparição em seu espaço dimensional não será mal interpretada. Nós não seremos afetados negativamente pelas leis do carma.

Vocês não sofrerão, de forma alguma, com nossa entrada no seu espaço. Somos muito cuidadosos com essas questões de carma e influências externas. Também temos muito respeito pelo seu trabalho e pelo seu livre-arbítrio. Sentimos que é de extrema importância que todos os seres fora da terceira dimensão respeitem e reconheçam seu livre-arbítrio, bem como trabalhem com vocês de uma forma que vocês possam interagir tranquilamente com eles. Dessa maneira, haverá total liberdade evolutiva.

Os Grupos de Quarenta oferecem essa estrutura de liberdade e não interferência cármica para todos vocês envolvidos. Dessa forma, será mais fácil para nós aparecermos a vocês. Vocês conseguirão assimilar esse encontro sem ser traumatizados ou desequilibrados. Com a preparação que estamos oferecendo, esse encontro não mudará drasticamente sua vida. Vocês estão evoluindo conosco porque estão interagindo e se relacionando com a quinta dimensão. Quanto a uma aparição nossa, vocês lidarão com isso tranquilamente.

Um dos motivos pelos quais os extraterrestres que vocês chamam de grays pararam de se envolver em seu planeta e deixaram a Terra é porque eles começaram a sofrer de uma doença cármica. Todos os que interferiram de maneira drástica na evolução da Terra experimentaram, de alguma forma, um retorno cármico. Geralmente, esse é um retorno rápido. Não é como sua experiência na Terra, na qual podem ter de esperar três ou quatro vidas para incorrer nos resultados negativos de seu carma.

Atualmente, existe uma forma de proteção em torno da Terra para evitar grandes interferências de extraterrestres. Outros extraterrestres foram capazes de interferir no passado. No entanto, aqueles que o fizeram com intenções negativas pagaram pela interferência de alguma forma. Aqueles que vêm aqui para interagir com a Terra devem agora usar uma abordagem positiva, semelhante àquela que estamos usando, a fim de evitar efeitos cármicos nocivos.

A Corrente dos Futuros Mestres Ascensionados

A formação dos quarenta Grupos de Quarenta estabelece um padrão, ou fluxo, dos futuros mestres ascensionados que irão entrar no portal estelar. É uma conexão em grupo que será imune a todas as energias negativas e a todos os ataques à estrutura dimensional da Terra. A missão dos quarenta grupos é preparar a ascensão e estabelecer um apoio consistente para a terceira dimensão, auxiliando no trabalho de grade eletromagnética planetária e na criação e manutenção de corredores interdimensionais.

Diferentes organizações de quarenta grupos vão surgir. Os primeiros quarenta grupos vão surgir com base no trabalho desse canal. Outros também estabelecerão quarenta Grupos de Quarenta provenientes de um canal central. Essa é uma missão de despertar para a transformação no portal estelar. É preciso ter clareza mental, que engloba o conhecimento do portal estelar, antes de poder ser totalmente transformado e passar por ele. O Grupo de Quarenta é o principal método que estamos utilizando agora. Outras pessoas também estão trabalhando conosco.

Estamos convencidos de que trabalhar com os Grupos de Quarenta é a maneira mais direta, pessoal e poderosa de ajudá-los. Queremos enfatizar a palavra "pessoal" porque estamos muito interessados em cada um de vocês pessoalmente e nos desafios pessoais que enfrentam. Estamos interessados em ajudá-los a fazer o que for preciso para acelerar seu crescimento. Dessa forma, não estamos interessados em trabalhar com mil pessoas de uma só vez, mas sim com grupos menores. Estamos demonstrando nosso envolvimento pessoal com vocês. Nós transmitimos a luz cinza-prateada para sua glândula pineal. Deixem esse ponto em sua glândula pineal ser um acesso para mais clareza mental. Eu sou Juliano. Nós somos os arcturianos.

Capítulo 16

O Triângulo Sagrado

Gostaríamos de falar com vocês sobre um triângulo relacionado aos extraterrestres, à Fraternidade Branca e aos índios nativos americanos. Esse Triângulo Sagrado auxiliará na cura que precisa ser realizada na Terra. Ele ajudará a mover a Terra para a próxima dimensão e, assim, beneficiar tanto o planeta quanto toda a humanidade. A missão em que estão promove esse triângulo e garante que aqueles com os quais vocês entrarão em contato compreendam a ligação vital entre esses três aspectos que formam o que escolhemos chamar de Triângulo Sagrado.

Vocês observarão que três forças são representativas da força unificadora da quinta dimensão. Notarão que existe uma insígnia do triângulo em nossas vestes. A insígnia contém um triângulo com um círculo de um objeto planetário sobre ele. Em suas três dimensões, vocês não conseguem ver através do objeto planetário, então podem ter dificuldade em visualizar isso. Vocês não têm como desenhar um objeto através do qual possam ver. No entanto, isso será consistente com o que vocês chamam de artefato ou símbolo holográfico.

Seria maravilhoso ter um símbolo reconhecível para esta missão. Gostaríamos que esse símbolo fosse desenhado, de modo que pudesse ser facilmente reconhecido por todas as sementes estelares e trabalhadores da luz. Esse símbolo refletiria todas essas ideias que estamos discutindo. O símbolo do Triângulo Sagrado deve ser desenhado interagindo com um objeto planetário na quinta dimensão. Vocês poderiam usar cores para representar os três lados, como vermelho para os nativos americanos, branco para a Fraternidade Branca e azul para os extraterrestres.

O Triângulo Sagrado representa três forças que devem se unir para que ocorra uma cura planetária. Esse tipo de cura ocorreu em outros sistemas planetários com os quais trabalhamos. A Fraternidade Branca, os nativos americanos e os extraterrestres são representativos de cada aspecto dessa força dentro do triângulo. Cada força traz uma energia poderosa. O Triângulo Sagrado é uma imagem que representa uma transformação e uma unificação. Seu papel é ativar as pessoas para esse entendimento.

Lado Um: os Extraterrestres

O primeiro lado representa as forças extraterrestres superiores que estão atualmente trabalhando com o planeta para trazer a vocês o conhecimento e a experiência das dimensões superiores e para explicar o processo de ascensão. Além disso, os arcturianos e outros seres extraterrestres superiores estão mantendo muitos corredores conectando a terceira e a quinta dimensões. Esses corredores estão sendo usados para depositar energia da quinta dimensão na Terra, permitindo que o planeta manifeste seu aspecto da quinta dimensão. Os corredores também são necessários para toda a ascensão humana na quinta dimensão.

Para que a ascensão ocorra e vocês passem por ela, é preciso ter uma compreensão da quinta dimensão. Vocês precisam compreender que a quinta dimensão existe e que há maneiras de acessá-la atualmente. Vocês também precisam compreender que seres extraterrestres superiores residem na quinta dimensão. Nós viemos para lhes ensinar sobre a quinta dimensão. Nós viemos para lhes ensinar de uma maneira que permitirá a muitos de vocês serem ativadores espirituais para muitas outras pessoas no mundo.

Queremos falar novamente sobre o portal estelar arcturiano, pois esse é o símbolo no lado extraterrestre do Triângulo Sagrado. O portal estelar em breve será uma força neste planeta. Nós ajudamos a introduzir o portal estelar, e o portal estelar arcturiano agora vai entrar na consciência de muitas pessoas na Terra. Essa consciência por si só será transformadora para milhares de pessoas. Por quê? Pensem nisto: vocês podem ir para um lugar onde conseguem trazer suas encarnações passadas para um foco claro e, então, seguir direcionando suas próprias futuras encarnações.

O portal estelar é o epítome da encarnação, porque o auge do ciclo de encarnação é sua capacidade de escolher para onde desejam ir. Sabemos que lhes disseram na Terra que vocês escolheram suas condições de vida, mas vocês foram fortemente influenciados pela orientação divina e pela sabedoria de seus mestres e guias espirituais. Estamos falando agora de independência total na escolha do seu caminho evolutivo.

Vocês podem se perguntar: "E se eu não estiver pronto para ir para o portal estelar?". Saibam que vocês irão para algum lugar, garanto-lhes isso. Como vocês estão neste planeta, não terão a opção de ficar e não fazer nada. Se vocês ficarem e seguirem o fluxo, o fluxo poderá levá-los à escuridão. Muitas pessoas não vão conseguir chegar aos planos superiores. Se vocês não escolherem, então apenas irão com as massas que iniciarão o ciclo de encarnação novamente em outro planeta da terceira dimensão. Vocês já fizeram isso antes!

Estamos em uma missão de serviço. Ajudá-los a completar seu Triângulo Sagrado faz parte de um triângulo superior com o qual estamos trabalhando. Isso completará um triângulo de serviço para nós. Assim como vocês estão completando um triângulo para mover sua consciência e o planeta para uma dimensão superior, estamos completando um triângulo que nos moverá para outro reino e nos conduzirá a um estado mais elevado de consciência. Parte de um lado do nosso triângulo é servir a vocês e aos outros na sua situação. É assim que o universo funciona. Nós exibimos nosso avanço demonstrando e instruindo vocês na Terra. Do nosso ponto de vista, o que fazemos por vocês é um ato totalmente altruísta. Estamos fazendo isso para completar nossa própria missão. Não buscamos ganhos pessoais com seu avanço planetário.

A energia extraterrestre, especialmente a energia arcturiana e a energia pleiadiana, está trazendo à Terra o código para abrir os corredores para a quinta dimensão. Estamos falando sobre salvar a Terra, salvar sua biosfera. A luz da quinta dimensão será focada e direcionada para a transformação da Terra. O templo de cristal arcturiano irradia continuamente a luz da quinta dimensão pelos corredores da Terra. O fluxo constante de energia do templo é essencial para manter esses corredores interdimensionais.

Lado Dois: a Fraternidade Branca

O segundo lado do triângulo representa a Fraternidade Branca, que é supervisionada pelo Conselho Galáctico. A palavra "branca" refere-se à cor espiritual da luz pura. Não está relacionada a raça. "Fraternidade" não se relaciona a gênero, mas sim ao nome de uma organização unificada de mestres ascensionados. A Fraternidade Branca foi designada para trabalhar com as massas por meio das religiões tradicionais, do reino angélico e de outros aspectos da luz branca.

Esse aspecto do triângulo envolve a energia de Sananda, Kuthumi e outros membros da Fraternidade Branca trabalhando com a Terra. Esses mestres ascensionados são responsáveis por manter todas as religiões tradicionais do mundo. Por meio dessas religiões, os mestres têm ajudado vocês a desenvolver sua presença espiritual Eu Sou e suas capacidades para se unirem à unicidade do Criador. A energia da unicidade do Criador é muito forte nas dimensões superiores. Superar a dualidade do plano da terceira dimensão permitirá que vocês sintam essa energia profunda do Criador.

A Fraternidade Branca tem sido muito ativa em ajudar determinados seres poderosos, como Sananda/Jesus, Buda, Maomé e outros, a se tornarem forças e energias divinas em seu planeta. Cada um desses seres é uma força de energia poderosa para a Terra. Cada um pode atrair muitos milhões de almas com eles. Sabe-se que uma determinada mensagem, ou caminho, deve ser oferecida para levar muitas almas a um nível superior. Muitas pessoas neste planeta seguem religiões tradicionais e possuem uma compreensão muito restrita e rígida sobre a natureza do universo. Essas pessoas ainda podem se mover para os reinos superiores. É responsabilidade de um mestre, como Sananda/Jesus ou Buda, conduzir seu povo para um lugar mais elevado. Desse lugar, eles podem ser instruídos a fazer o que for necessário para se mover para os reinos superiores.

Lado Três: os Nativos Americanos

O terceiro lado do triângulo são os nativos americanos. Quando dizemos "nativos americanos", não nos referimos apenas aos nativos americanos da América do Norte, mas também aos povos indígenas nativos de todo o mundo. O conhecimento profundo que eles possuem sobre a Terra e suas forças e dinâmicas os ajudam a sustentar a terceira dimensão. Um conceito primário da unificação é compreender que, enquanto vocês estiverem na Terra, estão interagindo constantemente com a energia dela. Esse é o aspecto nativo americano, a conexão sagrada com a Mãe Terra.

Os mestres ascensionados nativos americanos estão trabalhando em uma missão planetária especial. Enquanto sua missão está sendo concluída na Terra, eles também estão desenvolvendo uma experiência planetária paralela para os nativos americanos, na qual estarão totalmente no controle de seu destino novamente. Haverá muita celebração com o sucesso dessa missão.

As energias dos nativos americanos estiveram em contato com a luz do Sol Central galáctico. Eles detêm uma luz poderosa que lhes foi oferecida. Frequências especiais foram oferecidas a determinados grupos nativos. Essas frequências especiais permitem que toda a dimensão da Terra permaneça intacta. É verdade que esses determinados códigos e vibrações estão relacionados a estabilizar toda a terceira dimensão. Essas frequências são tão poderosas que vêm do centro galáctico, o próprio núcleo galáctico.

Os índios nativos americanos, especialmente alguns dos hopis, foram incumbidos de determinados códigos que eles protegem para garantir a sobrevivência da Mãe Terra. Os códigos garantem que a Terra não retorne a um estado negativo ou fora de controle. Porém, está além de suas habilidades atuais proteger totalmente esses códigos. Eles não podem proteger toda a Terra com sua sabedoria espiritual. Eles precisam das outras partes do código.

Sabemos que a energia nuclear que vocês usam na Terra pode afetar totalmente esses códigos e frequências especiais. Aqueles que usam a energia nuclear desconhecem o fato de que toda a dimensão pode ser destruída por determinados erros. Foi por causa disso que nossas intervenções, e as intervenções dos outros, foram ordenadas do centro galáctico. Nossas intervenções assegurariam que os códigos e as frequências não fossem destruídos. Estamos agora disseminando para muitos outros trabalhadores da luz o conhecimento dessas frequências que são tão importantes para a estabilização da dimensão da Terra. Os nativos americanos que possuem esses códigos não conseguem carregar o fardo sozinhos. Portanto, trabalhadores da luz, saibam que vocês também devem ser portadores dessa vibração de luz e frequência.

Os nativos americanos devem compreender que são parte do triângulo. Eles não podem continuar a trabalhar sozinhos. Da mesma forma, o Triângulo Sagrado não pode ser concluído sem eles. Cada lado precisa do outro (isto é, no plano terrestre). Ainda resta saber como essa mensagem será transmitida aos nativos americanos, como eles reagirão e se eles concordarão em participar. Muitas pessoas que estão extremamente envolvidas no trabalho com os nativos americanos têm acesso aos poderes mantidos por suas culturas.

Juntando-se aos Lados do Triângulo

Nós somos os arcturianos, e eu sou Tomar. Faz parte da missão arcturiana introduzir o conceito do Triângulo Sagrado e supervisionar seu desenvolvimento. É uma unificação necessária de energia. Cada aspecto dessa energia é muito importante. Alguns de vocês estão familiarizados com essas três energias. Vocês se sentem confortáveis com a energia dos nativos americanos, a energia da Fraternidade Branca e a energia arcturiana e extraterrestre. Um ponto no centro do triângulo unifica essas três energias. É possível experimentar pessoalmente a unificação das três energias.

Os primeiros povos, chamados de primitivos, como os nativos americanos, não possuíam tecnologia industrial, mas aqueles avançados possuíam grande tecnologia espiritual. Isso é muito admirado pelos arcturianos. Eles admiram a tecnologia espiritual dos nativos americanos. Ela é uma verdadeira manifestação criativa da Terra. Nós os incentivamos a usar essa tecnologia espiritual e integrá-la à tecnologia espiritual dos arcturianos e à tecnologia espiritual da Fraternidade Branca. Cada uma tem um aspecto único para oferecer. Essas são as energias que devem ser unificadas para a Terra ascender.

Haverá aqueles que conseguem aceitar os nativos americanos e a Fraternidade Branca, mas não os extraterrestres. Eles não conseguirão aceitar a energia do portal estelar. Como essas pessoas compreenderão a energia do portal estelar, a energia dos arcturianos? Por outro lado, aqueles que estão abertos às energias extraterrestres geralmente estão muito abertos para as outras duas. Vocês podem ter problemas com algumas pessoas que não aceitarão imediatamente os extraterrestres. Outras podem não aceitar prontamente a energia espiritual dos nativos americanos.

Algumas pessoas vão trabalhar em lados diferentes do triângulo. Uma pessoa pode trabalhar em apenas um lado e, ainda assim, estar alinhada. Por exemplo, quem trabalha apenas com o lado de Sananda e com as hostes angélicas ainda pode estar alinhado, porque carrega a energia desse lado. Os escolhidos, ou especiais, vão trabalhar para a unificação dos três lados. Não será necessário um grande grupo de pessoas para concluir essa unificação.

Eu quero que vocês se concentrem em três lugares muito sagrados – dois na Terra e um em Arcturus. O primeiro lugar é San Francisco Peaks, perto de Flagstaff, Arizona, que representa as terras sagradas dos nativos americanos. O segundo lugar é o Monte Shasta, no norte da Califórnia, que representa a energia e a presença da Fraternidade Branca. O terceiro lugar é o templo de cristal em Arcturus, que contém a frequência da quinta dimensão arcturiana.

Peço agora para irem comigo a todos os lados do Triângulo Sagrado. Primeiro, vocês devem ir a San Francisco Peaks. De lá, devem ir ao templo de cristal em Arcturus. Depois, viajem do templo de cristal para o Monte Shasta. Retornem do Monte Shasta para San Francisco Peaks e completem o triângulo. Agora, mantenham essa energia do triângulo e visualizem a unificação espiritual da Terra. Neste momento, peço que visualizem essas três áreas novamente, uma a uma, ao receber mensagens de seres em cada local.

San Francisco Peaks

Vamos primeiro a San Francisco Peaks, perto da cidade de Flagstaff, Arizona. Essa é uma cordilheira alta, da qual é possível ver grande parte do norte do Arizona. É uma área muito sagrada. Muitos espíritos indígenas residem lá, mas seres do reino extraterrestre também podem ser encontrados. Sintam a pureza da luz nesse lugar. Com seu corpo etérico, deixem uma marca de sua energia lá.

Eu sou o Cacique Coração de Búfalo. Tenho orgulho de caminhar pelas montanhas de São Francisco, San Francisco Peaks. Que bela unificação – São Francisco, um aspecto de Kuthumi. Está escrito que, quando o homem branco retornar aos ensinamentos dos nativos, então será o momento de a Terra ser curada. Sei que muitos de vocês estão prontos para honrar esses ensinamentos e honrar os mestres ascensionados nativos americanos. Estou aqui para lhes dizer que os mestres ascensionados nativos americanos pertencem a todos vocês. Estamos abertos a trabalhar com todas as pessoas que pertencem ao Coração de Búfalo.

O Coração de Búfalo é um coração aberto ao mundo animal. Ele está aberto aos animais de poder. Nós sabemos que os animais precisam da Terra. Os animais não podem viver a menos que seu ambiente seja puro, a menos que sejam capazes de viver de acordo com as leis da natureza. O Coração de Búfalo reconhece isso. O Búfalo Branco retornou às planícies. Ele está caminhando entre vocês agora em espírito e na manifestação física real. Esse é um símbolo da grande unificação e do trabalho que será feito agora.

O Búfalo Branco é um sinal, mas não o sinal final. Esse sinal significa que haverá perdão e uma nova era de entendimento entre os nativos e os homens brancos neste planeta. Esse espírito de entendimento foi iniciado há muitos anos, em 1987, com a Convergência Harmônica, e nosso trabalho conjunto agora se intensificou. O projeto do Triângulo Sagrado reconhece a necessidade de unificação e de perdão. Nós, mestres ascensionados, trabalharemos com os nativos americanos para ajudá-los a compreender que suas intenções são puras, que vocês desejam integrar as energias do Triângulo Sagrado e que eles precisam de sua ajuda.

Os nativos americanos não podem completar suas tarefas de curar a Terra e preservar esta terceira dimensão sem vocês. Estamos trabalhando com eles para que superem sua paranoia e desconfiança em relação aos homens brancos. Nós entendemos profundamente seus sentimentos e o motivo de eles não quererem compartilhar seu conhecimento espiritual com vocês. No entanto, como o tempo é curto, todos podem se extinguir se eles guardarem o conhecimento espiritual e escolherem não compartilhá-lo. Convoquei todos os mestres ascensionados nativos americanos para estarem conosco. Vamos trabalhar para trazer a energia dos nativos americanos para este projeto, bem como a energia dos animais de poder.

Saibam que a maioria dos mestres ascensionados nativos americanos escolheram ajudar a Terra. Muitos outros espíritos nativos americanos na Terra estão esperando ajudar. Entendemos que existem outras culturas nativas além deles. No entanto, o chamado original veio dos nativos americanos neste continente por causa dos códigos especiais que eles detêm. Os hopis possuem um conhecimento especial sobre a terceira dimensão e a restauração da energia espiritual desse reino.

Saudações, irmãos e irmãs. Eu sou o Cacique Águia Branca e abençoo cada um de vocês. Apresento-lhes a pena da águia etérica para guiá-los durante este intenso período em questão. Sei que muitos de vocês desejam entrar em seu corpo de luz em espera na quinta dimensão. No entanto, precisamos que vocês mantenham sua energia e sua presença aqui na Terra. Olhem para seus corações e vejam quantas pessoas vocês estão tocando agora e quantas mais tocarão em um futuro próximo. Vejam quantas pessoas se reunirão por meio de seus esforços.

Muitos tipos de corredores, ou locais de alta energia, ainda permanecem em todas as terras nativas. No entanto, eles foram parcialmente fechados e são guardados por espíritos de proteção. Portanto, é necessária uma permissão especial para obter acesso a essas áreas. Atualmente, é preciso um novo tipo de corredor de interseção. O trabalho energético relacionado ao Triângulo Sagrado pode ajudar a estabelecer uma base importante para a criação desses corredores para a quinta dimensão.

Como a Terra sabe sobre a quinta dimensão, ela serviu a muitas pessoas antes de vocês, permitindo-lhes alcançar esse nível superior. Se a Terra for tratada apropriadamente, a energia se abrirá para vocês. Falo agora com a Mãe Terra. Bendita seja, Mãe Terra. Nós vivemos com alegria na superfície de seu corpo. Você é a nossa Mãe, assim como a mãe de muitos outros espíritos. Aceitamos nosso papel como guardiões de sua luz espiritual. Enviamos cura a você por toda a superfície e por todos os oceanos, céus, grandes rios e riachos.

Eu falo com vocês esta noite sobre a cerimônia sagrada que deve ocorrer, a fim de preparar para a ascensão da Terra. Uma energia universal existe em todo o planeta. Essa força vital da Terra permeia tudo no planeta. Vocês fazem parte dessa energia da Terra. Devemos ir para dentro da Terra, para dentro de seu espírito, e dizer-lhes que estamos prontos para trazer sua bela luz. Para ajudá-la a fazer isso, devemos direcionar uma luz da quinta dimensão para a Terra com uma força poderosa. Então, ofereceremos orações especiais – palavras especiais pronunciadas – que ajudarão a elevar a consciência da Terra.

Meus amigos, a Terra foi enfraquecida. Sua vida espiritual tem sido impedida pelo que vem acontecendo no planeta durante os últimos 2 mil anos, mas especialmente pelas atividades que ocorreram nos últimos 200 anos. Muitos trabalhadores da luz foram para diferentes partes do planeta e abriram energias e vórtices. Esta noite devemos adentrar a Mãe Terra. Viajem comigo esta noite para o centro do espírito da Mãe Terra.

De onde vocês estão sentados, desçam para dentro Terra. Desçam em seu campo energético como um ser de energia. Juntem seu corpo à energia da Terra e pronunciem estas palavras: "Mãe Terra, viemos aqui para trazê-la para a quinta dimensão. Mãe Terra, trazemos a luz dos arcturianos para seu reino espiritual. Mãe Terra, nós a amamos e nos comprometemos a desvendar seus códigos de ascensão, de modo que consiga seguir adiante". Esse é o propósito das cerimônias nativas americanas: a proteção, o desbloqueio e a ativação dos códigos sagrados da Mãe Terra.

Estou muito contente por vocês estarem prontos para incluir nossa sabedoria e nossos ensinamentos no Triângulo Sagrado. Estou contente porque muitos de vocês estão reconhecendo a sacralidade da Terra. Ela é um planeta e um lugar sagrados. Existem muitos lugares sagrados neste planeta. Lugares sagrados precisam ser nutridos e ativados. Dos pontos mais altos nas montanhas, podemos supervisionar o que está acontecendo em toda a Terra. Estão acontecendo muitas coisas destrutivas para a Terra e para seu povo, e essas coisas estão acontecendo há séculos. Mas, agora, pessoas boas como vocês estão carregando a tocha de luz para o planeta. Fumo o cachimbo da paz com vocês. Eu sou o Cacique Águia Branca.

O Templo de Cristal Arcturiano

Eu sou Tomar. Agora, peço-lhes para irem ao templo de cristal em seu corpo etérico. Focalizem seu terceiro olho no imenso cristal. Estabeleçam uma frequência de luz do cristal para seu terceiro olho e sintam a energia entrando nele. O conhecimento chegará a vocês sobre como ajudar nessa unificação. Deixem uma parte de si mesmos aqui no templo de cristal. Vocês agora possuem duas partes de si mesmos em dois lugares sagrados.

Eu sou Helio-ah, e nós somos os arcturianos. Estou falando com vocês do templo de cristal arcturiano. Estamos vendo de perto seus padrões de energia em mudança, e estamos observando conforme começam a integrar as energias do Triângulo Sagrado. Uma de nossas funções é oferecer-lhes uma consciência coletiva que será pura. Além disso, outra função é atrair muitas das sementes estelares arcturianas para este projeto do Triângulo Sagrado. As sementes estelares arcturianas foram fundamentais no início deste projeto, e elas serão fundamentais para concluí-lo. Nós, que estamos convocando e ativando as sementes estelares, queremos despertar dentro delas a função de unificar a terceira dimensão com a luz da quinta dimensão. Essa é uma das principais responsabilidades dos Grupos de Quarenta.

Somente com a luz da quinta dimensão as pessoas da Terra vão aceitar o perdão, a unificação, e transcender a negatividade no planeta. A luz da quinta dimensão do templo de cristal é uma luz de transcendência. É uma luz que transcende o ego, de pensamento puro e de purificação. Quando vocês compreenderem a quinta dimensão por meio das frequências arcturianas, entenderão como superar a dualidade. Este é um lugar de poderosa atração de energia que está em harmonia com o Espírito Criador.

Os nativos americanos com os quais vocês trabalham devem ser apresentados ao templo de cristal e aos corredores. Vocês descobrirão que eles serão mais receptivos do que imaginam, porque os nativos americanos têm sido visitados por extraterrestres por muitos séculos. Essa não é uma experiência nova para eles. Eles estarão muito abertos à frequência arcturiana.

Estamos ajudando a Terra estabelecendo corredores do templo de cristal. Esses corredores serão colocados em locais diferentes. Quero que vocês saibam que o templo de cristal está sempre lá para vocês o utilizarem quando necessário. Se vocês estiverem em uma situação confusa e não souberem qual direção escolher, venham ao templo de cristal. Entrem no cristal e sintam a pureza dos pensamentos e a pureza da luz. A compreensão da sua situação ficará clara.

Nós somos os arcturianos, e eu sou Juliano. É um momento incrível para se estar na Terra. Estamos cientes dos alinhamentos que seu Sol e seu sistema solar estão experimentando com o centro galáctico, que também é chamado de Sol Central galáctico. Estamos cientes das aberturas, dos corredores, das oportunidades interdimensionais que estão aqui agora. É realmente surpreendente, porque é uma experiência e uma abertura que só ocorrem em determinados momentos na história de um planeta.

Este é um momento de aceleração pessoal. Uma vasta oportunidade existe agora para dar saltos pessoais em sua consciência e sua evolução da alma. É realmente um momento que muitos de vocês esperaram por um longo tempo – vir e encarnar, conhecendo as infinitas possibilidades e a incrível oportunidade de experimentar a ascensão, a abertura para a próxima dimensão.

Como vocês sabem, seu planeta atualmente desenvolveu uma tecnologia fascinante, mas, no geral, vocês não fizeram um progresso espiritual semelhante como um planeta inteiro. Seu sistema planetário corre risco de entrar em colapso. Seriam necessárias apenas uma ou duas pessoas insanas para criar uma destruição total. Sua realidade, seu combustível e seu dinheiro estão apenas a uma centelha da destruição total. Em parte, quando falamos dos riscos de sua dimensão entrar em colapso, estamos nos referindo a essas questões de bancos, comércio e petróleo. Esses são os fatores que atualmente mantêm viva sua realidade da terceira dimensão. Tudo é tão frágil.

A tecnologia científica por si só não garante a evolução espiritual. No entanto, atualmente existe uma oportunidade muito incrível para a evolução espiritual. Nós nos perguntamos por que mais pessoas não estão tirando proveito disso. Nunca antes neste planeta houve um vasto repositório de conhecimento liberado. Nunca houve tanta interação com extraterrestres e outros seres de consciência superior. É incrível ver a Terra da nossa perspectiva quando chegamos da quinta dimensão. Vocês conseguem imaginar ver esses incríveis seres de luz ao redor da Terra?

Quanto mais pudermos ajudá-los a se conectar à quinta dimensão, mais unificação poderá ocorrer. Quanto mais essa unificação ocorre, mais luz chega a seu planeta e mais vocês participam ajudando aspectos do planeta a ascender. Cada um de vocês aqui é responsável por uma vibração pessoal do planeta com a qual ressoam, um aspecto dessa realidade que vocês ajudarão a unificar. Vocês não conhecem os poderes envolvidos neste projeto. Muitas pessoas neste planeta vão fazer tarefas semelhantes. Vocês vão participar com outras pessoas da manifestação da unificação planetária e dimensional.

Sananda/Jesus era tão poderoso quando estava neste planeta porque ele estava vivendo a unificação. Ele andou pelo planeta como um ser unificado, assimilando a terceira e a quinta dimensões. Vocês podem fazer o mesmo. Não devem ser o grande curador, não precisam sacrificar sua vida, não necessitam falar com as massas e não precisam transformar a água em vinho. Esse foi o papel de Sananda/Jesus. Seu papel é viver a unificação – caminhar na unificação – para outros testemunharem.

Nós, os arcturianos, adoramos nosso trabalho com a Terra. Sentimos que esta é uma tarefa sagrada, de alegria, para trazer a tecnologia espiritual a vocês. Nós sabemos que vocês desejam adentrar a quinta dimensão. Uma maneira de aumentar sua frequência e acelerar sua energia é conectar-se com o templo de cristal. Quando vocês conectarem sua energia aqui, vibrarão a uma velocidade cada vez mais rápida. Nós temos um lugar especial no templo de cristal que foi estabelecido para sua ligação e seu trabalho. A câmara de cristal possui vibrações especiais adequadas para todos os que chegam a esse lugar interdimensional em Arcturus. O templo de cristal detém sua vibração de luz e seu código de luz específicos. Nós manteremos seu lugar e sua energia aqui no templo de cristal. Além disso, transmitiremos um raio de luz de cura para vocês enquanto estiverem viajando de volta pelo corredor até o Monte Shasta.

Monte Shasta

Eu sou Tomar. Neste momento, vocês devem ir até o Monte Shasta em seu corpo etérico. Há muita luz lá. Sananda, Kuthumi, Saint Germain, Mãe Maria, Quan Yin e muitos outros grandes guias e mestres residem nesse corredor de luz chamado Monte Shasta. Deixem uma parte de seu eu etérico nele. Agora, vocês estão nos três lugares sagrados simultaneamente, além de ainda estarem em seu corpo físico.

Saudações, seres amados, eu sou Mãe Maria. A unificação das energias do Triângulo Sagrado é a realização de uma missão iniciada há 2 mil anos. Essa é uma missão relacionada ao alinhamento planetário e à abertura para a energia que tem sido chamada de energia do

Salvador. Durante sua missão na Terra, Jesus previu que um período de intensa luz e grande ressonância chegaria. No entanto, primeiro precisaria ocorrer uma limpeza e uma purificação.

Se vocês permanecerem no caminho, se mantiverem nas frequências de luz mais elevadas, compreenderem e interpretarem os sinais dos tempos e estiverem alinhados com Sananda/Jesus e os mestres ascensionados, serão capazes de resistir à purificação. Vocês conseguirão se mover para o novo mundo, a quinta dimensão.

Eu, Maria, tenho muitos amigos entre vocês. Eu sei que muitos de vocês estão repletos de amor pela Terra. Sei que vocês querem ajudar. Isso é o que é tão belo em vocês; estão realmente dispostos a servir. Que bênção é trabalhar com vocês que querem servir. Ao servir, estão transcendendo seu próprio ego. Sei que vocês têm muitas preocupações quanto ao seu próprio carma individual, ao seu desenvolvimento, à sua subsistência e à sua família. Porém, ainda têm um senso de responsabilidade pelo planeta e pelo que está acontecendo agora. Vocês querem ajudar as outras pessoa e curá-las.

Fiquei tão comovida quando ouvi quantos de vocês desejavam ser curadores e como estão manifestando sua luz de cura e sua energia de cura. Nosso mestre Sananda/Jesus foi o exemplo perfeito da cura. Aqueles que entraram em seu campo energético foram instantaneamente curados. Quero que aqueles de vocês que serão curadores saibam que seu campo energético será a força da cura. Aqueles que entrarem em seu campo energético sentirão um forte despertar.

Trabalhar na energia da unificação ajudará a estabilizar o planeta e a si mesmos durante as próximas mudanças na Terra. A importância desse aspecto do Triângulo Sagrado é nosso grande amor por vocês e pela Terra, a realização da missão estabelecida por Sananda/Jesus, o anúncio e o progresso da ascensão, e trazer aqueles de luz superior para a quinta dimensão. Nós, da Fraternidade Branca, estamos comprometidos com essas tarefas. Estamos comprometidos em trabalhar com vocês por meio de todos os seus guias e mestres. Permitam que os cantos da presença angélica cheguem até seus ouvidos etéreos. Que a luz de todos nós possa tocar seu coração.

Eu sou Kuthumi. Estou aqui na presença Eu Sou. Estou aqui para lhes trazer a chama violeta e garantir que ela permaneça dentro de seu campo energético. É um serviço especial alcançar e unificar as energias do Triângulo Sagrado. Os membros do Grupo de Quarenta vão alcançar e ensinar muitas pessoas. No ensinamento da união, o perdão deve desempenhar um papel integral. Minha mensagem para vocês é que este é o momento de ensinar sobre o perdão, que é uma energia de cura muita poderosa. Não posso listar as inúmeras injustiças e a dor e a tristeza que foram infligidas a tantas pessoas nesta Terra. Porém, podemos manifestar o perdão e curar as feridas do passado. Uma das funções do Triângulo Sagrado é reconhecer que os nativos americanos possuem um papel importante na preservação da Terra e da terceira dimensão. A Terra está destinada a entrar no reino da quinta dimensão realizando a unificação das três energias do Triângulo Sagrado.

Seres amados, eu sou Quan Yin. Estou aqui para ensinar sobre a compaixão e a compreensão. Estou aqui para ensinar sobre o perdão. Nós apreciamos essas conexões às quais vocês se referem como o Triângulo Sagrado. Vocês realmente são as únicas pessoas no planeta que atualmente estão vivendo essa poderosa conexão. Vocês vieram até aqui para aprender sobre o uso e a expressão adequados do poder pessoal.

Muitas pessoas na Terra querem compreender e perdoar. Posso levar muitos de vocês à luz da compreensão. Para perdoar, vocês primeiro devem compreender. Precisarão levar, da energia da Fraternidade Branca, a compreensão do que está acontecendo neste planeta. Vocês precisam entender que estamos nos movendo em direção à quinta dimensão e que existem pontos de acesso aos planos superiores. Devem compreender que o processo de ascensão planetária já começou tanto para vocês quanto para a Mãe Terra.

É muito importante que compreendam que a dor e o sofrimento das pessoas na Terra foram uma parte necessária do crescimento da raça humana, e vocês devem perdoar todas as coisas. Precisam compreender e sentir o amor que os guias e mestres têm por vocês. Muitos dos mestres, inclusive eu, viveram muitas vidas humanas na Terra, e nós sabemos como é. Conhecemos as muitas dificuldades, mas também acreditamos que vocês estão se saindo muito bem. Vocês aceitam essa função, essa tarefa de unificação.

Eu peço que a luz do Buda brilhe sobre todos vocês e faça parte do Triângulo Sagrado. Que vocês possam levar o conhecimento do

Buda em seus corações. Que vocês possam levar a compreensão da vida que o Buda possui e possam usar essa compreensão como parte da cura que podem transferir para o mundo. O Buda escolheu o caminho de permanecer na Terra, assim como os mestres nativos americanos fizeram. Ele escolheu esperar até que todos estejam prontos para vir, e a energia do Buda está alinhada com a energia da Terra de Sunat Kumara. Sem esforço. Ser. Essas são as lições do Buda. Transmito a vocês meu amor, meus seres queridos, mas também quero transmitir minha admiração por seu trabalho na unificação.

Eu sou Tomar. Nós concluímos a visitação dos três lugares sagrados representando a energia do Triângulo Sagrado. Vocês podem ver, movendo-se ao redor do Triângulo Sagrado, quão poderosa essa energia será. A importância dos corredores interdimensionais mantidos pelo templo de cristal deve ser trazida à atenção de todos. Eles servirão como faróis para os muitos Grupos de Quarenta. Peço a cada um de vocês para ativar um corredor no planeta onde quiserem. Vocês não estão servindo apenas a este projeto. Estão demonstrando a existência multidimensional permanecendo nos três lugares sagrados ao mesmo tempo. Retornem dos três lugares, voltem para seu corpo físico. As três forças do Triângulo Sagrado vão protegê-los agora. Vocês podem vivenciar a unificação e conduzi-la agora.

Ativando os Códigos de Ascensão

A união das três energias do Triângulo Sagrado vai desvendar poderosos códigos de ascensão na Terra. Trabalhar com códigos às vezes é como montar um quebra-cabeça, no qual cada peça deve ser colocada no lugar certo. Então, quando todas as peças forem encaixadas, uma grande porta se abrirá. Quando seu nível de consciência atinge uma determinada vibração, um código interno se abre, e então vocês recebem as visões de Ezequiel e as visões das escadas para os céus. Vocês recebem as visões da entrada do portal estelar. Obtêm acesso aos corredores interdimensionais.

Vocês possuem dentro de si o potencial de despertar para sua missão arcturiana, despertar para suas vidas passadas pleiadianas e despertar para suas conexões arcturianas. Tudo isso faz parte dos códigos sobre os quais estamos falando. Agora, nós os estamos preparando para elevar todas as suas vibrações, de modo que consigam receber e ativar novas energias codificadas dentro si. Essa será uma manifestação dos Grupos de Quarenta. Vocês podem se tornar catalisadores para abrir códigos dentro de seus próprios corpos mental, físico, emocional e espiritual.

Quando um código dentro de vocês estiver pronto para ser aberto, vocês vão ouvir um determinado tom e, de repente, vão experimentar uma explosão de energia dentro de seu ser. Como parte de sua missão, os Grupos de Quarenta arcturianos ajudarão a ativar outros, de modo que eles também possam receber a explosão de energia e experimentar a abertura dos códigos. Alguns de vocês já tiveram essas aberturas. Depois de experimentar a explosão de energia e a abertura de um código, poderão receber instruções específicas sobre o que fazer em seguida. Vocês conhecem o exemplo de Moisés subindo o Monte Sinai. Ele recebeu uma explosão de energia, e os códigos foram abertos para ele. Moisés recebeu, então, instruções sobre quais mensagens entregar a seu povo.

Muitos de vocês estão totalmente abertos, e seus códigos já foram reunidos e integrados em sua consciência. Estamos sempre trabalhando em dois níveis. Estamos trabalhando no nível de sua iluminação pessoal e no nível de serviço para a Terra. Cada um de vocês envolvido neste projeto levará ao Triângulo Sagrado uma determinada energia de luz. Alguns de vocês levarão a energia dos nativos americanos, enquanto outros levarão a energia pleiadiana. Alguns levarão a energia de Mãe Maria, enquanto outros levarão outras energias. A força da fusão dessas três energias vai desvendar códigos de ascensão mais profundos dentro da Terra.

Saibam que existe um potencial para muitas catástrofes. Ocorrerão muitos eventos que estão relacionados à purificação da Terra. Porém, dentro da própria Terra existem códigos sagrados, que foram usados por seres extraterrestres superiores para trazer vida ao planeta. Esses códigos foram usados para criar a biosfera da Terra. O fato de ela ter se desenvolvido de certa forma está contido em um formato estrutural dentro do corpo da Terra.

O método e a energia para conduzir a Terra para as dimensões superiores já estão codificados dentro dela. Não importa o que aconteça na superfície da Terra, as pessoas de vibração mais elevada podem alcançar os códigos dentro da Terra. Após totalmente ativados, uma

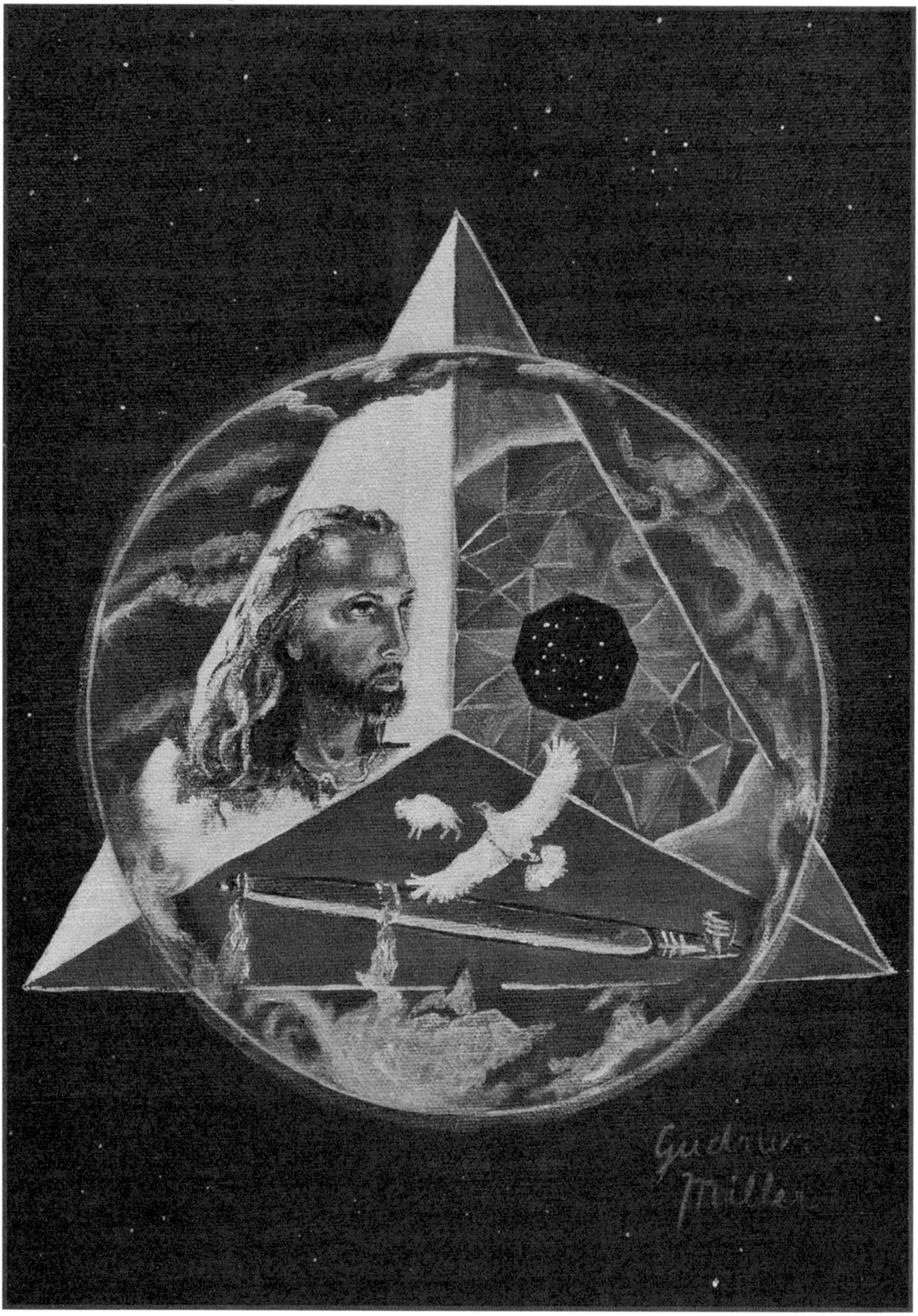
Gudrun Miller

beleza indescritível e uma aparição de luz da Terra inundarão o planeta. Uma luz bela, curadora e calorosa virá à superfície. As pessoas que experimentarem isso serão atingidas por um raio de piedade. Isso foi descrito como o retorno ao Jardim do Éden. Todos se manterão em um estado de céu na Terra.

Palavra de Sananda

Eu sou Sananda. Seres queridos, esta é realmente uma tarefa sagrada e uma jornada sagrada na qual vocês continuam a embarcar. Sei sobre seu amor por este caminho e esta jornada. Agora é o momento em que toda a unificação planetária deve ocorrer na Terra.

A unificação que os arcturianos designaram como o Triângulo Sagrado é uma missão de alma profunda para vocês e para todos os guias e mestres com quem trabalham. Esse projeto de unificação que vocês estão se esforçando para realizar também cumpre nossa missão. O Triângulo Sagrado é a representação da unificação da terceira com a quinta dimensões. Para muitos de vocês, essa é sua missão escolhida na Terra. Na missão do Triângulo Sagrado, vocês terão um papel na criação participando de todos os seus diversos aspectos.

Realmente, é emocionante para nós conhecer e unificar nossas forças. A tecnologia espiritual que os arcturianos oferecem ajudará a unificar o planeta. A Cabala ensina que a unificação é a união de uma energia do mundo superior com o mundo inferior. Ela também afirma que é a missão dos trabalhadores da luz realizar essa unificação. Somente vocês, como Adam Kadmon, a raça humana de Adão, podem unificar essa energia.

O Triângulo Sagrado

A imagem do Triângulo Sagrado é um símbolo para a união de três forças que se juntarão para curar nosso planeta Terra e guiá-lo em sua transição para a quinta dimensão. Sananda/Jesus representa a Fraternidade Branca. Os seres extraterrestres são simbolizados pela imagem do portal estelar arcturiano. Os nativos americanos são representados por símbolos da espiritualidade dos nativos americanos: um cachimbo da paz, o búfalo e a águia.

A imagem é uma tentativa de um retrato holográfico da Terra com o Triângulo Sagrado sobreposto a ela. O tamanho do triângulo representa o progresso dessas três forças na unificação das energias espirituais do nosso planeta. Com mais progresso, a Terra, por fim, estará completamente dentro do Triângulo Sagrado.

Das quatro imagens, esta última fluiu de mim sem esforço. Senti a ressonância divina e o poder dessa energia de unificação e me senti muito abençoada por poder trazer essa imagem.

Gudrun Miller

Estamos sempre preocupados com o destino da Terra. Vocês recebem notícias diariamente sobre um aspecto do planeta que é destruído, outra espécie se extinguindo, outro risco de um líder perverso ou até mesmo o perigo potencial de um asteroide. Será necessária uma energia sobrenatural para completar a evolução da Terra na próxima dimensão.

Colocamos o Triângulo Sagrado sobre seus corpos etéricos, de modo que compreendam a missão e as tarefas diante si. Aqueles que devem ser ativados serão atraídos a vocês. Eles compreenderão o triângulo de energia, e vocês poderão se unir a eles para realizar essa tarefa mais necessária. Trabalharemos com quem escolher participar da unificação das três energias do Triângulo Sagrado.

Vocês estão se movendo rapidamente. Não há muitas pessoas no planeta que possam trabalhar com os três lados do Triângulo Sagrado. Vocês podem pensar que não são suficientemente desenvolvidos, poderosos ou bons para realizar essa tarefa de unificar os três aspectos do Triângulo Sagrado. Nós lhes perguntamos: quem mais pode fazer isso agora? Quem mais está disposto a trazer esse conhecimento da união desses três lados e difundi-lo aos outros? Não é uma questão de suas habilidades ou de sua sorte. É uma questão de saber se vocês estão abertos e dedicados a essa tarefa. Observem esse trabalho como uma unificação da maior importância.

Essas energias especiais do Triângulo Sagrado precisam ser unificadas para salvar o planeta e a terceira dimensão do colapso iminente. O nível desse trabalho de unificação carrega consigo uma grande sacralidade. O ponto de unificação será concluído quando houver uma convergência simultânea das três energias do Triângulo Sagrado. Isso abrirá o portal para sua ascensão planetária. Quando os códigos do Triângulo Sagrado forem desvendados, as barreiras que os mantêm na Terra também serão liberadas, e vocês começarão a unir sua consciência mais facilmente com outras dimensões. Isso é o que tem sido chamado de remoção das barreiras. Isso só poderá acontecer depois que vocês ativarem os códigos de ascensão. Nesse ponto, vocês podem escolher para onde desejam ir, pois seu trabalho na Terra estará concluído.

Agora, trago um raio de luz dourado do meu chacra cardíaco para os seus. A vontade do Criador será expressa pela conclusão do projeto de unificação do Triângulo Sagrado. Uma vez concluído, o portal da quinta dimensão será aberto para permitir a entrada e a ascensão de suas almas, a fim de se juntarem a nós. Envio bênçãos a todos na Terra. Eu sou Sananda.

GLOSSÁRIO

Adam Kadmon

O termo hebraico para o primeiro humano ou humano primordial. Esse é o protótipo do primeiro ser que surgiu após o início da criação.

Adâmicos

Um termo usado para descrever os *Homo sapiens* ou humanos da Terra. O homem (Adão) é formado da terra.

Andrômeda

Uma grande galáxia em espiral a 2,2 milhões de anos-luz da galáxia da Via Láctea. A galáxia de Andrômeda é o maior membro do nosso aglomerado galáctico local. Ela é comumente referida como nossa galáxia irmã.

Andromedanos

Uma raça avançada de seres de dimensões superiores da galáxia de Andrômeda. Um grupo específico de andromedanos está atualmente trabalhando com os arcturianos em seus esforços para facilitar o processo de ascensão planetária da Terra.

Arcanjo

O termo designa o grau mais elevado de anjos na hierarquia angélica. A Cabala cita dez arcanjos. Eles são considerados mensageiros portadores de decretos divinos.

Arcturus

A estrela mais brilhante da constelação do Boieiro, também conhecida como Boötes. Essa é uma das mais antigas constelações registradas. Arcturus também é a quarta estrela mais brilhante vista da Terra. Ela é uma estrela gigante, com cerca de 25 vezes o diâmetro do Sol e 100 vezes mais luminosa. Ela está relativamente perto de nós, a aproximadamente 40 anos-luz da Terra. No alto do céu, no final da primavera e início do verão no hemisfério norte, Arcturus é a primeira estrela que pode ser vista após o pôr do sol. Nesse hemisfério, é possível encontrar Arcturus facilmente seguindo a alça do asterismo Grande Carro.

Ascensão

Um ponto de transformação alcançado pela integração dos eus físico, emocional, mental e espiritual. A unificação dos corpos permite transcender os limites da terceira dimensão e se mover para um reino superior. Isso tem sido comparado ao que é chamado de Arrebatamento na teologia cristã. Isso também foi definido como uma aceleração espiritual da consciência, que permite que a alma retorne aos reinos superiores e, assim, seja libertada do ciclo de carma e renascimento.

Ashtar

O comandante de um grupo de seres espirituais dedicados a ajudar a Terra a ascender. Os seres que Ashtar supervisiona existem principalmente na quinta dimensão e vêm de muitas civilizações extraterrestres.

Cabala

A maior ramificação do misticismo judaico. A palavra hebraica "*Kabbalah*" pode ser traduzida como "receber".

Canalização

O processo de entrar em um transe meditativo, a fim de invocar outras entidades para falar por meio de si.

Chacras

Centros de energia do sistema do corpo humano. Esses centros proporcionam a integração e a transferência de energia entre os sistemas espiritual, mental, emocional e biológico do corpo humano.

Cinturão de fótons

Um cinturão de energia que emana do centro da galáxia e está prestes a se cruzar com o sistema solar e a Terra. Alguns previram que o cinturão de fótons contém partículas de energia que poderiam afetar o campo eletromagnético da Terra, fazendo com que todos os equipamentos eletrônicos parassem de funcionar.

Corredores

Caminhos de transição na Terra que levam a uma dimensão superior. Os corredores podem ser encontrados em lugares de energia elevada, como locais sagrados na Terra. Os arcturianos acreditam que podemos estabelecer corredores em nossas áreas de meditação na Terra.

Crestone, Colorado

Uma pequena cidade no sudeste do Colorado que se tornou um centro espiritual único. Os arcturianos afirmam que existem muitos corredores e centros de energia em Crestone que ligam a área a importantes lugares da quinta dimensão, como seu mundo natal, o templo de cristal arcturiano e o portal estelar arcturiano.

Eckankar

A força vital geral. Uma antiga ciência, agora praticada por seguidores da Eckankar, que ensina como libertar a alma do corpo e realizar a viagem da alma. Os seguidores da Eckankar acreditam que existem guias e mestres etéricos cuja tarefa principal é nos auxiliar em nosso desenvolvimento evolutivo.

Ecks

Mestres ascensionados adeptos da Eckankar, a antiga ciência da viagem da alma.

Eheyeh Asher Eheyeh

Em hebraico, o nome supremo de Deus. Esse é o nome de Deus dado a Moisés em Gênesis 3:14. *Eheyeh Asher Eheyeh* é o nome completo traduzido como Eu Sou o que Sou. (Nota: em hebraico, a tradução correta é "Eu serei o que serei").

Entrantes

Humanos que receberam outras entidades espirituais em seus corpos. O termo também é usado em referência a um novo espírito que entrou em um corpo. Em alguns casos, o espírito original da pessoa pode ter saído (por exemplo, após um acidente de carro ou alguma outra forma de trauma grave) e o novo espírito entrou no corpo antigo.

Etérico
Um termo usado para designar os corpos superiores não visíveis no sistema humano. Na Índia, "etérico" é usado para descrever a energia e os pensamentos invisíveis dos seres humanos.

Força monádica
A força criativa original e elementar. Cada um de nós contém uma porção dessa força no centro de nossa verdadeira essência.

Fraternidade Branca
A Fraternidade Branca é uma hierarquia espiritual de mestres ascensionados que residem na quinta dimensão. A palavra "branca" não é usada aqui como um termo racial. Ela se refere à luz branca, ou frequência mais elevada, que esses mestres alcançaram. Os mestres incluem Sananda, Kuthumi, Mãe Maria, Quan Yin, Sanat Kumara, Saint Germain e muitos outros seres ascensionados.

Grays ou greys
Ver a entrada no glossário para *Zeta Reticuli*.

Grupo de Quarenta
Um conceito de consciência coletiva sugerido pelos arcturianos para nosso uso no processo de ascensão em grupo. De acordo com os arcturianos, quarenta é um número poderoso espiritualmente. Os arcturianos enfatizam o valor e o poder de se reunir em grupos. Um Grupo de Quarenta consiste em quarenta membros em todo o mundo que se concentram em meditar juntos em um determinado momento a cada mês. Interações em grupo e reuniões presenciais anuais são recomendadas. Os membros concordam em ajudar uns aos outros no desenvolvimento espiritual. Os arcturianos pediram que quarenta Grupos de Quarenta sejam organizados. Esses grupos ajudarão a curar a Terra e fornecerão uma base para o trabalho de ascensão dos membros.

Kadosh
Palavra hebraica para "santo".

Kadosh, Kadosh, Kadosh, Adonai Tzevaot

Hebraico para "Santo, santo, santo é o Senhor dos exércitos". Essa é uma expressão poderosa que, quando entoada, pode elevar o nível de consciência a novos patamares e ajudar a desvendar os códigos para nossa transformação para a quinta dimensão.

Kuthumi

Um dos mestres ascensionados que serve a Sananda. Em uma vida passada, Kuthumi encarnou como São Francisco de Assis. Ele geralmente é reconhecido como assumindo a posição de professor do mundo na Fraternidade Branca planetária.

Luz de Zohar

Luz da fonte do Criador. "*Zohar*" é a palavra hebraica para brilho ou esplendor.

Metatron

A tradição associa Metatron a Enoque, que "andou com Deus" (Gênesis 5:22) e subiu ao céu e foi transformado de ser humano a anjo. Seu nome foi definido como o Anjo da Presença ou aquele que ocupa o trono ao lado do trono divino. Outra interpretação de seu nome é baseada na palavra em latim "*metator*", que significa guia ou medidor. No mundo do misticismo judaico, Metatron detém o posto de mais supremo dos anjos. De acordo com os arcturianos, Metatron está associado ao portal estelar e está ajudando almas em sua ascensão a mundos superiores.

Miguel

Seu nome é na verdade uma pergunta, que significa: "Quem é como Deus?". Ele talvez seja o mais conhecido dos arcanjos e é reconhecido pelas três tradições sagradas ocidentais. Ele foi chamado de Príncipe da Luz, lutando uma guerra contra os Filhos das Trevas. Nesse papel, ele é descrito, na maioria das vezes, como alado e portando uma espada desembainhada, o guerreiro de Deus e matador do Dragão. Seu papel na ascensão está focado em nos ajudar a cortar os cordões do apego ao plano terrestre, o que nos permitirá avançar para uma consciência superior. Na Cabala, ele é considerado o precursor de Shekhinah, a Mãe Divina.

Montezuma Well

Uma atração turística no centro do Arizona, perto da região de Sedona. Originalmente, os historiadores identificaram por engano o poço profundo como pertencente aos índios astecas do México. Posteriormente, trabalhos arqueológicos identificaram a região como pertencente aos índios sinagua, contemporâneos dos anasazi. Os arcturianos identificam essa região como sendo um corredor poderoso e um local incrível para meditar e vivenciar outras dimensões.

Nefilins

Hebraico para "os caídos". Esse termo é usado em Gênesis 6:4 em referência aos gigantes: "Foi então, e também depois, que os nefilins apareceram na Terra – quando os seres divinos coabitaram com as filhas dos homens, as quais lhes deram filhos".

Órion

Órion é uma incrível constelação que domina o céu no hemisfério sul durante o verão. A parte mais notável dessa constelação é o cinturão, que consiste em três estrelas brilhantes. Nenhuma outra constelação contém tantas estrelas brilhantes. Rigel, que está fora do cinturão, por exemplo, é uma estrela gigante a mais de 500 anos-luz de distância. Betelgeuse, outra estrela fora do cinturão de Órion, está a cerca de 300 anos-luz de distância.

Órions

Uma cultura extraterrestre que descende de uma antiga civilização perto da constelação de Órion. Os órions foram extremamente influentes na composição genética do ser humano atual. Os seres humanos possuem uma porção de DNA dos órions e refletem seus traços em nossa atual composição física, emocional e mental.

Plano astral

O nível não físico da realidade, considerado como o lugar para onde a maioria dos humanos vai quando morre.

Plêiades

Um pequeno aglomerado estelar conhecido como as Sete Irmãs em algumas mitologias. Alguns índios nativos americanos acreditam ser descendentes das Plêiades. Elas estão localizadas perto da constelação de Touro, a cerca de 450 anos-luz da Terra, e é o lar de uma raça humana chamada pleiadianos, que frequentemente interagiu com a Terra e suas culturas. Dizem que os pleiadianos possuem uma ancestralidade comum conosco.

Portal estelar

Um portal multidimensional para outros reinos superiores. O portal estelar arcturiano está localizado muito próximo ao sistema estelar Arcturus e é supervisionado pelos arcturianos. Esse ponto de passagem poderoso requer que os terráqueos que desejam passar por ele completem todas as lições e encarnações na Terra associadas à experiência da terceira dimensão. Ele serve como uma entrada para a quinta dimensão. Novas missões de alma são oferecidas nele, e as almas podem, então, ser enviadas para muitos reinos superiores na galáxia e no universo. Metatron e muitos outros seres superiores estão presentes no portal estelar. Muitas pessoas atualmente estão usando o termo "portal estelar" para se referir a aberturas na Terra para dimensões superiores quando, na verdade, estão descrevendo corredores. O portal estelar é uma incrível estrutura etérica, semelhante a um templo, que pode processar e transformar muitas almas.

Projeção de pensamento

Uma técnica descrita pelos arcturianos que envolve a projeção de pensamentos através de um corredor para alcançar a quinta dimensão e além.

Projeto HAARP

High Frequency Active Aural Research Project (em português, Projeto de Investigação de Aurora Ativa de Alta Frequência). Um projeto de pesquisa científica conduzido pelos militares norte-americanos, descrito por alguns como um aspecto do projeto Guerra nas Estrelas. Ondas de rádio de alta frequência são enviadas para a ionosfera com o propósito de interceptar todos os sistemas de comunicações globais. Ele está sendo testado na região remota do Alasca. O projeto usa um transmissor de rádio de imenso poder. Ele oferece uma capacidade única de aquecimento da ionosfera.

Sananda

Sananda é conhecido por nós como o Mestre Jesus. Ele é considerado o maior cabalista judeu de todos os tempos. Seu nome galáctico – Sananda – representa uma imagem evoluída e galáctica de quem ele é em sua totalidade. Na Cabala, Sananda é conhecido como Jeshua ben Miriam de Nazaré, que pode ser traduzido como Jesus, filho de Maria de Nazaré.

Sol Central

O centro de um sistema estelar astronômico. Todos os aglomerados estelares, nebulosas e galáxias contêm um núcleo em seu centro. Até mesmo o grande universo em si tem um Grande Sol Central no centro de sua estrutura. Na maioria dos casos, uma estrela gigante existe no centro de todos os sistemas estelares. O Grande Sol Central da Via Láctea fornece energia vital para toda a galáxia.

Táquion

Uma pequena partícula que viaja mais rápido do que a velocidade da luz. Uma pedra taquiônica é um objeto que contém partículas de táquions e é utilizada para curas praticamente do mesmo modo que os cristais são utilizados.

Templo de cristal

Um templo etérico na quinta dimensão que foi disponibilizado para nosso uso pelos arcturianos. O templo de cristal contém um lago com cerca de 1,5 quilômetro de diâmetro que abriga um enorme cristal com metade do tamanho do próprio lago. Todo o lago e sua área circundante são cercados por uma enorme cúpula de vidro, permitindo aos visitantes também contemplar as estrelas.

Tons

Sons que produzem uma ressonância vibratória que ajuda a ativar e alinhar os chacras.

Triângulo Sagrado

Um termo usado pelos arcturianos para designar um símbolo triangular representando a unificação de três forças espirituais poderosas na Terra: os mestres da Fraternidade Branca (incluindo Sananda/Jesus), os mestres extraterrestres de dimensões superiores (como os arcturianos e os pleiadianos) e os mestres ascensionados nativos americanos (como o Cacique Águia Branca). A unificação dessas forças espirituais criará o Triângulo Sagrado, que ajudará na cura e na ascensão do planeta Terra.

Zeta Reticuli

Um sistema de estrelas gêmeas que é o lar de pequenos seres humanoides com grandes olhos negros e ovais que visitaram a Terra por mais de 50 anos. Eles são frequentemente chamados de grays ou zetas. Eles foram acusados de abduzir seres humanos para realizar pesquisas de DNA e outros experimentos médicos.

Zona nula

Uma zona fora da terceira dimensão, mas não necessariamente em alguma outra dimensão. Uma área fora da nossa conhecida estrutura do universo espaço-temporal onde o tempo é inexistente. Alguns especularam que o cinturão de fótons contém regiões de zonas nulas e que a Terra entrará temporariamente em uma zona nula em um futuro próximo.

Sobre o Autor e a Artista

David K. Miller

David K. Miller é diretor e fundador de um grupo de meditação internacional focado na cura pessoal e planetária. Ele é diretor desse grupo de cura global, chamado Grupo de Quarenta, há aproximadamente 20 anos. David tem desenvolvido técnicas de cura global inovadoras usando consciência coletiva para ajudar a curar áreas da Terra que precisam de equilíbrio, restauração e harmonia. A técnica utilizada em seu trabalho em grupo é chamada de biorrelatividade, que usa o trabalho da consciência coletiva para restaurar o sistema de realimentação da Terra, um complexo sistema planetário que mantém o equilíbrio correto da atmosfera do planeta, das correntes oceânicas e dos padrões meteorológicos.

O grupo de meditação de David tem mais de 1.200 membros em todo o mundo. Além de suas palestras e *workshops*, David também é um autor prolífico, tendo escrito dez livros e inúmeros artigos sobre técnicas de cura da Terra. Muitos de seus livros também foram publicados em alemão e em espanhol.

David trabalha com sua esposa, Gudrun Miller, que é psicoterapeuta e uma artista visionária. Juntos eles realizaram *workshops* no Brasil, na Alemanha, na Austrália, no México, na Argentina, na Costa Rica, na Espanha, na Nova Zelândia, na Bélgica e na Turquia. A base de David para este trabalho consiste em seu estudo e conexão com os ensinamentos dos nativos americanos e sua intensa pesquisa sobre misticismo, incluindo a Cabala. Ele também tem um ávido interesse pela astronomia e pela relação da Terra com a galáxia. Para saber mais, acesse www.GroupofForty.com.

Gudrun Miller

Gudrun Miller é artista há 20 anos e tem se dedicado à busca espiritual durante toda a sua vida. Quando os arcturianos solicitaram que ela reproduzisse imagens com a ajuda deles, sentiu-se honrada e emocionada.

O despertar espiritual de Gudrun foi auxiliado por seu guia espiritual, Espírito de Fogo, um índio americano ascensionado, que ajudou Gudrun a construir uma tenda medicinal em seu jardim e também orientou seu trabalho como uma artista visionária. Desde então, muitas pessoas de todo o mundo visitam a tenda Eagle Medicine em busca de suas energias de cura. Os índios americanos trabalharam em harmonia com as energias extraterrestres e a Fraternidade Branca.

Gudrun acredita estar seguindo uma antiga tradição que parece ser completamente coerente com sua busca pessoal. Os arcturianos fazem seus pedidos por meio de David, que, então, canaliza informações específicas que ajudam a estimular a imaginação de Gudrun. Ela, então, sente a presença deles em uma consciência e um foco intensificados enquanto pinta. Os arcturianos asseguraram a Gudrun que, se as imagens não ficassem adequadas, diriam a ela. Eles pediram muitas outras imagens que ela ainda não pintou, mas espera fazer isso em um futuro próximo.

Quando não está pintando, Gudrun trabalha em tempo integral como arteterapeuta e conselheira. Ela também sente a presença de cura de seus guias e mestres em sua prática.

MADRAS Editora

Para mais informações sobre a Madras Editora,
sua história no mercado editorial
e seu catálogo de títulos publicados:

Entre e cadastre-se no site:

www.madras.com.br

Para mensagens, parcerias, sugestões e dúvidas, mande-nos um e-mail:

marketing@madras.com.br

SAIBA MAIS

Saiba mais sobre nossos lançamentos,
autores e eventos seguindo-nos no facebook e twitter:

@madrased

/madraseditora